D0716343

1001 trucs publicitaires

Les Éditions TRANSCONTINENTAL inc.
1100, boul. René-Lévesque Ouest
24e étage
Montréal (Québec)
H3B 4X9

Tél. : (514) 392-9000
(800) 361-5479 (sans frais)

Ce livre a été publié en anglais sous le titre *1001 Advertising Tips*.

Conception graphique de la couverture :
Roger Lafortune

Mise en pages :
Ateliers de typographie Collette inc.

Dépôt légal — 4e trimestre 1993
5e impression, septembre 1998
Bibliothèque nationale du Québec
Bibliothèque nationale du Canada

ISBN 2-921030-55-1

Les Éditions Transcontinental remercient le ministère du Patrimoine canadien
et la Société de développement des entreprises culturelles du Québec
d'appuyer leur programme d'édition.

1001 trucs publicitaires

par

Luc Dupont

Préface de Claude Cossette

2e édition
revue et augmentée

« Le principe de la publicité est de créer le rêve et la fantaisie. »

Phinéas Taylor Barnum

« La persuasion et l'habileté diplomatique consistent dans une large mesure en un choix de mots, de formules et d'images qui présentent les faits sous un jour plaisant sans être nécessairement trompeurs. »

André Berge

REMERCIEMENTS

Je voudrais remercier tous ceux qui, à divers égards, m'ont aidé lors de la réalisation de cet ouvrage. D'abord, Claude Cossette, président-fondateur de Cossette Communication-Marketing et professeur en communication graphique à l'Université Laval, pour ses encouragements, ses suggestions de lecture et sa généreuse préface.

Je remercie aussi Jacques de Guise, professeur au département de Communication de l'Université Laval et spécialiste en psychosociologie de la communication, pour son intérêt, ses conseils, sa disponibilité et son sens de l'écoute.

Nos remerciements s'adressent également à Pierre Delagrave, vice-président, média et recherche chez Cossette Communication-Marketing, et Jeannot Lefebvre, directeur du développement des affaires chez Mediacom, pour nous avoir fait partager leurs expertises.

Je tiens aussi à signaler la participation des ethnologues Jean-Claude Dupont et Margaret Low, et de l'écrivain Jeanne Pomerleau pour leurs remarques pertinentes lors de la lecture du manuscrit.

Je ne saurais terminer sans remercier le personnel des bibliothèques de l'Université de Montréal, de l'Université Concordia, de l'Université McGill, de l'Université d'Ottawa et de l'Université de New York à Albany. Une mention toute spéciale aux responsables du prêt entre bibliothèques de l'Université Laval.

PRÉFACE DE CLAUDE COSSETTE*

fondateur de Cossette Communication-Marketing

C'est avec enthousiasme que je rédige une préface pour *1001 trucs publicitaires* de Luc Dupont. En effet, *1001 trucs publicitaires* est un ouvrage précieux qui rendra de grands services autant d'ailleurs aux amateurs de publicité qu'aux publicitaires professionnels : *c'est un livre que j'aurais aimé écrire.*

Les livres et les articles sur la publicité ne manquent pas. De nombreux titres ont été écrits par des publicitaires chevronnés ou par des théoriciens venus de l'université. Malheureusement, ces textes sont dispersés aux quatre vents et sont souvent inaccessibles.

Par ailleurs, les Québécois tiennent une position privilégiée par rapport au monde publicitaire : ils ont un œil fixé sur le géant anglo-saxon et l'autre, sur l'espace latino-européen. Ils peuvent donc tirer le meilleur des deux cultures — et ils le font effectivement : je pense que *les Québécois sont parmi les meilleurs publicitaires du monde.*

Ils jouent même de plus en plus le rôle de portiers pour certains de leurs « cousins d'outre-Atlantique » qui veulent mettre le pied dans le pays de l'Oncle Sam.

Le livre de Luc Dupont est un instrument unique: il donne une prise directe sur la production publicitaire. Les ouvrages que j'ai

* Claude Cossette est professeur titulaire en communication et image à l'Université Laval. Il est aussi président-fondateur de Cossette Communication-Marketing, une des plus grandes agences de publicité du Canada. Claude Cossette a aussi écrit quatre ouvrages sur la communication et la publicité : *Les images démaquillées : une approche scientifique de la communication par l'image*, *La Publicité en action : ce qui se passe derrière les coulisses d'une agence*, *Comment faire sa publicité soi-même* et *La Créativité.*

écrits expliquent le processus publicitaire ; la connaissance de cette étape est un préalable nécessaire pour faire de la publicité efficace.

Toutefois *1001 trucs publicitaires* va plus loin : il nous livre les outils pour réaliser les messages publicitaires eux-mêmes. Et Luc Dupont n'est pas avare d'information. Il rassemble entre deux couvertures des dizaines d'études et d'articles scientifiques dans lesquels *les plus grands maîtres nous révèlent les secrets de leur succès* — en apportant les preuves de leurs affirmations.

Bref, à ma connaissance, *il n'existe aucun autre ouvrage comparable* ni en français ni en anglais. C'est une invention typiquement québécoise.

1001 trucs publicitaires est un outil rare et précieux, car nous trouvons là, à portée de la main, les meilleurs conseils — ceux des vrais experts — pour réaliser nos messages publicitaires selon la formule éprouvée.

Je dis bravo ! à Luc Dupont. Et je souhaite le succès qu'il mérite à *1001 trucs publicitaires.*

Claude Cossette

TABLE DES MATIÈRES

AVANT-PROPOS

Je vous souhaite la bienvenue dans ce livre. Nous allons voir ensemble les *trucs* qui marchent et ceux qui ne marchent pas en *publicité imprimée.*

Dans les pages qui suivent :

1. Vous apprendrez comment les consommateurs réagissent à différents stimuli.
2. Vous comprendrez pourquoi il est important de positionner votre produit.
3. Vous découvrirez quels genres de titres donnent les meilleurs résultats.
4. Vous saurez s'il est préférable d'écrire des titres courts ou des titres longs.
5. Vous trouverez 70 mots qui vendent à tout coup.
6. Vous apprendrez comment écrire des textes qui vendent.
7. Vous saurez quand écrire des textes courts et des textes longs.
8. Vous verrez quelles sortes d'illustrations sont les plus efficaces.
9. Vous connaîtrez la signification cachée des couleurs.
10. Vous comprendrez pourquoi le choix des caractères typographiques est important.
11. Vous saurez quels types de mises en pages marchent le mieux.
12. Vous découvrirez huit raisons d'utiliser la publicité comparative et quatre raisons de l'éviter.
13. Vous apprendrez les six effets de la répétition.

Les principes exposés dans cet ouvrage seront basés sur la recherche publicitaire et non sur des opinions ou des intuitions du genre: *« Cette annonce est bonne parce que je le sens »*.

Bien sûr, certains « spécialistes » vous diront que les meilleures annonces ne respectent pas les règles. C'est vrai — une fois sur mille. Mais le reste du temps, les consommateurs réagissent toujours aux mêmes techniques de la même façon.

La société change, les opinions se modifient et les modes passent, mais la nature humaine ne change pas. Le zoologiste Desmond Morris écrit :

> « La vérité, c'est que l'espèce humaine a toujours possédé la même gamme de pulsions émotionnelles et à peu près la même façon de les extérioriser. Nous avons toujours été capables de passer de l'hostilité à l'amitié, de l'amour à la haine, de l'égoïsme à l'altruisme, de la tristesse à la joie. En fait, ce ne sont que les noms qui ont changé au fil du temps[1]. »

NOTE

1. MORRIS, Desmond. *Magie du corps* (traduit par Michel Lederer), Paris, Bernard Grasset, 1986, p. 13.

CHAPITRE 1

45 FAÇONS DE POSITIONNER VOTRE PRODUIT

Même si vous travaillez jour et nuit, vous ne réaliserez jamais de grandes campagnes publicitaires si vous ne commencez pas par positionner votre produit.

Pour réussir dans l'environnement sursaturé d'aujourd'hui, vous devez vous tailler une niche précise sur le marché. Aujourd'hui, un produit ne peut pas être à la fois un produit pour hommes et pour femmes, un produit pour les jeunes et pour les gens plus âgés.

Al Ries et Jack Trout, les spécialistes du positionnement, écrivent :

> « Dans la jungle de la communication, le seul espoir de ramener une belle proie est d'être sélectif, de se concentrer sur des cibles bien délimitées, de pratiquer la segmentation ; en un mot, de pratiquer le positionnement[1]. »

Vous réalisez plus facilement toute l'importance du positionnement en vous posant les questions suivantes :

1. Quelle est la différence entre Crest et Colgate ?
2. Quelle est la différence entre Coke et Pepsi ?
3. Quelle est la différence entre Tide et Arctic Power ?

Pourquoi le propriétaire d'un jeune chiot achète-t-il du Puppy Chow à son chien alors que le propriétaire d'un berger allemand achète du Dr Ballard ? Ont-ils goûté aux deux marques ? Leur chien leur a-t-il dit qu'il aimait plus une marque qu'une autre ? Ou ces propriétaires ont-ils choisi un positionnement ?

Soyons francs. La différence n'est pas dans le tube de dentifrice, dans la bouteille de boisson gazeuse ou dans la force du détergent. La différence, elle est dans la personnalité du consommateur*. Nous n'achetons pas des produits, nous achetons des positionnements.

À quelques exceptions près, les consommateurs sont incapables de faire la différence entre une marque et une autre. Pour

* Dans son livre *Motivation in Advertising*, publié en 1957, Pierre Martineau analyse les facteurs qui motivent une décision d'achat. Il conclut que c'est le désir d'exprimer notre personnalité telle qu'elle est, ou telle que nous voudrions qu'elle soit, qui nous guide dans le choix des produits et des marques. À peu près au même moment, le docteur Ernest Dichter conduit des recherches similaires, et arrive aux mêmes conclusions. Il publie deux livres sur le sujet : *La Stratégie du désir* et *Le Marketing mis à nu*. Je vous les recommande.

une étude, on a sélectionné 300 personnes fidèles chacune à une des trois grandes marques de cigarettes. On les a fait fumer des cigarettes dont la marque était cachée. Après quoi, on leur a demandé d'identifier leur tabac préféré. Seulement 2 % des fumeurs ont réussi à reconnaître leur marque[2]. On a observé les mêmes résultats avec des utilisateurs de chaînes stéréophoniques[3], des utilisateurs de crème à raser[4], des buveurs de bière[5], de boisson gazeuse[6] et de champagne[7].

45 FAÇONS DE POSITIONNER VOTRE PRODUIT

1. Le positionnement «Nous sommes l'original»

Il s'adresse à toutes les entreprises qui ont été les premières à édifier une position pour leur genre de produits.

Un bon exemple est le slogan « l'Authentique » de Levi's. Grâce à ce slogan, Levi's se positionne comme l'original, exploitant du même coup la tendance naturelle des gens à glorifier la première marque et à considérer les autres comme de pâles imitations.

Le thème actuel de la campagne Sanka — « You can't beat the original » — est un autre bon exemple de la stratégie visant à se présenter comme l'original.

Plusieurs autres campagnes utilisent une approche similaire :

«Quand on est vrai», dit Molson.

«Le vrai de vrai», affirme Coca-Cola.

«Et pourquoi pas une vraie brune», déclare Guinness.

«L'original», mentionne Speed Stick de Mennen.

«On ne le remplacera jamais», dit la publicité du ketchup Heinz.

«L'original et le premier», déclare l'emballage des Special K de Kellogg.

«Le goût original», affirme la gomme à mâcher Beemans.

«Le vrai jeu de puissance», dit le commercial de Nintendo.

Pourquoi vous contenter d'une copie quand vous pouvez avoir l'original?

Il est bien connu que les idées originales inspirent les imitateurs. Lorsque, en 1959, Xerox a conçu le premier copieur à papier ordinaire pour des entreprises comme la vôtre, cette découverte a inspiré des imitateurs, qui se sont multipliés depuis.

Cependant, comme leurs produits sont des imitations, il leur manque un élément difficile à reproduire: la pensée originale qui soutient l'idée et la vision qui lui fait prendre son envol.

Cet esprit est au coeur de tous les produits Xerox. Il se traduit par notre détermination profonde à faire de notre mieux pour votre entreprise, quelle que soit l'ampleur de vos besoins.

C'est pourquoi notre copieur a frayé la voie à d'autres innovations pour votre entreprise: le copieur couleur, l'imprimante à laser et le terminal de télécopie.

Aujourd'hui encore, nous cherchons constamment à nous dépasser en concevant toujours de nouvelles idées originales.

Toutes ces idées émanent de la pensée originale – une pensée difficile à reproduire, la pensée Xerox.

Cette publicité positionne efficacement Xerox comme l'original, l'inventeur du produit. La position de la firme apparaît dans le titre (Pourquoi vous contenter d'une copie quand vous pouvez avoir l'original ?), dans le texte (Lorsque, en 1959, Xerox a conçu le premier copieur à papier ordinaire pour des entreprises comme la vôtre, cette découverte a inspiré des imitateurs, qui se sont multipliés depuis.) et dans l'illustration (canards de bois qui ont l'aspect de l'original comparativement à un canard vivant qui prend son envol).

Le positionnement « Nous sommes l'original » est très payant. À long terme, les enquêtes indiquent que les marques pionnières obtiennent des parts de marché plus importantes que les nouvelles marques.[8] Une étude réalisée par le Boston Consulting Group[9] révèle que la première marque à prendre place dans l'esprit des consommateurs détient, à la longue, le double de la part de marché de la marque numéro 2, et le quadruple de la marque numéro 3.

Dans un article publié dans la revue *Advertising Age*, Murray Lubliner, président de Lubliner Saltz, a comparé les 25 marques les plus vendues en 1923 avec les 25 marques les plus vendues en 1983. Lubliner a découvert que 19 des 25 marques les plus vendues en 1923 étaient toujours les premières en 1983, 4 étaient devenues deuxième, une se classait troisième et une se situait parmi les 5 premières[10].

2. Le positionnement « deuxième position »

L'exemple le plus célèbre de ce genre de positionnement est sans aucun doute celui de la firme Avis.

Seconde dans le marché de la location de voitures, derrière le géant Hertz, Avis a réalisé une campagne publicitaire fondée sur le slogan : « *Avis est seulement numéro 2 dans la location de voitures, alors pourquoi venez-vous chez nous ? Nous essayons de faire mieux.* »

Les résultats ne se sont pas fait attendre. En un rien de temps, Avis a augmenté sa part de marché de 6 % et a ainsi réalisé des gains pour la première fois en 13 ans.

Chose plus intéressante encore, cette stratégie a permis à Avis d'occuper une position simple et efficace. D'une part, le public a tenu pour acquis que la compagnie Avis était du même calibre que le leader Hertz. Et par ricochet, National, la troisième compagnie pour ce qui est des ventes, a perdu du terrain.

3. Le positionnement fondé sur le bas prix

Une troisième stratégie de positionnement consiste à occuper la case « prix modique ».

Les cosmétiques Maybelline, les photocopieurs Savin, les automobiles Yugo, les magasins K-Mart, le détersif ABC, la crème à

Produit ou Marque leader en 1923	1983
Le bacon Swift premium	Pas de changement
Les corn flakes Kellogg's	No 3
Les caméras Eastman	Pas de changement
Les fruits en conserve Del Monte	Pas de changement
Le chocolat Hershey's	No 2
Le saindoux Crisco	No 2
Le lait concentré Carnation	Pas de changement
La gomme Wrigley	Pas de changement
Les biscuits Nabisco	Pas de changement
Les piles Eveready	Pas de changement
La farine Gold Medal	Pas de changement
Les bonbons à la menthe Life Savers	Pas de changement
La peinture Sherwin-Williams	Pas de changement
Le papier Hammermill	Pas de changement
Le tabac à pipe Prince Albert	Pas de changement
Les rasoirs Gillette	Pas de changement
Les machines à coudre Singer	Pas de changement
Les chemises Manhattan	Parmi les 5 premiers
Les boissons gazeuses Coca-Cola	Pas de changement
La soupe Campbell's	Pas de changement
La savon Ivory	Pas de changement
Le thé Lipton	Pas de changement
Les pneus Goodyear	Pas de changement
Le savon de toilette Palmolive	No 2
Le dentifrice Colgate	No 2

Murray Lubliner a comparé les parts de marché des 25 marques les plus vendues en 1923 avec les 25 marques les plus vendues en 1983. Il a découvert que 19 des 25 marques les plus vendues en 1923 étaient encore les leaders dans leur genre de produit en 1983.

Source : *Lubliner, Murray. « "Old Standbys" Hold Their Own »,* Advertising Age, *19 septembre 1983, p. 32.*

raser Barbasol, les produits alimentaires Zel, la bière Carling et l'entreprise de location d'automobiles Budget exploitent tous la position du *bas prix* avec un succès certain.

Dans l'hôtellerie, la chaîne d'hébergement Journey's End est un autre bon exemple de produit gagnant qui occupe la position « prix modique ». Inaugurée en 1978 à Belleville, en Ontario, la

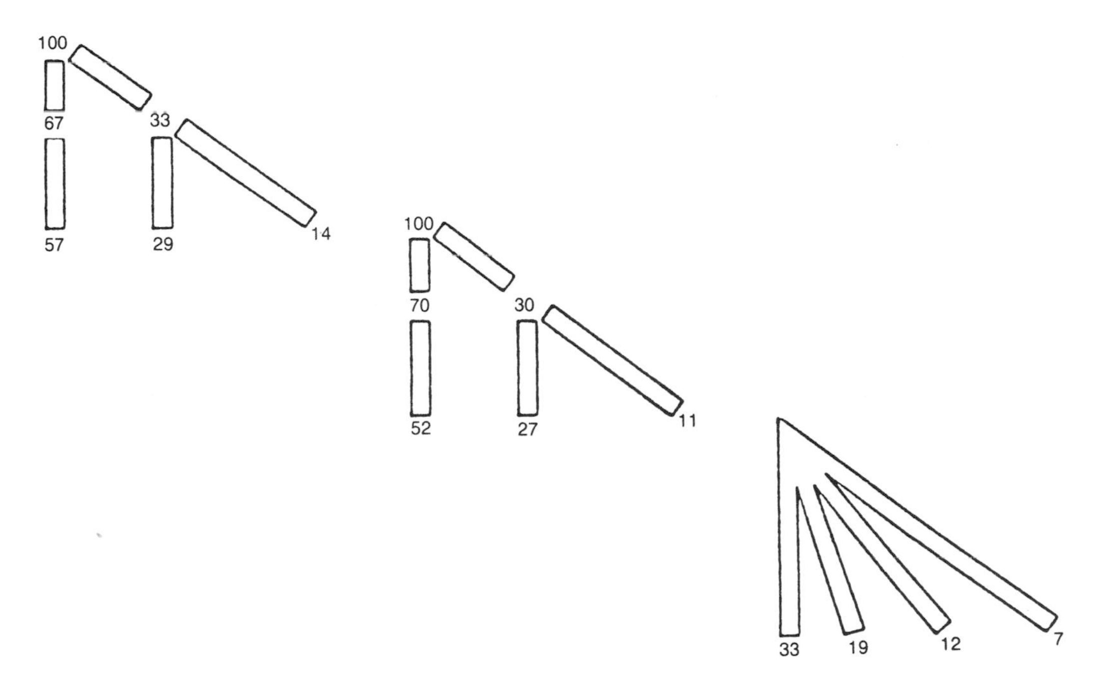

Des recherches récentes tendent à démontrer qu'il existerait des règles naturelles concernant l'évolution d'un marché. Ce tableau présente les trois principales théories concernant l'évolution des ventes des premières entreprises à s'implanter dans un marché.

En haut : *la règle «3 et 4» du Boston Consulting Group montre que le marché tend à se distribuer selon un ratio de 4 : 2 : 1. En d'autres termes, la première marque à prendre place dans l'esprit des consommateurs détient, à long terme, le double de la part de marché de la marque numéro 2, et le quadruple de la marque numéro 3.*

Au milieu : *d'après la Hendry Corporation, la première marque à s'implanter dans un secteur d'activité obtient 100 % du marché. La deuxième marque peut espérer obtenir en moyenne 30 % du marché, la troisième peut en recueillir 11 %, et ainsi de suite selon un ratio de 0,43.*

En bas : *Robert D. Buzzell («Are there "Natural" Market Structures ?»,* Journal of Marketing, *vol. 45, no 1, hiver 1981, p. 42-51) a mesuré les parts de marché de 200 firmes du «Fortune 500». Il s'est rendu compte que 76 % des marchés offraient des parts respectives de 33 %, 19 %, 12 % et 7 % pour les 4 premières entreprises.*

Source : *Rossiter, John R. et Larry Percy.* Advertising and Promotion Management, *New York, McGraw-Hill, 1987, p. 52.*

En quelque temps, Avis a augmenté sa part de marché de 6 % en mettant l'accent sur le fait qu'elle n'était que le numéro 2 parmi les entreprises de location de voitures. Cela permit du même coup à Avis de générer des profits pour la première fois en 13 ans.

chaîne possède aujourd'hui 96 établissements au Canada et aux États-Unis. Selon les prévisions de la compagnie, ce nombre passera à 145 à la fin de 1990.

4. Le positionnement fondé sur le prix élevé

Dans une société où le niveau de vie augmente sans cesse, le positionnement fondé sur le *prix élevé* s'ouvre à tous les genres de produits, spécialement ceux que nous consommons en public comme le parfum, la bière, l'alcool, les cigarettes, les montres, les vêtements et les automobiles.

De nombreux produits misent sur un prix élevé pour attirer le consommateur :

Les montres Fendi coûtent 750 dollars.

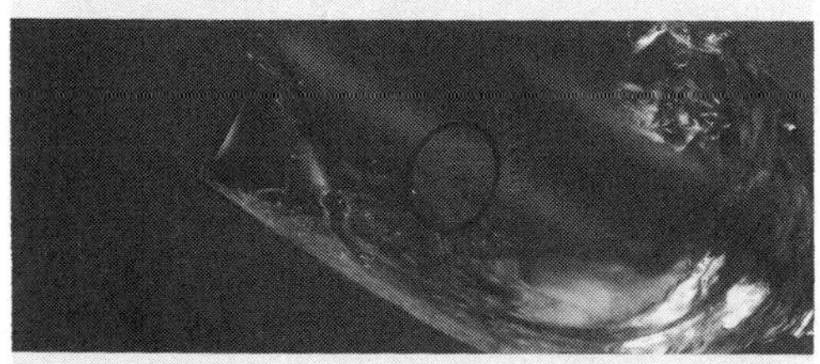

Le marché qui a créé les positionnements les plus intéressants est sans aucun doute celui de la bière. Aujourd'hui, la bière est beaucoup plus qu'un liquide qui sert à étancher la soif. C'est une façon de dire aux autres ce qu'on croit être ou ce qu'on voudrait être. Le slogan de la bière Stella Artois (« Au diable la dépense ») ne laisse aucun doute quant au positionnement du produit : la position « prix élevé ».

La Jaguar se vend 70 000 dollars.

Le gin Beefeater coûte deux fois plus cher que les autres marques.

Les croisières Crystal coûtent 500 $ par jour pour un voyage en Alaska ou en Europe.

Comme leur nom le suggère, les nourritures Grand Gourmet pour chiens et Fancy Feast pour chats sont vendues à prix élevés.

« Au diable la dépense », déclare Stella Artois.

« C'est un peu plus cher, dit le slogan de la publicité de Clorets, mais c'est plus que du bonbon. »

L'attrait pour tout ce qui est dispendieux est fondé sur l'idée selon laquelle la *qualité* d'un produit dépend de son *prix*. Douglas McConnell, de l'Institut de recherche Stanford, a donné à des étudiants une même marque de bière dans trois contenants de prix différents. Il leur a fait goûter chacune d'elles et leur a ensuite demandé de choisir celle qu'ils préféraient. *La bière contenue dans la bouteille la plus chère remporta la palme*[11].

Lors d'une autre étude, Robert Andrews et Enzo R. Valenzi ont offert de la margarine et du beurre identiques dans des emballages de prix variables. Après la dégustation, les deux chercheurs invitèrent les gens à classer le beurre et la margarine par ordre de préférence. Une fois de plus, la margarine et le beurre contenus dans les emballages les plus chers furent déclarés les meilleurs[12].

Plusieurs autres études confirment les découvertes de McConnell, d'Andrews et de Valenzi. Citons, entre autres, celles de Harold J. Levitt[13], Tibor Scitovszky[14], James E. Stafford et Ben Enis[15], Donald Tull, R. A. Boring et M. H. Gonsior[16].

5. Le positionnement fondé sur la solidité

Maytag, Glad, Samsonite, Viva et Volvo sont de bons exemples de marques qui ont établi la position *solidité* dans leurs domaines respectifs.

Remarquez comment ce texte publicitaire positionne efficacement la Volvo comme une voiture solide :

« Quand on achète une voiture pour quelques années seulement, pourquoi en choisir une qui dure si longtemps.

Une voiture faite pour durer représente toujours un meilleur investissement. Elle est robuste, résistante, et le restera jusqu'au moment où vous voudrez la vendre.

Alors peu importe le temps que vous garderez votre prochaine voiture, pourquoi ne pas en choisir une qui peut durer 19,3 ans. Une Volvo (...) Volvo. Une voiture digne de confiance. »

6. Le positionnement fondé sur la qualité

Il n'y a pas si longtemps, les fabricants japonais de semi-conducteurs ont choisi de positionner leurs produits comme des composantes de *très grande qualité*. Pour ce faire, ils ont mis au point des techniques de fabrication qui réduisent considérablement les risques de défaut. Qui plus est, ils ont procédé à la sélection d'une série de clients clés, comme Hewlett-Packard et IBM, et ont effectué des tests et des essais supplémentaires pour s'assurer que les puces livrées à ces clients étaient d'une qualité irréprochable[17].

7. Le positionnement fondé sur la concentration

Une autre stratégie de positionnement à utiliser est basée sur la concentration. La confiture Double Fruit de Vachon contient *deux fois* plus de fruits par pot que les autres marques de confitures.

Le détersif Surf d'Unilever contient *deux fois* plus de parfum que les autres détersifs.

Gillette Trac II, un produit lancé en 1971, est un rasoir à deux lames.

0,03 est un condom *deux fois* plus mince que les autres marques.

Une Motrin IB vaut *deux* Tylenol.

Tums prétend être *deux fois* plus puissant que Rolaids.

8. Le positionnement fondé sur le *sex-appeal*

Dans une société qui voue un véritable culte au corps, vous pouvez construire un positionnement reposant sur le *sex-appeal* pour des

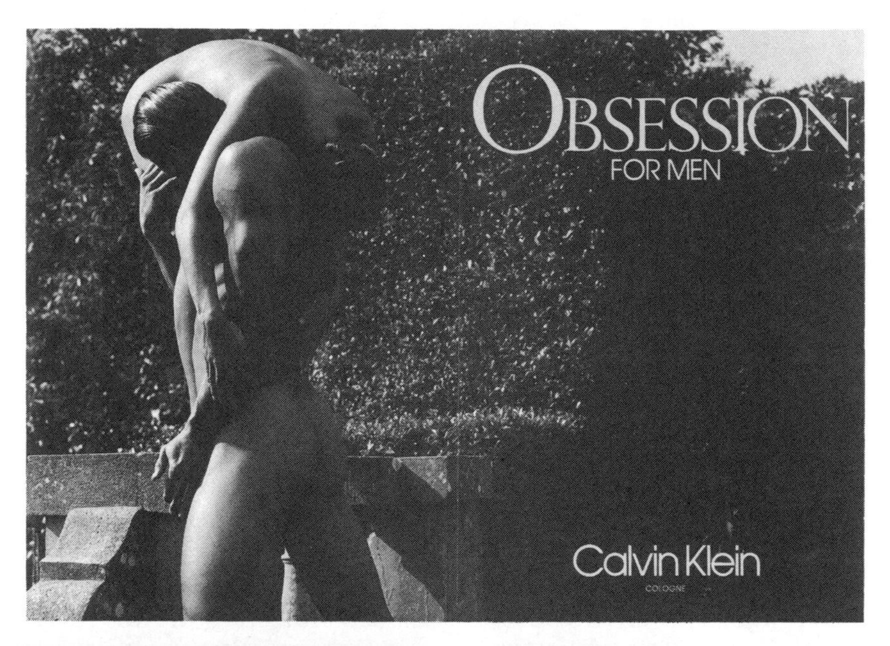

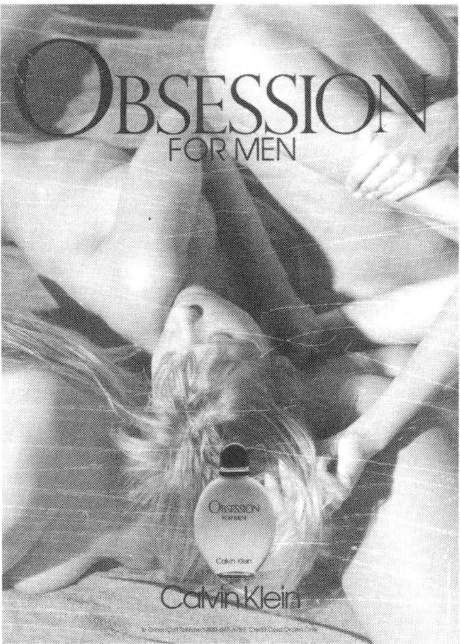

Mise à part la célèbre campagne publicitaire pour les gaines et les soutiens-gorge Maidenform, ces trois publicités de la firme Calvin Klein sont les meilleurs exemples que je connaisse de l'utilisation de la position sex-appeal.

produits comme la bière, le vin, le champagne, les boissons gazeuses, la crème à raser, la pâte dentifrice, le savon, la gomme à mâcher, les vêtements, le parfum, les produits de beauté, les shampooings, les désodorisants, les maillots de bain, la lingerie féminine et les sous-vêtements.

9. Le positionnement fondé sur le sexe de l'utilisateur

Les cigarettes Marlboro et le savon Irish Spring sont des produits destinés aux *hommes* tandis que les cigarettes Virginia Slims, le désodorisant Secret, le shampooing Timotei, et le savon Caress sont des produits destinés aux *femmes.* Okamoto Industries, les leaders de la vente de condoms au Japon ont récemment lancé Beyond, un condom s'adressant aux acheteuses *féminines.*

10. Le positionnement fondé sur l'orientation sexuelle

Au début des années soixante-dix, l'agence américaine responsable du budget publicitaire de la cigarette Gitane cibla en priorité le marché des *homosexuels.* La campagne orientée autour du style et du statut que conférait la marque fit augmenter les ventes de 30 %[18].

11. Le positionnement fondé sur le statut civil

AT&T, Lever 2000 et GE fondent leurs campagnes publicitaires sur les valeurs *familiales* et le confort au foyer. Dès le départ, Ray Kroc a destiné les restaurants McDonald's à la clientèle *familiale* avec le succès que l'on connaît : 9 000 établissements dans le monde entier en 1985 et des ventes annuelles s'élevant à 11 milliards de dollars.

Nestlé a attiré l'attention sur sa marque Taster's Choice en mettant en vedette dans ses publicités deux *célibataires* à la recherche de l'âme sœur. De son côté, Carnival Cruise Lines offre maintenant la croisière pour gens *seuls*, une offre impensable il y a 20 ans.

12. Le positionnement fondé sur l'âge

Le détersif Ivory Neige et la lotion solaire Water Babies sont destinés aux *bébés.*

La gamme de produits My First Sony et les plats Kid Cuisine s'adressent aux *enfants* et démontre nettement l'importance de créer une loyauté de marque en bas âge.

Quand Leo Burnett décrocha le budget des cigarettes Marlboro en 1954, la marque avait une toute petite part de marché. Les fumeurs la trouvaient efféminée avec son bout filtre. Malgré tout, Burnett décida tout de même de la positionner comme une cigarette pour hommes. Pour ce faire, il utilisa l'image du cow-boy et des chevaux sauvages en course pour suggérer la masculinité, et il ne montra jamais de femmes dans ses imprimés publicitaires et dans ses commerciaux télévisés — seulement des hommes. Et Marlboro prit très vite la première position pour les ventes, position qu'elle n'a pas quittée depuis.

Le slogan « You've come a long way, baby », le nom du produit et le genre de publicité de Virginia Slims ont efficacement positionné ce produit comme une marque de cigarettes pour femmes. Lancée en 1968, la marque vend, en 1975, 4,9 milliards de cigarettes non mentholées et 3,9 milliards de cigarettes mentholées.

Le slogan « The taste of college life » positionne la bière Coors comme une bière pour les *adolescents* et les *jeunes adultes.*

Basic 4 est une céréale pour *adultes.*

La lotion faciale Oil of Olay est un produit gagnant qui s'adresse aux femmes *plus âgées.* En l'espace de 10 ans, les ventes annuelles de la lotion Oil of Olay sont passées de 10 millions de dollars à 174 millions de dollars.

Wilson Sporting Goods a mis sur le marché une gamme de bâtons de golf destinés spécialement aux golfeurs âgés de *plus de 50 ans.*

« Assez fort pour lui, mais conçu pour elle » a positionné Secret comme un désodorisant pour les femmes.

C'est très payant de positionner vos produits ou vos services dans le marché des 50 ans et plus. Selon Statistique Canada, le nombre de Canadiens âgés de plus de 50 ans a augmenté de 1,4 million de personnes entre 1976 et 1988, et atteint maintenant 6,5 millions d'individus. En 1986, le Québec comptait 1 264 000 personnes de plus de 50 ans et ce nombre devrait doubler au cours des 25 prochaines années. Quant à son poids économique, cette tranche de la population contrôle 55 % du revenu personnel disponible et 80 % de la richesse personnelle du pays.

13. Le positionnement fondé sur le physique du consommateur

True Delight de Hanes est un collant pour femmes *fortes* (14 % du marché).

14. Le positionnement fondé sur un problème chez le consommateur

Ecotrin est un analgésique pour les gens qui souffrent *d'arthrite.*

Dove est un savon pour les femmes qui ont la peau *sèche.*

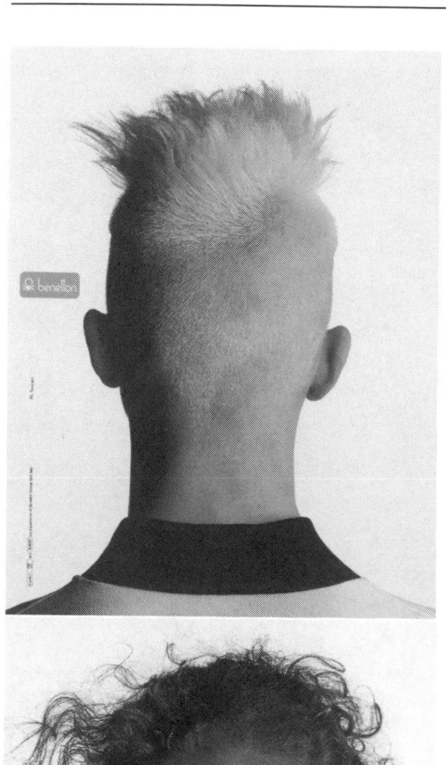

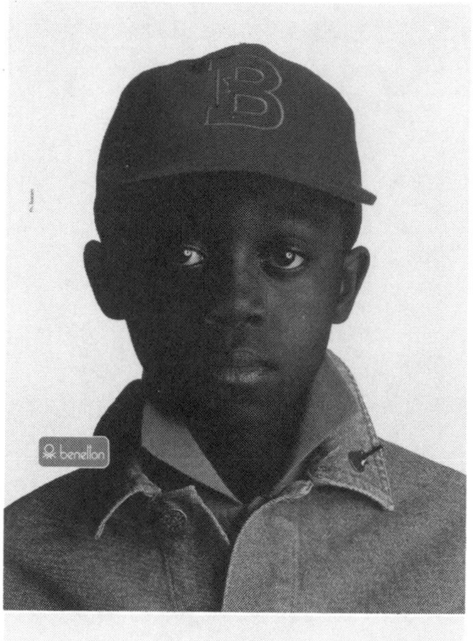

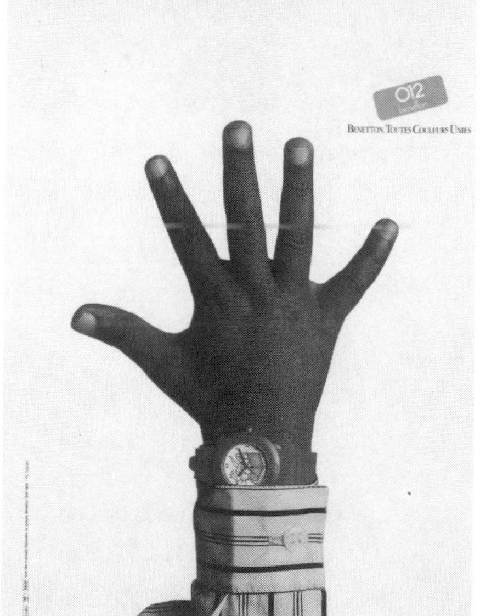

Les figurants utilisés dans la campagne Benetton et le slogan « Benetton. Toutes couleurs unies » ont contribué à positionner efficacement cette firme comme étant « internationale ». Depuis 1965, 4 500 maisons Benetton ont été ouvertes dans le monde. En 1987, l'entreprise compte réaliser des ventes de l'ordre d'un milliard de dollars.

15. Le positionnement fondé sur le moment de la journée

General Foods a choisi de positionner Tang comme un jus à boire au petit *déjeuner*. Kit Kat est une tablette de chocolat que l'on mange durant la *collation*. NyQuil de Vicks est un remède à prendre la *nuit*. Et Coast, c'est « le savon réveil des grands départs ».

16. Le positionnement fondé sur le moment de l'année

Les îles Vierges ont connu une hausse de 24 % de leur clientèle touristique en se présentant comme l'endroit idéal à visiter en *hiver*[19].

17. Le positionnement 24 heures par jour

Kinko's est passé d'une succursale à 640 succursales en offrant un service de photocopies couleur, de poste, d'imprimantes et de location d'ordinateurs 24 heures par jour.

18. Le positionnement fondé sur « l'internationalisation »

Dans un monde de plus en plus multiculturel, ce n'est pas une mauvaise idée de positionner votre produit comme étant « international ». Les boutiques Benetton, la Ford Escort, la carte Visa et les supermarchés Métro-Richelieu sont de bons exemples de produits ou services gagnants qui exploitent la position « internationale ».

19. Le positionnement fondé sur le continent d'origine du produit

Alberto est un fixatif coiffant *européen*, indiquant ainsi clairement son origine.

20. Le positionnement fondé sur le pays d'origine du produit

« Le bon sens à la suédoise » positionne efficacement IKEA comme un magasin de meubles *suédois*.

Le slogan « Heartbeat of America » a identifié la Chevrolet comme une voiture *américaine*.

« La belle danoise » a positionné la Carlsberg comme une bière *danoise*.

Dior est un couturier *français*.

Le porte-parole de la Sélect 42, de même que le slogan « C'est au Québec que ça se gagne », positionnent cette loterie comme un produit réservé aux Québécois.

21. Le positionnement fondé sur la région

La chaîne Pizza Delight concentre ses activités dans les provinces *Maritimes.*

Les slogans « Juste pour nous autres » et « C'est au Québec que ça se gagne » positionnent le fromage P'tit Québec et la loterie Sélect 42 comme des produits destinés aux *Québécois.*

Les cigarettes Parliament sont distribuées dans le *nord-est* des États-Unis.

En 1990, Kaepa cibla la *Californie* afin de créer une demande pour ses chaussures sport qui allait éventuellement se propager dans l'ensemble de l'Amérique du Nord.

22. Le positionnement fondé sur l'ethnie

Quand la compagnie Mattel décida de concevoir une poupée *afro-américaine*, elle étudia minutieusement le marché. Plusieurs employés de race noire travaillèrent sur le projet. La compagnie engagea un psychologue spécialisé dans le comportement des enfants afro-américains et c'est une entreprise de relations publiques de ce groupe ethnique qui lança officiellement Shani, une poupée à la peau, aux cheveux et au visage différents[20].

La cigarette Dorado et le détersif Ariel s'adressent aux *hispanophones* américains.

Il y a quelques années, R. J. Reynolds Tobacco essaya de lancer Uptown, une cigarette conçue pour la communauté *noire*, mais après avoir éprouvé des problèmes avec le Secrétariat américain de la santé et des services humanitaires, la société abandonna son projet.

23. Le positionnement fondé sur la ville

L'eau de javel La Parisienne et le fixatif Très L.A. sont de bons exemples de noms de produits qui exploitent ce positionnement.

24. Le positionnement fondé sur la taille

L'agence Doyle Dane Bernbach a réalisé une des campagnes les plus célèbres de l'histoire de la publicité en positionnant la Coccinelle de Volkswagen comme une voiture de *petite* taille.

En présentant de façon humoristique les divers problèmes que posait la longueur de leurs cigarettes, la marque Benson & Hedges s'est positionnée comme un produit de *grande* taille.

25. Le positionnement fondé sur la couleur

En l'espace d'un an, l'analgésique Nuprin a réussi à augmenter substantiellement sa part de marché en misant sur la couleur *jaune* de ses cachets.

En 1991, General Mills a introduit Pop Qwiz, un popcorn allant au micro-ondes et qui éclate en six différentes couleurs: bleu, orange, vert, mauve, rouge et jaune.

Cheer est un détersif qui donne de la vigueur aux tissus *colorés*.

Durant les années soixante, Volkswagen est devenue le plus important vendeur d'automobiles importées aux États-Unis en positionnant la Coccinelle comme une voiture de petite taille (think small). Les ventes de Volkswagen passèrent de 2 véhicules en 1949 à 569 000 en 1969.

26. Le positionnement fondé sur la forme

En Angleterre, les sacs de thé *ronds* de Tetley ont permis d'augmenter les ventes de 20 % depuis 1989, ce qui en a fait du même coup la marque numéro un. Au Canada, les étranges petits sacs de Tetley lui ont permis de se distancer de la concurrence. Vous serez peut-être amusés de savoir que la recherche a montré que les sacs ronds passaient pour infuser plus rapidement, contenir un thé de meilleur goût et être plus amusants que les traditionnels sacs carrés qui sont considérés comme sévères et hautains[21].

27. Le positionnement fondé sur la température

La température est une autre stratégie de positionnement à utiliser. Les slogans « Rien n'est plus efficace à l'eau froide » et « Plus de vigueur à l'eau froide » positionnent Arctic Power comme un détergent à l'eau *froide*.

28. Le positionnement fondé sur le temps

Minute Rice est un riz à grain long prêt en *cinq* minutes.

Western Union, c'est « la façon la plus rapide d'envoyer de l'argent ».

La gomme Extra « dure extra longtemps ».

« Chez Lens Crafters, dit la publicité, vos lunettes sont prêtes en *une heure* environ ».

Federal Express : « Chaque fois qu'il faut à tout prix que votre colis arrive à destination le lendemain ».

Duracell : « Aucune pile ne lui ressemble, ni ne dure aussi longtemps ».

29. Le positionnement fondé sur les canaux de distribution

Aux États-Unis, Domino's Pizza concentre tous ses efforts sur la livraison à *domicile*. Fondée par Tom Monaghan, la chaîne possède actuellement 300 établissements répartis dans 17 pays. Deuxième sur le marché de la pizza derrière Pizza Hut, elle ouvrira prochainement des succursales en France, en Écosse et en Irlande.

De son côté, Tupperware préfère s'en remettre à des *réunions de groupe* pour vendre ses produits. Cet admirable système a permis à la firme de réaliser des ventes de l'ordre de 2 millions de dollars par jour en 1986. Si bien que les statistiques indiquent qu'une rencontre Tupperware débute quelque part toutes les 10 secondes.

Avon, une entreprise qui célèbre cette année son 105e anniversaire d'existence, écoule ses produits par l'entremise d'un réseau de 500 000 représentants en Amérique du Nord.

Dell a mis sur pied un véritable petit empire grâce à son service de vente d'ordinateurs directement du fabricant. Fondée en 1984 par Michael Dell, âgé de 19 ans, l'entreprise a connu des ventes de l'ordre de 2 milliards de dollars en 1992. Elle a des bureaux aux États-Unis, au Canada et dans 13 pays européens incluant la Pologne et la Tchécoslovaquie.

30. Le positionnement fondé sur l'usage

Dans le marché des dentifrices, Ultra-Bright rend les dents blanches, Close-Up rafraîchit l'haleine, Crest combat la carie, Aquafresh a bon goût et Topol enlève les taches jaunâtres laissées par la fumée de cigarette.

Dans le marché de la gomme à mâcher, Cristal ne colle pas aux prothèses dentaires, Trident est la gomme sucrée sans sucre, et Dentyne rend les dents blanches et l'haleine fraîche.

Vous faites de la publicité pour un produit alimentaire? Vous pouvez le positionner comme un produit sans sucre, sans caféine, sans additif, sans sel, ou comme un produit à basse teneur en cholestérol ou en calories, ou encore comme un produit destiné au four à micro-ondes.

Vous faites plutôt de la publicité pour une marque de cigarettes? Vous pouvez la présenter comme étant mentholée, douce, extra-douce, ultra-douce, sans fumée, sans nicotine ou sans odeur.

Bien entendu, l'efficacité de toutes ces approches dépend de l'existence ou non d'une position disponible pour votre genre de produit. Et cela, seule la *recherche* pourra vous le dire.

31. Le positionnement fondé sur le gros consommateur

Dik Warren Twedt a montré que certains consommateurs achètent en grande quantité des produits que d'autres ignorent[22].

En effet, 39 % des ménages boivent 90 % de tous les colas, 17 % des ménages achètent 88 % de la bière produite et 37 % des

Une des nombreuses publicités d'Absolut qui exploite le positionnement « produit in ». Ici, on se moque affectueusement des pseudo effets de la publicité subliminale.

ménages consomment 85 % de l'ensemble des mélanges à gâteau. Tenez-en compte.

Le slogan « If you take aspirin more than once a week » a positionné l'analgésique Bufferin comme la marque des *grands utilisateurs* d'aspirine.

32. Le positionnement «produit *in*»

Absolut est devenue la marque de vodka la plus vendue grâce à une série de campagnes exploitant la position *in*. Au départ, Michel Roux, président de l'entreprise, a demandé à l'artiste Andy Warhol de peindre la bouteille d'Absolut pour une publicité. À la suite de la réaction positive qu'engendra cette initiative, Roux engagea successivement les artistes Keith Haring, Kenny Scharf puis Ed Ruscha.

En cours de campagne, Roux reçut une aide inattendue. L'invasion de l'Afghanistan et l'attaque d'un avion coréen par les militaires soviétiques donna lieu à un boycott de la vodka en provenance d'URSS.

33. Le positionnement « *cruelty-free* »

En 1990, Revlon a misé sur la non-violence en lançant Pure Skin Free, sa première gamme de cosmétiques non testés sur des animaux.

34. Le positionnement « vert »

Procter & Gamble a lancé récemment Downy Refills, un concentré placé en étalage tout près du Downy Fabric Softener. Le nouveau produit compte déjà pour 40 % des ventes totales de Downy.

35. Le positionnement « club »

Dès sa fondation en 1970 par Sol et Robert Price, le Club Price devenait le tout premier entrepôt-club privé en Amérique du Nord fonctionnant selon le principe « payez et emportez ». Price Company exploite aujourd'hui 66 entrepôts-clubs et réalise un chiffre d'affaires de cinq milliards de dollars par année.

36. Le positionnement fondé sur la propriété « personnelle »

Pour rivaliser avec les géants IBM et Xerox, Apple et Canon n'ont pas fait l'erreur classique qui consiste à s'attaquer directement au leader. Ils ont plutôt choisi de concentrer respectivement tous leurs efforts sur la position *ordinateur personnel* et *copieur personnel*, ce qui leur a permis de se tailler une part de marché fort intéressante dans leur champ d'activité.

Pour faire une brèche dans le marché des photocopieurs, les gens de chez Canon se sont spécialisés dans la vente de copieurs personnels. « À chacun son copieur personnel », dit le slogan.

37. Le positionnement « une seule utilisation »

Lancée en 1987, la caméra Kodak « une seule utilisation » connaît un succès important. En 1992, 9,3 millions de caméras ont été vendues aux États-Unis. Les études montrent que 50 % des photos prises avec cette caméra ne l'auraient pas été si la caméra jetable après usage n'avait pas existé.

38. Le positionnement fondé sur le sport

Une autre stratégie de positionnement consiste à présenter votre produit comme un produit pour les *sportifs*. Right Guard le fait dans les antisudorifiques, Wheaties dans les céréales, Gatorade dans les boissons rafraîchissantes et Vogue dans les soutiens-gorge.

39. Le positionnement « produit à mélanger »

Les Grape-Nuts de Post sont des céréales à mélanger avec du yogourt ou des flocons d'avoine.

Schweps est un produit à mélanger avec du rhum, du bourbon, du gin ou de la vodka.

40. Le positionnement « produit de substitution »

La margarine Parkay de Kraft est vendue comme un produit substitut du beurre. Coffee Mate est un substitut du lait qui a l'avantage de se conserver. Égal est un produit de remplacement du sucre, avec les calories en moins. Et la gomme Wrigley se présente comme un produit de remplacement pour les fumeurs. Le message de la publicité est simple : « Quand vous ne pouvez pas fumer, mâchez ! »

41. Le positionnement « à l'encontre de l'idée reçue »

Lorsqu'elle lança la Nissan Maxima 1989, l'agence Chiat/Day/Mojo utilisa le terme « voiture sport, *quatre portières* », ce qui eut pour effet de surprendre les consommateurs. Les ventes atteignirent 106 000 voitures, une augmentation de 43 % sur l'année précédente, et ce, malgré une hausse du prix de vente durant l'année.

42. Le positionnement « 2 pour 1 »

Au Québec, les lunetteries New Look offrent le concept « *deux paires de lunettes pour le prix d'une* » toute l'année.

Aux États-Unis, la chaîne de pizzerias Little Caesars, qui fait la livraison à domicile, est devenue l'une des plus rentables en offrant le concept « *deux pizzas pour le prix d'une* » en tout temps.

43. Le positionnement « 2 dans 1 »

Considéré il y a quelques années comme un produit en danger de disparition, Prêt Plus est maintenant le shampooing le plus vendu au monde depuis qu'il a été relancé comme un « deux dans un » combinant un shampooing et un revitalisant. (Depuis, Ultra Care de Vidal Sassoon est devenue la première formule « trois dans un », incluant à la fois le shampooing, le revitalisant et la crème-rince).

44. Le positionnement fondé sur la classe sociale

En 1948, Lloyd Warner, de l'Université de Chicago, a publié un ouvrage intitulé *Social Class in America*[23] dans lequel il a démontré que les motivations et les désirs des gens varient selon la classe sociale. Dans son étude, le professeur Warner observe que chaque classe sociale présente de l'intérieur un comportement relativement uniforme et prévisible.

Pour l'essentiel, Warner a identifié six classes sociales :

1. La classe supérieure élevée : les aristocrates de vieille souche.
2. La classe supérieure basse : les nouveaux riches.
3. La classe moyenne élevée : les membres de professions libérales, agents exécutifs.
4. La classe moyenne basse : les employés de bureau, commerçants, quelques ouvriers spécialisés.
5. La classe inférieure élevée : surtout les ouvriers spécialisés ou semi-spécialisés.
6. La classe inférieure basse : les ouvriers et groupes étrangers non assimilés.

Lors de son lancement aux États-Unis, l'eau Perrier s'est positionnée comme une boisson non alcoolisée, pour les classes sociales *élevées*. À l'origine, elle était vendue dans les milieux les plus influents de la société américaine et son prix avait été fixé en conséquence (6 bouteilles de 6 1/2 onces pour 2,39 $ et 3 bouteilles de 11 onces à 1,49 $, en 1978). La publicité imprimée a paru dans des magazines élitistes et la narration des annonces télévisées a été confiée à Orson Welles[24].

En 1986, la moutarde Grey Poupon cibla les consommateurs appartenant aux classes supérieures. Les publicités montrant des lords anglais dans leur Rolls-Royce firent augmenter de 19 % les parts de marché du fabricant de moutarde.

45. Le positionnement fondé sur les « styles de vie »

Il permet une segmentation selon les activités, les intérêts et les opinions des consommateurs. Il est important dans la mesure où deux individus au profil démographique semblable (même nationalité, même âge, même sexe, même revenu) peuvent avoir un style de vie différent. L'un peut être extraverti et l'autre introverti ; l'un peut être imitateur, l'autre indépendant ; l'un peut être sensitif et l'autre soucieux de diététique.

Coors s'est appuyée sur les styles de vie pour faire la publicité de sa bière Coors Light. Le slogan était destiné aux *imitateurs* et aux personnes soucieuses d'être à la mode : « It's the right beer now. »

Les buveurs de Pepsi-Cola et de Coca-Cola sont plus extravertis que les buveurs de Dr Pepper.

La publicité pour les cosmétiques Charlie s'adresse aux femmes *indépendantes, aventureuses et modernes*, celle d'Anaïs Anaïs aux *romantiques*, celle de Joy aux *bourgeoises* et celle de Chanel n° 5 aux *classiques*[25].

La Volkswagen Golf est une voiture économique et *amusante.* Jell-O est le dessert de la famille *heureuse.* Les études montrent que les acheteurs de Jaguar ont tendance à être *plus aventureux* et *moins conservateurs* que les acheteurs de Mercedes-Benz ou de BMW.

QU'EST CE QUI DÉTERMINE LE POSITIONNEMENT D'UN PRODUIT ?

Le positionnement d'un produit dépend de plusieurs éléments :

- Le genre de produit
- Son histoire
- Son nom
- Son emballage
    - Sa forme
    - Sa couleur
    - Son logo

- Son prix
- Son lieu de fabrication
- Sa durée de vie
- Son lieu de vente
- Son style de publicité
    - Son argument de vente
    - Son genre rédactionnel
    - Son genre d'illustration
    - Son porte-parole
    - Son slogan
    - Son style de typographie
    - Sa mise en page
    - Son format
    - Son emplacement
    - Ses conditions de paiement
- Son genre de promotion
- Son genre de relations publiques
- Le genre de médias et de supports dans lequel apparaissent les annonces
- Le genre d'émissions commanditées à la télévision
- Le genre d'événements commandités dans la communauté
- L'engagement social de l'entreprise dans la communauté
- La compétition

L'un des éléments les plus importants dans la réussite d'un positionnement tient au *nom* que vous choisissez de donner à votre produit. Pour gagner, vous devrez lui donner un nom qui le positionne dans l'esprit des gens.

Le nom Budget pour une entreprise de location d'automobiles à prix modique, le nom Arctic Power pour un détergent à l'eau froide, le nom Honey-Nut pour une céréale au miel et aux noix ou le nom Big pour une tablette de chocolat de grande taille sont tous de bons exemples de noms qui positionnent efficacement le produit.

Chapeau, Budget,
pour les tarifs de vacances
Économies estivales de Budget Canada
Économies et qualité superbe. Tout ce à quoi vous pouvez vous attendre du premier choix des Canadiens qui louent un véhicule pour leurs vacances. Faites votre choix : des voitures économiques aux Lincolns et même les mini-fourgonnettes.
Budget vous offre 1050* kilomètres gratuits et de bas tarifs pour les jours supplémentaires, qui comprennent aussi 150 kilomètres gratuits par jour. Certains comptoirs de location participants vous offriront un livret d'escompte avec des rabais allant jusqu'à 50 % dans des restaurants et des lieux de divertissement du Canada.
Vous n'avez qu'à réserver votre véhicule Budget 24 heures à l'avance. Les frais de remplissage, les taxes et les options sont en supplément et les véhicules doivent être retournés au point de location.
Téléphonez sans frais aujourd'hui même et renseignez-vous sur les tarifs hebdomadaires du Plan Budget pour le Canada.
*700 km par semaine pour les Lincoln et les mini-fourgonnettes, 100 km par jour.
Ford Aerostar
Au Québec : 1-800-268-8970
Au Canada : 1-800-268-8900
À Toronto : 482-0222
SEARS
Location de voitures
Vous pouvez utiliser votre carte de crédit Sears dans les centres de distribution autorisée dans la plupart des comptoirs Budget. Pour réserver, composez sans frais le numéro de Budget.
Renseignez-vous au sujet de nos véhicules pour les non-fumeurs.
Budget
Location de voitures
Une meilleure affaire.

Budget est un nom tout désigné pour une entreprise de location d'automobiles à prix modique.

Par ailleurs, ne faites pas l'erreur de choisir un nom qui vous limite dans vos mouvements. Si vous vous appelez Canadian Tire, les consommateurs penseront que vous ne vendez que des pneus. (C'est tellement vrai que le nouveau slogan de la firme est : « Canadian Tire, c'est beaucoup... beaucoup plus que des pneus ! », ce qui tend à confirmer le fait que le nom ne positionne pas efficacement la firme.)

Quand vous cherchez un nom pour un nouveau produit, faites en sorte qu'il soit court, facile à prononcer, facile à mémoriser, et essayez d'y mettre les lettres b, c, d, g, k, p ou t. Les linguistes appellent ces lettres des « explosives » parce qu'elles provoquent une occlusion de l'air lorsqu'elles sont prononcées.

Le professeur Bruce Vanden Bergh du Michigan State University a réalisé des recherches sur les lettres qui composent les noms de marques. Il a découvert que 172 des 200 premiers noms de marques les plus vendues aux États-Unis utilisent au moins une « explosive »[26]. Parmi celles-ci, nommons Bic, Buick, Burger King, Cadillac, Coca-Cola, Colgate, Crest, Crisco, Datsun, Delta, K-Mart, Kentucky Fried Chicken, Kodak, Kraft, Pampers, Pepsi-Cola, Pizza Hut, Polaroid, Pontiac, Tide et Toyota.

Un nom de produit peut parfois faire toute la différence. En 1971, Ralph Anpach, un professeur d'économie, conçut et lança sans grand succès un jeu de transactions d'affaires connu sous le nom de « Bust the Trust ». Deux ans plus tard, le professeur relança le produit avec un nouveau nom : Anti-Monopoly. Ce fut alors le succès. En 3 ans, le professeur vendit 419 000 jeux.

Assurez-vous que votre nom ne comporte pas de consonnance péjorative dans le marché où il est disponible. Il y a plusieurs années, les Québécois refusèrent de se procurer le dentifrice Cue. Les consommateurs n'arrivaient pas à s'imaginer qu'un pareil nom puisse rendre les dents propres. Quant au shampooing Pert Plus, on préféra changer son nom pour celui de Prêt Plus lorsqu'il fut introduit au Québec.

Le deuxième élément important dans la réussite d'un positionnement est relié au *lieu de vente* de votre produit. Imaginons, par exemple, que vous possédez deux parfums qui proviennent des mêmes parfumeries. Supposons que les deux ont été mis au point dans le même laboratoire, qu'ils dégagent la même odeur et qu'ils ont été placés dans le même genre de bouteille. Il pourrait apparaître impossible de les différencier l'un de l'autre. Mais imaginons maintenant que l'un des deux parfums est vendu en supermarché, tandis que l'autre est distribué dans de chics magasins. De toute évidence, ces deux parfums ne sont plus identiques ; ils ont des positionnements différents.

Le troisième élément important que vous devez prendre en considération est le slogan que vous décidez d'accoler à votre produit. De nombreux slogans échouent parce qu'ils sont passe-partout ; ils ne positionnent pas le produit. Jugez-en vous-même.

Renault	Je te veux !
Fiat	Comment ne pas l'aimer ?
Volvo	On peut être pris de passion sans perdre la raison.
Volvo	Sa personnalité : la vôtre.
Les camions DAF	Les gros cœurs.
Tracteur Murray	Croisière de plaisance.
Mercedez-Benz	Toutes les choses qui apportent de la joie sont bonnes.
Lancia	Si vous avez peur d'être jaloux, on vous conseille de fermer les yeux.

À l'occasion, un bon slogan peut propulser un produit vers le succès. Quand les fabricants de Wisk introduisirent pour la première fois le slogan « Cerne autour du col », les ventes triplèrent, et ce, sans augmentation significative de publicité.

Puisque nous parlons de slogans, j'en profite pour souligner que la réussite en publicité passe par le maintien du même slogan et de la même personnalité pendant des années, voire des décennies. Larry Light, vice-président exécutif de l'agence Batten, Barton, Durstine & Osborn inc., dit :

> « La plus grande erreur que les responsables de marketing font consiste à changer la personnalité de leur publicité année après année. À la fin, ils se retrouvent avec une personnalité schizophrénique au pire, ou pas de personnalité du tout au mieux[27]. »

Les experts s'entendent généralement pour dire que les cigarettes Winston ont perdu leur première position aux dépens de Marlboro à cause de changements trop fréquents apportés au thème publicitaire. À titre indicatif, Winston a modifié son slogan 5 fois au cours des 10 dernières années. Pendant ce temps, Marlboro se concentrait sur sa cible de prédilection, les hommes, avec son slogan misant sur la « Marlboro Country ».

Difficile à réaliser, le positionnement d'un produit est encore plus difficile à modifier. Si, malgré tout, vous décidez de changer le positionnement de votre produit, faites-le graduellement. Et commencez par modifier votre emballage.

EN RÉSUMÉ

L'expérience prouve que la meilleure façon de réussir en publicité consiste à positionner votre produit et à conserver cette position le plus longtemps possible.

Pour l'essentiel, il y a 45 façons de positionner votre produit. Ce sont les positionnements suivants :

1. « Nous sommes l'original »
2. La « deuxième position »
3. Le bas prix
4. Le prix élevé
5. La solidité
6. La qualité
7. La concentration
8. Le *sex-appeal*
9. Le sexe de l'utilisateur
10. L'orientation sexuelle
11. Le statut civil
12. L'âge
13. Le physique du consommateur
14. Un problème chez le consommateur
15. Le moment de la journée
16. Le moment de l'année
17. 24 heures par jour
18. « L'internationalisation »

19. Le continent d'origine du produit
20. Le pays d'origine du produit
21. La région
22. L'ethnie
23. La ville
24. La taille
25. La couleur
26. La forme
27. La température
28. Le temps
29. Les canaux de distribution
30. L'usage
31. Le gros consommateur
32. Le produit *in*
33. « *Cruelty-free* »
34. Le produit « vert »
35. Le « club »
36. La propriété « personnelle »
37. Une seule utilisation
38. L'amateur de sport
39. Le produit à mélanger
40. Le produit de substitution
41. « À l'encontre de l'idée reçue »
42. Le « 2 pour 1 »
43. Le « 2 dans 1 »
44. La classe sociale
45. Les styles de vie

Souvenez-vous que Marlboro est passée de la septième position à la première parce qu'elle a été positionnée comme une cigarette pour hommes. Oil of Olay a vu ses ventes passer de 10 millions de dollars à 174 millions de dollars parce que cette lotion faciale a été positionnée comme un produit pour les femmes âgées qui refusent de vieillir. Et la Coccinelle est devenue un succès parce que quelqu'un a eu l'idée de la positionner comme une automobile de petite taille.

Si vous voulez en savoir plus long sur les dessus et les dessous du positionnement, je vous conseille de lire *Le Positionnement : la conquête de l'esprit,* de Al Ries et Jack Trout.

NOTES

1. RIES, Al et Jack TROUT. *Le Positionnement: la conquête de l'esprit,* Paris, McGraw-Hill, 1987, p. 6.
2. Expérience rapportée par Vance Packard dans son livre *La Persuasion clandestine* (traduit par Hélène Claireau), Paris, Calmann-Lévy, 1958, p. 49.
3. RIES, Al et Jack TROUT. *Bottom-Up Marketing,* New York, McGraw-Hill, 1989, p. 127.
4. SCHLOSBERG, Harold. « A Comparison of Five Shaving Creams by the Method of Constant Stimuli », *Journal of Applied Psychology,* vol. 25, n° 4, août 1951, p. 401-407.
5. ALLISON, Ralph et Kenneth UHL. « Influence of Beer Brand Identification on Taste Perception », *Journal of Marketing Research,* vol. 1, n° 3, août 1964, p. 36-39.
6. PRONKO, Nicholas et J. W. BOWLES. « Identification of Cola Beverages. I. First Study », *Journal of Applied Psychology,* vol. 32, n° 3, juin 1948, p. 304-312; « Identification of Cola Beverages. II. A Further Study », *Journal of Applied Psychology,* vol. 32, n° 5, octobre 1948, p. 559-564 ; « Identification of Cola Beverages. III. A Final Study », *Journal of Applied Psychology,* vol. 33, n° 6, décembre 1949, p. 605-608 ;
   PRONKO, Nicholas et D.T. HERMAN. « Identification of Cola Beverages. IV. Postcript », *Journal of Applied Psychology,* vol. 34, n° 1, février 1950, p. 68-69.
7. RIES, Al et Jack TROUT. *Le Positionnement : la conquête de l'esprit,* Paris, McGraw-Hill, 1987, p. 30.
8. CARPENTER, Gregory S. et Kent NAKAMOTO. « Consumer Preference Formation and Pioneering Advantage », *Journal of Marketing Research,* vol. 26, n° 3, août 1989, p. 285-298 ;
   ROBINSON, William T. « Sources of Market Pioneer Advantages : The Case of Industrial Goods Industries », *Journal of Marketing Research,* vol. 25, n° 1, février 1988, p. 87-94 ;
   ROBINSON, William T. et Claes FORNELL. « Sources of Market Pioneering Advantages in Consumer Goods Industries », *Journal of Marketing Research,* vol. 22, n° 3, août 1985, p. 305-318 ;
   URBAN, Glen, Theresa CARTER, Steve GASKIN et Zofia MUCHA. « Market Share Rewards Pioneering Brands : An Empirical Analysis and Strategic Implications », *Management Science,* vol. 32, juin 1986, p. 645-659.
9. THE BOSTON CONSULTING GROUP. « The Rule of Three and Four », *Perspectives,* n° 187, 1976, Cambridge, Mass., The Boston Consulting Group. Cité par John ROSSITER et Larry PERCY dans *Advertising & Promotion Management,* New York, McGraw-Hill, 1987, p. 53.
10. LUBLINER, Murray. « 'Old Standbys' Hold Their Own », *Advertising Age,* 19 sept. 1983, p. 32.
11. McCONNELL, Douglas. « The Price-Quality Relationship in an Experimental Setting », *Journal of Marketing Research,* vol. 5, n° 3, août 1968, p. 300-303.

12. ANDREWS, Robert et Enzo R. VALENZI. « The Relationship Between Price and Blind-Rated Quality for Margarines and Butters », *Journal of Marketing Research*, vol. 7, nº 3, août 1970, p. 393-395.
13. LEVITT, Harold J. « A Note on Some Experimental Findings About the Meaning of Price », *The Journal of Business*, vol. 27, nº 3, juillet 1954, p. 205-210.
14. SCITOVSZKY, Tibor. « Some Consequences of the Habit of Judging Quality by Price », *The Review of Economic Studies*, vol. 12, été 1945, p. 100-105.
15. STAFFORD, James E. et Ben ENIS. « The Price-Quality Relationship : an Extension », *Journal of Marketing Research*, vol. 6, nº 4, nov. 1969, p. 456-458.
16. TULL, Donald, R. A. BORING et M. H. GONSIOR. « A Note on the Relationship of Price and Imputed Quality», *The Journal of Business*, vol. 37, nº 2, avril 1964, p. 186-191.
17. McKENNA, Regis. *Le Marketing selon McKenna* (traduit par Christine Durieux), Paris, InterÉditions, 1985, p. 118.
18. CLARK, Eric. *The Want Makers*, New York, Penguin Books, 1990, p. 181-182.
19. AMERICAN ASSOCIATION OF MAGAZINE PUBLISHERS. « A Documentary on the Power of Magazines », *Newsletter of Research*, nº 55, décembre 1987, p. 10.
20. KIM, Junu Bryan. « Doing the Right Thing — Two Approaches », *Advertising Age*, 1er juillet 1991, p. 18.
21. WINTERS, Patricia. « Tetley Round Bags Challenge Nº1 Lipton », *Advertising Age*, 1er janvier 1993, p. 2 ; PHILLIPS, Adam, John PARFITT et Ian PRUTTON. « Un thé plus rond. L'expérience du développement et du test de sachets de thé ronds », *Revue française de marketing*, cahier 134, 1991, p. 51-66.
22. TWEDT, Dik Warren. « How Important to Marketing Strategy Is the Heavy User ? », *Journal of Marketing*, vol. 28, nº 1, janv. 1964, p. 71-72.
23. WARNER, Lloyd, Marchia MEEKER et Kenneth EELLS. *Social Class in America*, Gloucester, Mass., P. Smith, 1957, 274 p.
24. BUSINESS WEEK. « Perrier : the Astonishing Success of An Appeal to Affluent Adults », *Business Week*, 22 janvier 1979, p. 64-65 ;
    DUSSART, Christian. *Comportement du consommateur et stratégie de marketing*, New York, McGraw-Hill, 1983, p. 330 ;
    FINKELMAN, Bernice. « Perrier Pours Into U.S. Market, Spurs Water Bottler Battle », *Marketing News*, 7 septembre 1979, p. 1-9.
25. DUSSART, Christian. *Stratégie de marketing*, Chicoutimi, Gaëtan Morin Éditeur, 1986, p. 78-79.
26. VANDEN BERGH, Bruce G. « Feedback : More Chickens and Pickles », *Journal of Advertising Research*, vol. 21, nº 6, décembre 1982, janvier 1983, p. 44 ;
    Voir aussi VANDEN GERGH, Bruce G., Janay COLLINS, Myrna SCHULTZ et Keith ADLER. « Sound Advice on Brand Names », *Journalism Quarterly*, vol. 61, nº 4, hiver 1984, p. 835-840.
27. « Style is Substance for Ad Success : Light », *Advertising Age*, 27 août 1979, p. 3.

CHAPITRE 2

QUELS GENRES DE TITRES DONNENT LES MEILLEURS RÉSULTATS

Quand vous faites de la publicité dans des quotidiens et des magazines, la grande différence réside dans les titres. Pour paraphraser John Caples, un en-tête attire 15 % de lecteurs, tandis que l'autre en attire 25, 30 ou même 50 % de plus. Pourtant tous les deux :

1) sont imprimés sur le même support ;
2) sont de la même taille ;
3) sont accompagnés de la même photographie ;
4) chapeautent le même texte ;
5) bénéficient de la même mise en pages ;
6) ont la même cadence de parution.

La différence : l'un emploie une formule éprouvée et l'autre pas.

Dans ce chapitre, nous allons voir cinq sortes de titres plus efficaces que la moyenne. Par la suite, je vous révélerai 70 mots qui font de petits miracles en publicité et vous indiquerai s'il est préférable d'écrire des titres courts ou des titres longs.

TITRES PLUS EFFICACES QUE LA MOYENNE

1. Les titres qui vendent le plus de marchandises sont ceux qui promettent aux consommateurs un *avantage*. Les gens sont toujours intéressés à se procurer des produits dont le titre offre :

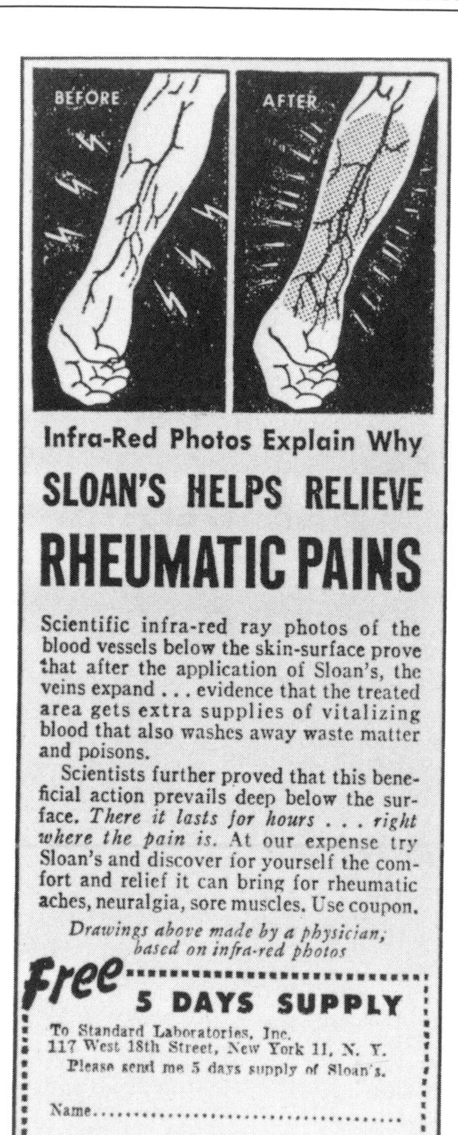

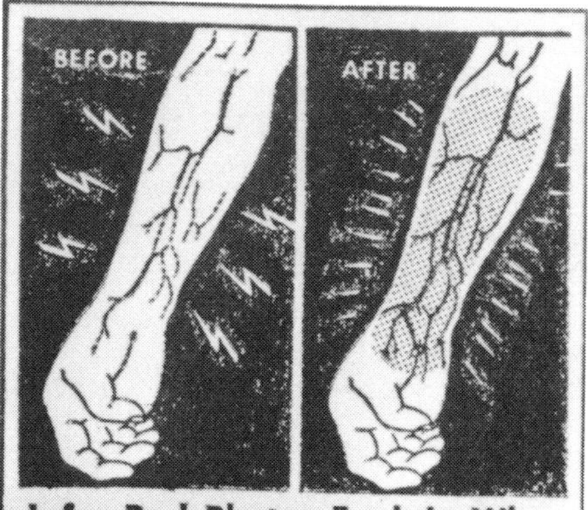

Infra-Red Photos Explain Why

SLOAN'S HELPS RELIEVE

ARTHRITIS PAINS

Scientific infra-red ray photos of the blood vessels below the skin-surface prove that after the application of Sloan's, the veins expand . . . evidence that the treated area gets extra supplies of vitalizing blood that also washes away waste matter and poisons.

Scientists further proved that this beneficial action prevails deep below the surface. *There it lasts for hours . . . right where the pain is.* At our expense try Sloan's and discover for yourself the relief it can bring for aches of rheumatism, arthritis, neuralgia, sore muscles.

Drawings above made by a physician, based on infra-red photos

Free 5 DAYS SUPPLY

To Standard Laboratories, Inc.
119 West 18th Street, New York 11, N. Y.
Please send me 5 days supply of Sloan's.

Name

Address

Un simple changement de mot dans un titre peut parfois multiplier par 5 ou 10 les résultats de votre publicité. Quand le rédacteur de cette annonce a remplacé le mot rheumatic *par le mot* arthritis, *sa publicité a entraîné un retour de coupons-réponse plus élevé de 50 %.*

Source : *« Which Ad Pulled Best ? »*, Printer's Ink, *3 juin 1949, p. 53.*

- La beauté, la minceur, le charme, le sex-appeal, la séduction
- La jeunesse, l'amour, la passion, la sensualité
- La santé, la longévité, la force, la virilité, l'agressivité
- Le soulagement d'une douleur physique ou morale
- La discrétion, la sympathie, l'intimité
- La propreté, la pureté, la fraîcheur, le naturel
- Un bon rapport qualité-prix, une économie
- La sécurité, l'épargne, la protection
- Le modernisme, le progrès, le renouveau
- Le bonheur, la joie, un divertissement, le merveilleux
- Une valeur nutritive, un bon goût
- La confiance en soi, l'assurance, la satisfaction
- La commodité, le bien-être, un sentiment d'appartenance
- La gaieté, la popularité, le plaisir, l'admiration
- La vitalité, l'enthousiasme, l'énergie, la vigueur
- L'aventure, l'évasion, la liberté, l'inattendu, l'interdit
- Le rêve, l'imagination, la magie, la curiosité
- Le repos, la détente, la créativité
- La chaleur, l'intimité, l'amitié, la stabilité, la fiabilité
- Le conformisme, l'anticonformisme, le patriotisme, la tradition
- Le confort, la légèreté, la délicatesse, la douceur
- La distinction, le raffinement, la classe
- La perfection, l'excellence, une garantie, une meilleure qualité
- La quantité, le choix, la facilité, la simplicité, la solidité, la rapidité
- L'indispensable, l'inédit, l'exclusivité, la rareté
- L'expérience, la compétence, la connaissance, le professionnalisme
- L'original, le premier, l'authentique, le vrai
- La marque, le produit, le sigle
- La performance, l'efficacité, le savoir-faire
- Le succès, l'estime, la prospérité, la réussite, la supériorité
- Le pouvoir, l'autorité, la domination, l'influence, la puissance
- Le prestige, le style, l'élégance, le luxe, la richesse, un statut social

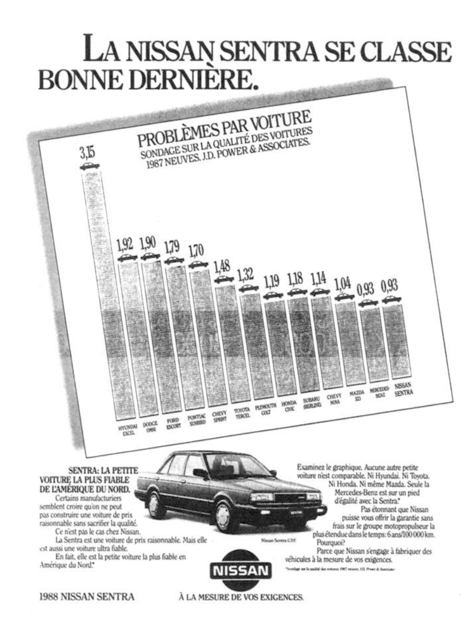

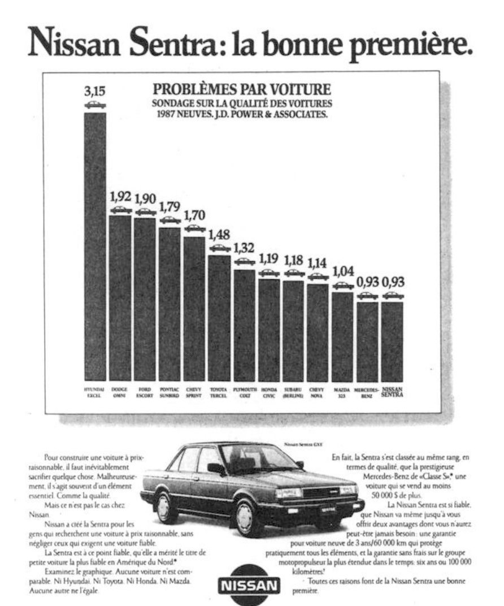

À gauche : *un des titres les plus mauvais qu'il m'ait été donné de lire. Selon l'agence J. Walter Thompson (Cohen, Dorothy.* Advertising, *Glenview, Illinois, Scott Foresman, 1988, p. 254), 90 % des lecteurs qui entrent en contact avec une publicité se contentent de lire le titre. En d'autres termes, 90 % des lecteurs qui ont vu cette annonce — et qui ne sont pas allés plus loin que le titre — se souviendront que la Nissan Sentra se classe bonne dernière.*
À droite : *une version revue et corrigée.*

Les fabricants de cosmétiques ne vendent pas de la crème à base de lanoline ; ils vendent de la beauté, de la séduction et de la jeunesse. Les hommes n'achètent pas des automobiles ; ils achètent du prestige, un statut et de la vitesse. *Ne l'oubliez jamais.*

2. Les titres qui offrent des *conseils pratiques* obtiennent toujours d'excellents résultats. Les gens sont fascinés par les titres qui leur apprennent *comment faire les choses :*

- Comment devenir riche
- Comment rester jeune
- Comment réussir dans la vie
- Comment perdre du poids
- Comment séduire le sexe opposé

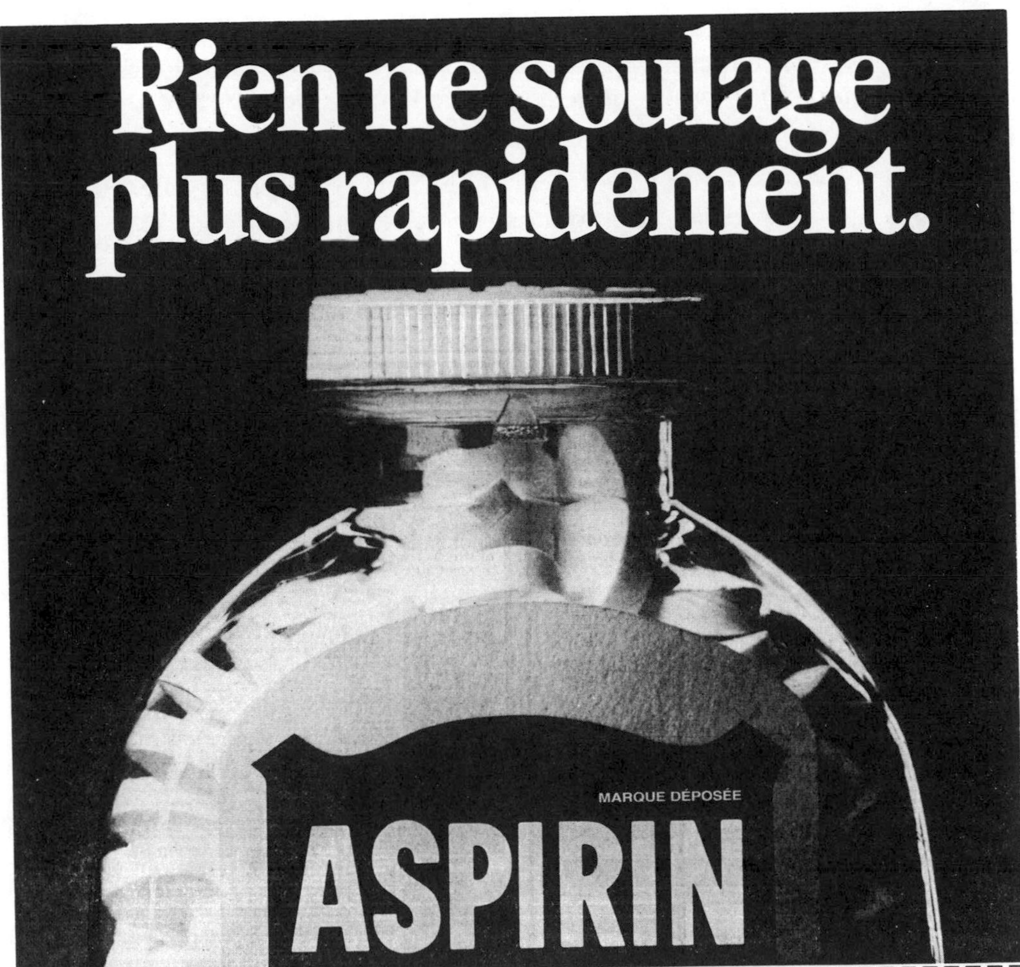

Des études médicales l'ont prouvé: Aspirin agit rapidement, et souvent en quelques minutes, pour soulager les maux de tête.

Pour un soulagement rapide et efficace, pensez à Aspirin.

Produits Sterling Division de la Compagnie Sterling Drug Ltée

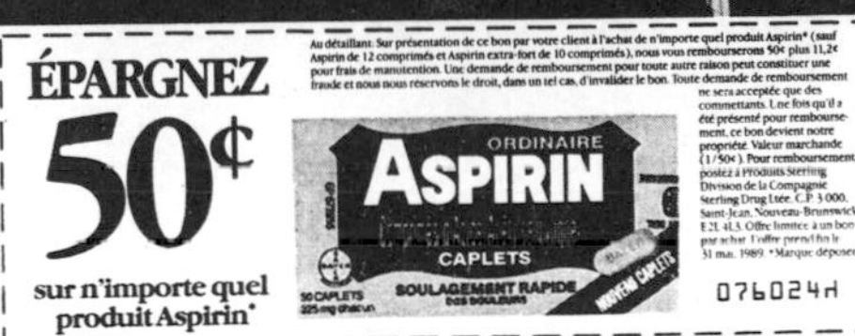

Votre titre doit passer un message clair, net et précis à votre lecteur: « Voici un produit qui vous séduira, voici la satisfaction que vous en retirerez. » Cette publicité d'Aspirin promet « un soulagement rapide ».

Ayant le choix entre plusieurs types de communication, les gens préfèrent s'exposer à des messages qui leur offrent des renseignements utiles, comme le montre l'étude menée par Brock, Albert et Becker[1].

Le légendaire David Ogilvy révèle que les publicités contenant des conseils pratiques sont lues en moyenne par 75 % plus de personnes que les publicités qui n'en contiennent pas[2].

Quand Shell a commencé à offrir de l'information utile à ses consommateurs (comment économiser à la pompe, comment garder son automobile en bon état, comment prendre soin de ses pneumatiques, etc.), la campagne a connu un succès sur toute la ligne : on a distribué 600 millions de brochures au cours des 3 premières années et la notoriété de la société est passée de 31 % en janvier 1977 à 33 % en mai 1978 pendant que le compétiteur le plus près passait de 26 % à 12 %[3].

Lorsque vous avez des conseils pratiques à donner aux lecteurs, soulignez-les en reprenant des formules gagnantes comme :

Pourquoi
Comment
Voici
Qu'est-ce qui
Quels sont
5 étapes
8 facteurs
10 commandements
8 changements
4 méthodes
2 approches
11 objectifs
Un aspect
6 questions
5 solutions
3 tuyaux
9 manières
6 principes
3 techniques

4 astuces
12 échelons
5 leviers
6 fondements
3 conséquences
12 innovations
2 secrets
3 genres
4 types
8 notions
10 clés
2 stratégies
6 dimensions
3 outils
Un style
8 tactiques
3 règles
5 suggestions
9 mécanismes

3 conditions
7 parties
12 modèles
7 systèmes
11 concepts
10 rôles
4 leçons
8 idées
5 raisons
2 qualités
3 éléments
2 recommandations
3 avantages
10 façons
7 trucs
4 conseils
2 recettes
Un moyen sûr
3 exemples

Publicité "business-to-business"

COMMENT CHOISIR SON AGENCE DE PUBLICITÉ

Le moment venu de recourir à des professionnels de la publicité, pas question de s'en remettre à un coup de dés. Pour vous assurer la collaboration de l'équipe qui répondra à vos attentes, un minimum de méthode s'impose.

Évaluez d'abord votre besoin

Votre agence de publicité peut analyser votre besoin, non le définir. La nature et l'ampleur de vos projets sont déjà une indication du type d'agence qu'il vous faut rechercher. Ainsi, alors que certaines firmes sont structurées pour gérer efficacement des budgets de plus d'un million de dollars, d'autres réaliseront une meilleure performance avec des budgets beaucoup plus modestes.

Dressez une liste

On ne s'improvise pas agence de publicité. Toute firme qui désire oeuvrer dans le domaine doit posséder trois accréditations auprès d'associations nationales de médias: CDNPA pour les quotidiens, CBA pour les radiodiffuseurs et CBP pour la presse périodique. Mais ce n'est là qu'une convention.

Avant tout, une agence de publicité est constituée d'une équipe multidisciplinaire. C'est la condition essentielle pour offrir des services de communication intégrés. Une équipe de stratèges, de rédacteurs et de designers sachant mettre en commun leur génie auront le « pif » pour vous inventer des campagnes gagnantes.

Cherchez à en savoir plus

Quand vous aurez consulté le dossier de présentation d'une première liste d'agences, posez des questions précises, cherchez à saisir la synergie des ressources dans chacune des firmes, rencontrez les personnes clés des groupes qui auront capté votre attention.

Si votre budget est substantiel, certaines agences accepteront de faire un « pitch », c'est-à-dire de soumettre la création d'une campagne dans un cadre compétitif. Les entreprises qui souscrivent à cette pratique, on le devine aisément, ne se gênent pas pour hausser leurs tarifs en conséquence.

Les souliers trop petits sont toujours trop chers

Une communication mal dirigée, vous n'en avez pas besoin. Même à prix réduits, les chaussures trop grandes ou trop petites ne vous rendront jamais service. De plus, vous avez avantage à mandater une firme dont la structure garantit la cohérence de la facturation.

Avec une agence de publicité, ou une agence de communication intégrée, vous connaissez la méthode de calcul des honoraires et le pourcentage de majoration appliqué à la production et aux médias. Vous payez pour l'expertise et le travail mis en oeuvre et vous avez accès au dossier comptable de votre compte.

Embauchez l'agence qui sera à l'aise avec le budget dont vous disposez et vous en aurez pour votre argent.

Décuplez vos forces

N'ayez pas peur des publicitaires; leurs succès ne sont qu'un pâle reflet des victoires de leurs clients. Voyez-les comme des partenaires et ils n'hésiteront pas à porter fièrement vos couleurs. En vous assurant la fidélité d'une équipe qui vous perfectionne, vous disposerez d'une redoutable force de communication.

Gérald Baril,
président et directeur de la création

70, rue Saint-Paul
Bureau 12
Québec G1K 3V9
(418) 692-1350

à partir du 1er juin 1988
253, rue Saint-Paul
Bureau 403
Québec G1K 8C1
(418) 692-1350

Les titres qui commencent par le mot COMMENT donnent toujours des résultats supérieurs à la moyenne.

3. Les titres qui annoncent une *nouveauté* sont extrêmement efficaces. Tout ce qui sort de l'ordinaire — nouvelle information, nouvelle idée, nouvelle formule, nouvel emballage, nouveau contenant, nouveau prix, nouveau format, nouveau produit, nouvel ingrédient, nouvelle saveur, nouvelle odeur, nouvelle technologie, nouvelle façon d'utiliser un produit existant ou nouvelle amélioration apportée à un produit ancien — attire l'attention du consommateur et est susceptible d'éveiller son intérêt.

Selon Daniel Berlyne, les êtres humains préfèrent les stimuli nouveaux aux stimuli familiers[4] .

D'après le docteur Alain Rideau, la fascination pour tout ce qui est nouveau est basée sur l'idée confuse — mais bien enracinée — selon laquelle il existerait un progrès universel et que tout ce qui est nouveau serait supérieur aux choses anciennes[5].

Peu après qu'on eut trouvé de nouvelles applications au produit, les ventes de bicarbonate de soude Arm & Hammer sont passées de 15,6 millions de dollars en 1969 à 150 millions de dollars en 1982. Quand une campagne publicitaire a suggéré au public d'utiliser le bicarbonate de soude dans le réfrigérateur, le nombre de ménages utilisant le produit a grimpé de 1 % en février 1972 jusqu'à 57 % en mars 1973, puis, plus tard, à 90 %. Par la suite, d'autres campagnes ont suggéré d'utiliser le produit comme dentifrice, dans la litière du chat et comme désodorisant pour le chien[6].

Chaque fois que vous avez une nouveauté à annoncer au grand public, mettez-la en relief en reprenant des mots et des expressions tels :

Nouveau
Nouveauté
Grande nouvelle
Bonne nouvelle
Nouvelle fraîche
Du neuf
Maintenant
Dès maintenant
Maintenant disponible
Dès aujourd'hui
Voici
En primeur
Dernière heure
Attention
Important
Urgent
Ne manquez pas
Avis important
Enfin
Grande ouverture
Grande première
Vient de sortir
Vient de paraître
Nouvelle découverte
Progrès important
Amélioration
Révolutionnaire
Innovation
Surprise
Bientôt
Prochainement
Dès demain
Cette semaine
En octobre
Dès septembre
Cet été
Ce printemps
Cet hiver
Cet automne
Pour Pâques
À l'occasion de la fête des Pères
Pour la fête des Mères
Pour la fête du Travail
À l'Halloween
À la Saint-Valentin
À Noël
Pour la nouvelle année
Au carnaval
Pour la rentrée des classes
Commençant le 19 octobre
Débutant le 27 avril
À compter du 28 juin
À partir du 28 mars[7]

Québec, Le Soleil, mercredi 11 mai 1988

Deux mots sur quatre nouvelles machines à écrire.

IBM présente sa nouvelle famille de quatre machines à écrire Impressa Série II conçues sous le signe de la technologie du microprocesseur.

Lorsque votre entreprise grandit, vous n'avez qu'à ajouter de nouvelles fonctions ou de nouveaux écrans aux modèles de cette série pour en faire des modèles haut de gamme. C'est ainsi que vous êtes toujours assuré d'avoir le dernier mot quand vous choisissez les machines à écrire Impressa Série II.

Le mot de la fin. Pour savoir quelle place cette nouvelle famille peut occuper au sein de votre entreprise aujourd'hui et demain, communiquez avec le distributeur agréé de machines à écrire IBM. Il vous suffit de composer 1 800 465-6600 pour connaître l'adresse du distributeur le plus près de chez vous.

IBM

Bell offrira une nouvelle série de cours sur les communications à compter du 25 janvier.

La réputation du Séminaire des communications de Bell Canada n'est plus à faire. Des centaines de gestionnaires avertis y ont suivi des cours avec énormément de satisfaction. Le programme qu'offre Bell compte actuellement six cours. Chacun d'eux répond à des attentes bien précises: familiarisation avec la téléinformatique, mise en contact avec les derniers progrès technologiques, etc. Tous sont bâtis à partir d'informations concrètes, pratiques et applicables dans votre travail quotidien. Et tous sont animés par des experts en téléinformatique faisant appel aux plus récentes méthodes d'enseignement. Dans le monde d'aujourd'hui, vous avez tout avantage à suivre les cours du Séminaire des communications de Bell Canada. Pour connaître les dates qui vous conviennent, consultez le calendrier ci-dessous. Inscrivez vous sans tarder auprès de votre conseiller Bell ou appelez à frais virés au 1 514 875-2511.

Calendrier des cours de janvier à juin 1989 à Montréal				
9400	Introduction aux réseaux locaux	24-25 avril	12-13 juin	
9402	Principes de la téléinformatique	11-12 avril	1-2 juin	
9404	Introduction aux réseaux de télécommunications	18-19 avril	6-7 juin	
9406	Commutation par paquets	9-10 mars	1-2 mai	
9450	Protocole X.25	13-14-15 mars	8-9-10 mai	21-22-23 juin
9451	Modems et transmission des données	20-21-22 mars	23-24-25 mai	

L'efficacité passe par Bell[MC]

Bell

Dans la plupart des cas, il est payant d'annoncer du nouveau. Une étude conduite par David Sears et Jonathan Freedman (« The Effects of Expected Familiarity with Arguments upon Opinion Change and Selective Exposure », Journal of Personality and Social Psychology, *vol. 2, no 3, 1965, p. 420-426) indique que le public préfère s'exposer à une information persuasive nouvelle.*

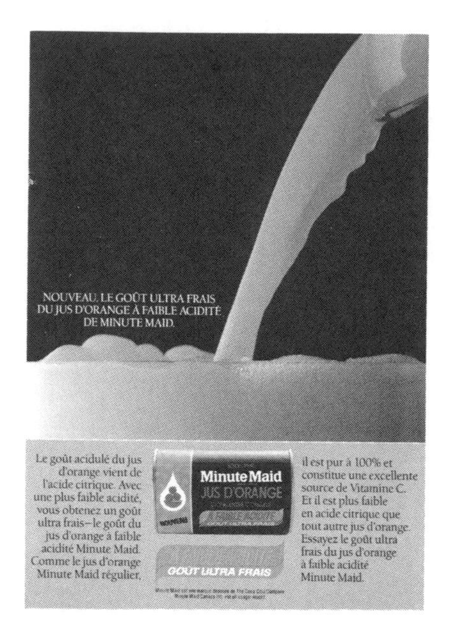

Si vous faites de la publicité pour un produit de consommation courante comme le café, le jus d'orange ou le yogourt, votre mission est d'annoncer du nouveau et de le répéter.

4. Les titres qui sélectionnent *directement* le prospect obtiennent des taux de réussite supérieurs à la moyenne. Claude Hopkins, l'un des meilleurs rédacteurs de l'histoire de la publicité, écrivait: « Un titre a pour objet de saluer les gens que vous désirez toucher. C'est comme un chasseur qui dans un hôtel cherche un certain monsieur Jones, parce qu'il a un message pour lui[8]. » Stan Rapp et Thomas Collins, de l'agence Rapp & Collins, sont d'accord:

> « Ne pas désigner clairement les personnes que la publicité cherche à atteindre et ne pas éveiller l'attention de prospects de premier ordre au moment même où ils tournent la page de leur journal sont les erreurs les plus graves de la publicité dans la presse écrite; ce sont également celles qui entraînent le plus de gaspillage[9]. »

Voici deux façons de sélectionner votre prospect:

A. *Vous pouvez identifier directement le client potentiel.* Quand vous désirez être lu par les gens du troisième âge, placez les mots « 65 ans » ou « âge d'or » dans votre titre. Quand vous désirez attirer les professeurs d'école, placez les mots « professeurs d'école ».

B. *Vous pouvez communiquer un intérêt commun au segment de marché visé.* Pour attirer les hommes qui souffrent de perte de cheveux, mettez les mots « perte de cheveux » dans votre titre. Pour attirer les femmes en âge d'avoir leurs règles, mettez les mots « femmes en âge d'avoir leurs règles ».

5. Les titres qui piquent la *curiosité* — tests, questions posées aux lecteurs, phrases laissées en suspens — marchent généralement très bien.

Cependant, il y a un danger. Lorsque vous utilisez des titres interrogatifs pour le simple plaisir de faire mordre le lecteur à l'hameçon, vous risquez gros, car attirer l'attention ne suffit pas. Il faut aussi communiquer un concept, préparer le lecteur à une promesse, à un conseil pratique ou à une nouveauté pour déclencher chez lui un processus de réceptivité. Votre public doit absolument faire le rapprochement entre votre titre et votre texte. Sinon votre publicité échouera.

Il est fortement recommandé d'identifier votre prospect dans votre titre. Bernard Berelson et Gary Steiner (Berelson, Bernard et Gary Steiner. Human Behavior : An Inventory of Scientific Findings, *Harcourt, Brace & World, 1964, p. 540) révèlent que les messages dirigés vers des groupes précis sont plus efficaces que ceux qui visent un grand public. C'est pourquoi les entreprises importantes préfèrent orienter leur message en fonction de segments étroits de marché.*
En haut, à gauche : *les femmes en âge d'avoir leurs menstruations.*
En haut, à droite : *les femmes enceintes.*
En bas : *les gens du troisième âge.*

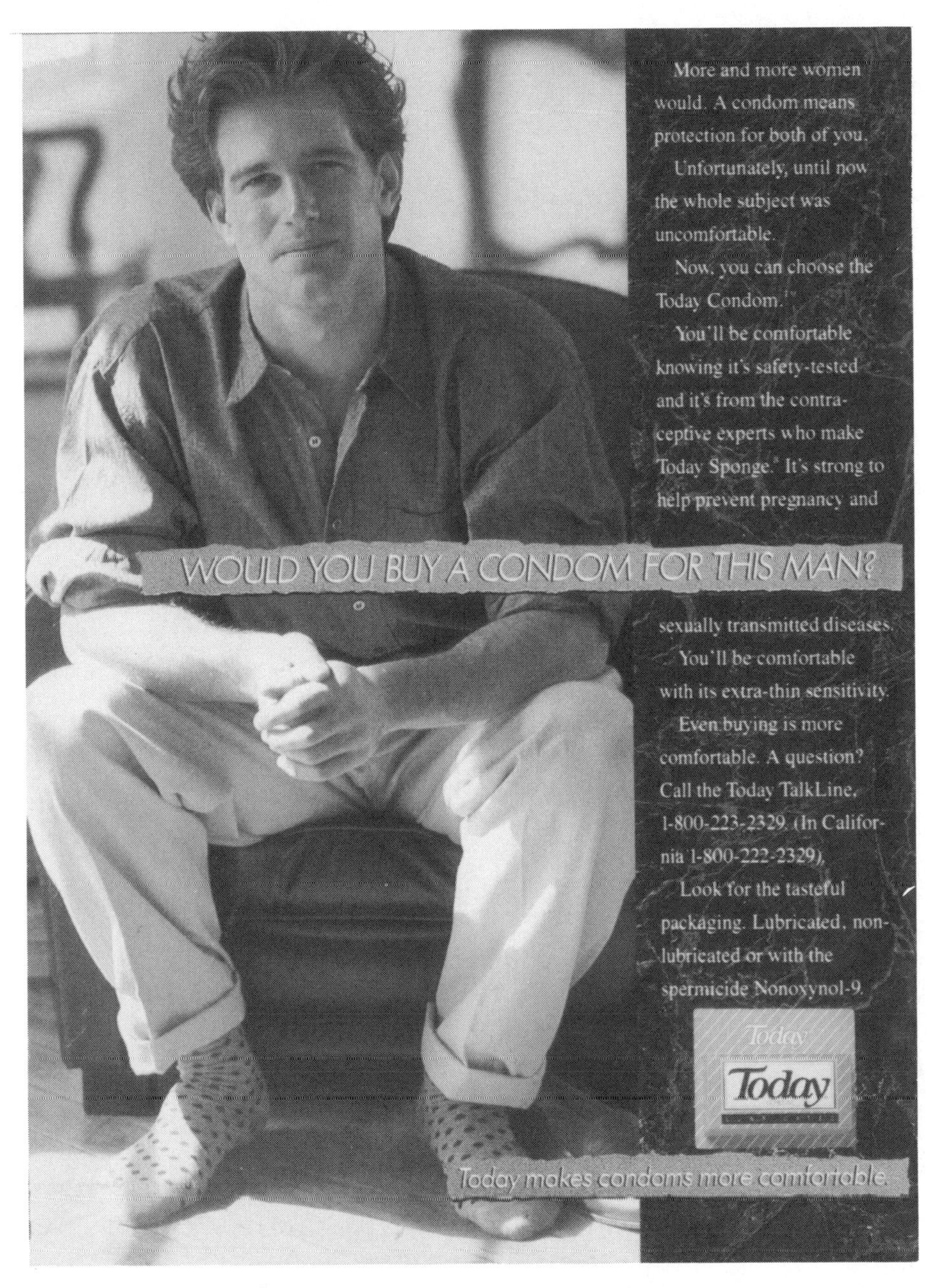

More and more women would. A condom means protection for both of you.
Unfortunately, until now the whole subject was uncomfortable.
Now, you can choose the Today Condom.
You'll be comfortable knowing it's safety-tested and it's from the contraceptive experts who make Today Sponge. It's strong to help prevent pregnancy and
WOULD YOU BUY A CONDOM FOR THIS MAN?
sexually transmitted diseases.
You'll be comfortable with its extra-thin sensitivity.
Even buying is more comfortable. A question? Call the Today TalkLine, 1-800-223-2329. (In California 1-800-222-2329).
Look for the tasteful packaging. Lubricated, non-lubricated or with the spermicide Nonoxynol-9.
Today
Today
Today makes condoms more comfortable.

Les titres qui posent des questions aux lecteurs peuvent être terriblement efficaces : « Achèteriez-vous un condom pour cet homme ? » *nous dit cette annonce parue dans la revue féminine Cosmopolitan.*

70 MOTS MAGIQUES

Certains mots sont particulièrement persuasifs en publicité. Ce sont :

1. Les mots qui éveillent la curiosité

ÉNIGME, MIRACLE, MAGIQUE, MYSTÈRE, PRODIGE, SECRET, VÉRITÉ, HISTOIRE VÉCUE, CONFIDENCE, CONFESSION, ENSORCELANT...

2. Les mots qui ont une connotation sexuelle

NUIT, AMOUR, COEUR, DÉSIR, SEXE, CHÉRI, FLEUR, BAISER, RÊVE, SÉDUCTION...

3. Les mots qui frappent l'instinct de conservation

RAJEUNIR, VIE, MORT, PEUR, GUERRE, AVENTURE, CRIME, PROGRÈS, LIBERTÉ, JEUNESSE, BEAUTÉ...

4. Les mots qui correspondent à des moments forts de la vie

BÉBÉ, ENFANT, FIANCÉ, FIANÇAILLES, FEMME, ÉPOUSE, MARI, MARIAGE, FAMILLE, PÈRE, MÈRE, AMI...

5. Les mots qui correspondent à un idéal

BONHEUR, CHANCE, INÉDIT, SPÉCIAL, EXCEPTIONNEL, SPECTACULAIRE, DÉCOUVERTE, INVENTION, UNIQUE, EXCLUSIF, ESPOIR, HEUREUX...

6. Les mots qui flattent l'instinct de domination

ARGENT, OR, DOLLARS, MILLION, MILLIONNAIRE, RICHE, FORTUNE, SUCCÈS, CÉLÉBRITÉ, PUISSANCE, RÉUSSIR, GLOIRE, VICTOIRE, HONNEUR, TRIOMPHE...[10]

En 1979, le département de psychologie de l'Université Yale révélait que les 12 mots les plus persuasifs en publicité étaient : Découverte, Amour, Résultat, Gratuit, Argent, Sécurité, Garantie, Nouveau, Économisez, Santé, Éprouvé et Vous.

Les titres qui collent à l'actualité (politique, économique, sportive ou autres) donnent de bons résultats, comme lorsque vous intitulez votre annonce « CHICLETS NO DEBATE » juste après le débat des chefs.

Source : Info Presse Communications, *vol. 4, no 4, décembre-janvier 1989, p. 57.*

Depuis quelque temps, le mot ULTRA est devenu l'adjectif favori des publicitaires après que Procter & Gamble eut montré son efficacité par l'entremise de l'Ultra Tide et de l'Ultra Pampers. Malheureusement, cet adjectif est tellement associé aux produits nettoyants qu'il est à éviter pour qualifier les produits alimentaires.

De son côté, l'adjectif EXTRA FORT, autrefois limité au secteur des analgésiques, fait de plus en plus sa marque dans le marché des nettoyants, des insecticides et des condoms.

TITRE COURT OU TITRE LONG ?

La plupart du temps, écrivez des titres d'une longueur maximale de *sept* mots.

Plus votre titre est court :

- Plus vous augmentez vos chances d'être *lu.* Harold Rudolph, qui a été directeur de la recherche chez Stirling

PSSITT.

Prenez donc le téléphone.

Lorsque vous prenez l'autobus Voyageur vous pouvez désormais prendre le téléphone cellulaire Cantel à bord de l'autobus! Où que vous soyez entre Montréal et Québec vous pouvez maintenant garder contact pendant que vous roulez. Avec Cantel, le plus grand réseau de téléphonie cellulaire d'un océan à l'autre, il vous sera facile de rejoindre vos clients, planifier vos affaires, avertir de votre arrivée ou simplement dire bonjour pendant que vous vous laissez conduire par Voyageur.

Découvrez à quel point c'est facile d'utiliser ce nouveau service Cantel. Vous n'aurez besoin que de l'une des principales cartes de crédit, telles American Express, Visa ou Mastercard. Les appels ainsi chargés apparaîtront automatiquement sur vos relevés mensuels avec une description complète pour vos dossiers.

Par affaire ou par plaisir Voyageur vous conduit confortablement et Cantel vous permet de garder contact.

Pour plus d'information, appelez Cantel au (514) 340-9220.

La compagnie de téléphone pour les gens qui bougent MD

1-800-361-5410

Dring...Dring...Dring...
Dring...Dring...Dring...
Dring...Dring...Dring...
Dring...Dring...Dring...
Dring...Dring...Dring...
Dring...Dring...Dring...
Dring...Dring...Dring...
Dring...Dring...Dring...
Dring...Dring...Dring...
Dring...Dring...Dring...

Nous avons un petit présent pour ceux qui sont souvent absents.

TARIFS MENSUELS DES SERVICES

	Appel en attente	Renvoi automatique	Composition abrégée (8)	Groupe de 2 services	Groupe de 3 services
Service de résidence	4,00$	3,40$	3,40$ ou 3,65$*†	5,50$	7,50$
Service d'affaires à une ligne	5,55$	4,95$	4,95$ ou 5,25$*†	8,00$	11,00$

*Selon le type d'équipement. *Si vous êtes un abonné d'affaires monoligne, vous épargnez les frais d'administration de 25,75$

L'efficacité passe par Bell MC

Bell

À l'occasion, les titres qui contiennent des onomatopées marchent bien. En lisant le titre de gauche, le lecteur se sent interpellé. En lisant le titre de droite, il sait instinctivement qu'il a affaire à une sonnerie de téléphone.

Getchel, indique que les titres de moins de sept mots obtiennent des taux de lecture plus élevés que les titres longs[11] .

- Plus vous augmentez vos chances de *mémorisation*. Le psychologue George A. Miller de l'Université Harvard a constaté que la mémoire ne peut traiter plus de sept données à la fois[12].

Analysant 330 titres français et 260 titres américains, Claude Raymond Haas a remarqué que la moyenne de mots par titre s'établit à 5,32 chez les Français et à 6,62 chez les Américains[13].

Toutefois, je dois vous prévenir : ce n'est pas une bonne idée de raccourcir votre titre pour le simple plaisir d'avoir un titre court. John Caples, le célèbre rédacteur publicitaire américain, écrit :

> « La brièveté, dans un titre, peut constituer une excellente qualité, mais pas au point où tout le reste doit être sacrifié pour elle. Il est plus important de dire ce que vous avez à dire, d'exprimer votre idée complètement, même si cela doit vous coûter 20 mots pour le dire[14]. »

Gallup & Robinson ont montré que « l'efficacité publicitaire dépendait davantage de l'idée véhiculée que de la mécanique de l'éxécution ; davantage de la substance que de la forme[15] ».

Néanmois, si votre titre contient plus d'une dizaine de mots, vos chances de réussite seront plus grandes si vous utilisez un surtitre ou un sous-titre. Cela s'appliquera surtout en marketing direct et lorsque vous faites de la publicité pour le commerce au détail.

QUELQUES CONSEILS UTILES

Essayez de mettre dans votre titre le nom de la marque que vous annoncez. En publicité *industrielle*, une étude réalisée par McGraw-Hill nous apprend que les publicités contenant des titres qui identifient l'annonceur sont lues en moyenne par 20 % plus de gens que les publicités qui contiennent des titres qui ne l'identifient pas[16].

Certaines campagnes comprennent un grand nombre d'avantages, souvent plus de trois. C'est une erreur. En offrant une trop grande quantité d'avantages, vous créez la confusion dans l'esprit du lecteur. De façon générale, les campagnes publicitaires qui obtiennent les taux de mémorisation les plus élevés sont celles qui concentrent toute leur énergie sur la promesse d'un seul avantage *précis.*

Comment pouvez-vous dénicher l'argument de vente qui a le plus de chance de faire sonner la caisse enregistreuse ? Le publicitaire britannique, David Ogilvy, décrit deux techniques pour y arriver :

> «Une méthode consiste à montrer au consommateur un certain nombre de promesses, en lui disant que chaque promesse s'applique à un certain produit nouveau. Le consommateur doit alors classer les promesses par ordre d'importance et d'originalité.

Les titres qui démystifient des idées reçues (par exemple, le fait qu'il y ait plus de calories dans une bière que dans un verre de vin) fonctionnent bien.

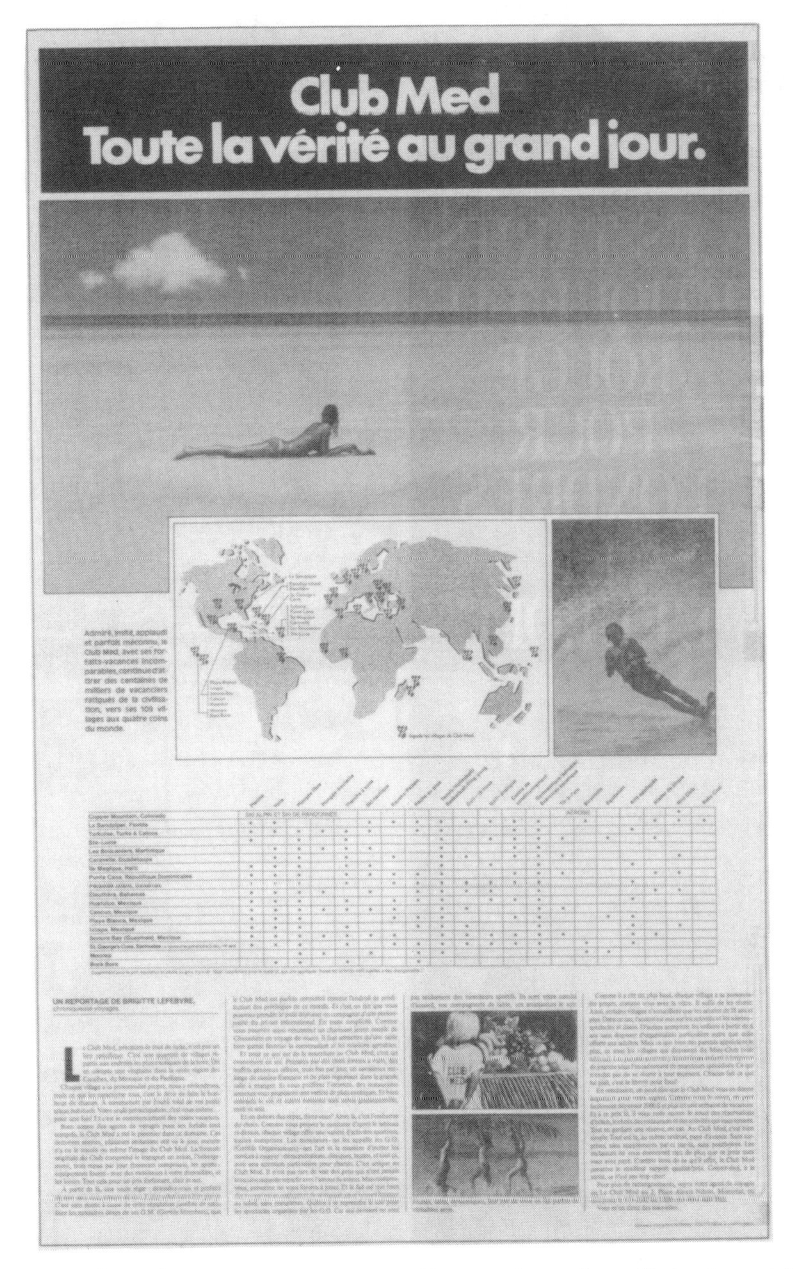

Des mots comme VÉRITÉ donnent toujours plus d'impact à vos titres. Ils intriguent le lecteur et le poussent à se lancer dans votre texte pour en savoir plus long.

À gauche : *cette annonce écrite par David Ogilvy contient une superbe USP (Unique Selling Proposition) : « À 60 milles à l'heure dans cette nouvelle Rolls-Royce on n'entend que le bruit de la pendule électrique. » Elle augmenta les ventes de 50 % en 1958.*
À droite : *une adaptation du classique de Ogilvy par le publicitaire-visionnaire Howard Gossage. L'annonce a suscité bien des critiques et beaucoup de ventes.*

> Une autre technique, que je préfère, n'est pas très aimée par les chercheurs, sans doute parce qu'elle est si simple qu'elle ne requiert pas leur collaboration. Vous écrivez deux publicités pour votre produit, chacune avec une promesse différente dans le titre. À la fin du texte vous offrez un échantillon gratuit. Vous publiez alors ces publicités dans un journal ou un magazine de telle façon que la moitié des lecteurs voit un titre, et l'autre moitié l'autre titre. Le titre qui attirera le plus de demandes d'échantillons gagne le test[17]. »

Les couches jetables Pampers reçurent un accueil mitigé tant que la firme Procter & Gamble les vendit en mettant l'accent sur le côté

C'EST DE L'INTÉRIEUR QUE L'ON APPRÉCIE LE MIEUX LA DIFFÉRENCE ENTRE LA VOLVO 760 ET LES AUTRES VOITURES DE LUXE.

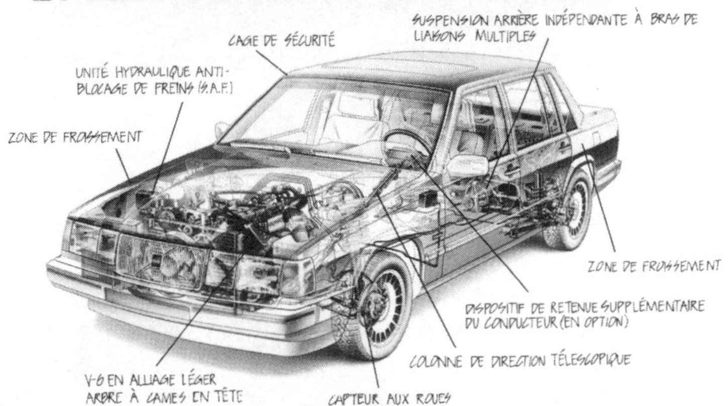

Dans une Volvo 760, vous trouverez bien plus que des banquettes garnies de cuir, des glaces à commande électrique et une chaîne audiophonique haut de gamme.

Vous trouverez une mécanique d'une sophistication qui dépasse largement celle de bien d'autres voitures de sa catégorie.

Prenez par exemple la suspension arrière indépendante à bras de liaisons multiples de la Volvo. La beauté de ce système unique dit «à bras de liaisons multiples» est qu'il permet à chaque roue de réagir individuellement aux conditions de la route. Il en résulte un confort exceptionnel et une manoeuvrabilité supérieure.

Considérez également le choix de rendement que vous propose la 760. Vous pourrez choisir la puissance et la docilité d'un moteur à configuration V-6 et à arbre à cames en tête. Ou la fougue d'un moteur turbocompressé quatre cylindres avec refroidisseur intermédiaire, qui propulsera la 760 de 0 à 100 km/h en moins de temps que bien d'autres sedans dits performants.

Mais plus important encore que le 0 à 100 km/h est l'inverse: la ramener de 100 à 0 km/h en un rien de temps! Et c'est la raison pour laquelle la 760 est équipée d'un système antiblocage de freins très au point qui contribue grandement à prévenir le blocage des roues sur les surfaces glissantes ou mouillées, donc à maintenir la stabilité dans les situations d'urgence.

Pour encore plus de sécurité, la 760 peut être équipée d'un dispositif de retenue supplémentaire du conducteur. Mais elle comporte une foule de caractéristiques sécuritaires standard qui ont fait depuis longtemps la réputation de Volvo.

Tout cela pour vous dire que si vous avez l'intention d'acheter une voiture de luxe, tout bien considéré, vous devriez songer à la Volvo 760.

Après tout, aucune autre voiture de sa catégorie n'offre un aussi remarquable «intérieur»...

VOLVO
Une voiture digne de confiance.
Pour plus d'informations, téléphonez au 1-800-634-6855.

© 1989 VOLVO CANADA LIMITÉE

C'est une bonne chose de dire aux consommateurs ce qui distingue votre produit de ceux de la compétition et le fera préférer.

pratique du produit. En revanche, le produit connut une hausse importante des ventes quand on décida d'affirmer que les Pampers gardaient bébé sec et joyeux.

Dans tous les cas, restez crédible et n'exagérez pas. Dans leur livre *The Theory of Buyer Behavior*, John Howard et Jagdish Sheth citent un certain nombre d'études qui tendent à démontrer que si la satisfaction retirée de l'utilisation d'un produit est moindre que celle attendue, le consommateur risque de ne pas acheter votre produit une seconde fois[18].

Vous augmentez vos chances de réussite si vous faites une promesse qui est unique. Rosser Reeves, de l'agence Ted Bates, maintient que pour être efficace, une campagne publicitaire doit s'exprimer par une *Unique Selling Proposition* ou USP. Selon Reeves :

> « **1.** Chaque publicité doit faire une proposition au consommateur. Elle ne doit pas consister en mots vains, en simple étalage de produits pompeusement parés, mais dire en substance à chaque lecteur : achetez ce produit, vous en tirerez tel avantage spécifique.
>
> **2.** Cette proposition doit être exclusive, la concurrence n'y ayant pas pensé ou n'étant pas en mesure de le faire. Elle peut être exclusive en raison d'une de ses qualités ou d'un argument que personne d'autre n'emploie dans la même spécialité.
>
> **3.** La proposition doit être assez forte, assez attractive pour remuer les masses, provoquer les lecteurs à la consommation et conclure la vente[19]. »

Quand vous voulez rendre vos affirmations plus attirantes et plus crédibles, utilisez des chiffres précis : citez des quantités, des pourcentages, des distances, des durées, des dollars économisés, des nombres et des dates précises. William Strunk et E. B. White déclarent que « la façon la plus sûre d'attirer et de retenir l'attention est d'être spécifique, défini, et concret[20] ».

Au lieu d'écrire	**Écrivez**
Les piles qui durent plus longtemps qu'aucune autre pile.	Les piles qui durent **30 %** plus longtemps qu'aucune autre pile.
Le riz à grain long prêt en quelques minutes.	Le riz à grain long prêt en **5** minutes.

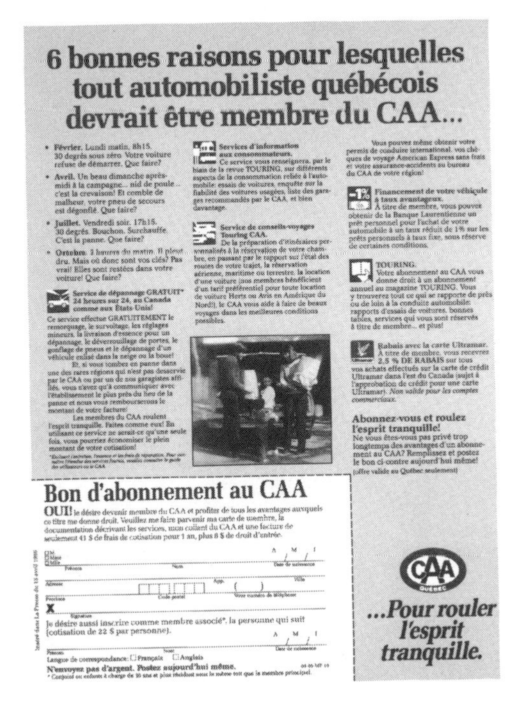

Quand vous citez des chiffres précis, vous rendez vos affirmations plus crédibles : « 29 % plus de puissance qu'avant » est plus persuasif que « plus de puissance qu'avant », « 6 bonnes raisons pour lesquelles tout automobiliste québécois devrait être membre du CAA » est plus alléchant que « Quelques bonnes raisons pour lesquelles tout automobiliste québécois devrait être membre du CAA ».

Cessez de fumer en peu de temps.	Cessez de fumer le **15** mars.
Perdez quelques kilos en un rien de temps	Perdez **12** kilos en **3** semaines.
À quelques minutes de Québec.	À **10** minutes de Québec.
On ne trouve pas tous les jours un remède éprouvé et apprécié depuis longtemps.	On ne trouve pas tous les jours un remède éprouvé et apprécié depuis **30** ans.
Quelques trucs pour séduire à tout coup.	**15** trucs pour séduire à tout coup.
Plusieurs façons de devenir riche.	**4** façons de devenir riche.

Ajoutez quelques cuillerées à thé de sucre et le tour est joué.	Ajoutez **3** cuillerées à thé de sucre et le tour est joué.
Très léger.	Pèse seulement **3** kilogrammes.
Illustré.	Contient **42** illustrations.
La nouvelle Pontiac fait plusieurs kilomètres au litre.	La nouvelle Pontiac fait **32** kilomètres au litre.
Économisez gros à l'achat d'un lave-vaisselle Kenmore.	Économisez **100 $** à l'achat d'un lave-vaisselle Kenmore.
Chaque pot de Nutella contient plusieurs noisettes et quelques tasses de lait écrémé.	Chaque pot de Nutella contient **64** noisettes et **2** tasses de lait écrémé.

Lors d'une étude pour une nouvelle marque de bière importée, on remarqua que les arguments tels « Bavaria, la marque la plus vendue depuis 10 ans », « a remporté 5 tests de goût sur 5 » et « est vendue au bas prix de 1,79 $ pour 6 bouteilles de 12 onces » suscitèrent 2 fois plus d'attitudes favorables que des abstractions telles « la meilleure bière », « bon goût » et « prix abordable[21] ».

Mieux vaut utiliser des affirmations et des mots concrets, et rejeter les termes abstraits, en particulier ceux qui finissent par « tion », « ment » et « iste ». Écrivez : « La loi », au lieu de « La législation », et « ciel » au lieu de « firmament ». Les mots concrets sont mieux compris que les mots abstraits. La psychologie de la mémoire nous montre qu'ils sont mémorisés plus facilement.

Employez des arguments *positifs*. Ne mettez jamais le lecteur dans son tort, ne l'inquiétez pas, ne le culpabilisez pas. Les publicitaires qui se servent de la peur pour vendre leurs produits font rarement des merveilles. Une enquête conduite par Janis et Feshbach indique qu'il est impossible de convaincre les gens de se brosser les dents en leur montrant des dents sales ou des dents cariées[22].

Les études Starch montrent que les publicités contenant des titres positifs obtiennent des résultats supérieurs à ceux contenant des titres négatifs : 50 % contre 37 % pour les scores d'attention, et 16 % contre 4 % pour les scores de lecture[23]. Souvenez-vous qu'il est toujours plus facile de vendre quelque chose à quelqu'un en lui

Ce n'est pas seulement quand on l'utilise qu'une carte montre sa vraie valeur: c'est aussi quand on la perd.
En cas de perte ou de vol, la carte American Express® vous est remplacée, généralement le jour ouvrable suivant–quelquefois même au bout de quelques heures. (Pensez qu'avec d'autres cartes, les délais peuvent dépasser une semaine. Si vous aimez attendre...)
American Express peut, dans ses 1 400 bureaux* à travers le monde, non seulement remplacer une carte perdue, mais aussi vous procurer des fonds d'urgence** et même remplacer un billet d'avion égaré. Ce qui peut vous éviter d'interrompre vos occupations ou d'écourter vos vacances.
Et vous n'avez pas besoin de voyager dans le monde entier pour bénéficier des avantages de la carte American Express: il y a 22 bureaux American Express au Québec même, et 135 dans tout le Canada*.
Demandez la carte American Express à l'aide du formulaire que vous trouverez dans de nombreux hôtels, restaurants et magasins; ou adressez-vous directement à American Express en téléphonant dès maintenant et sans frais au 1-800-361-4343.
La carte American Express.
Ne partez pas sans elle.®
AMERICAN EXPRESS

Les titres qui identifient un problème peuvent donner de bons résultats à la condition que vous démontriez comment votre produit sert à résoudre ce problème.

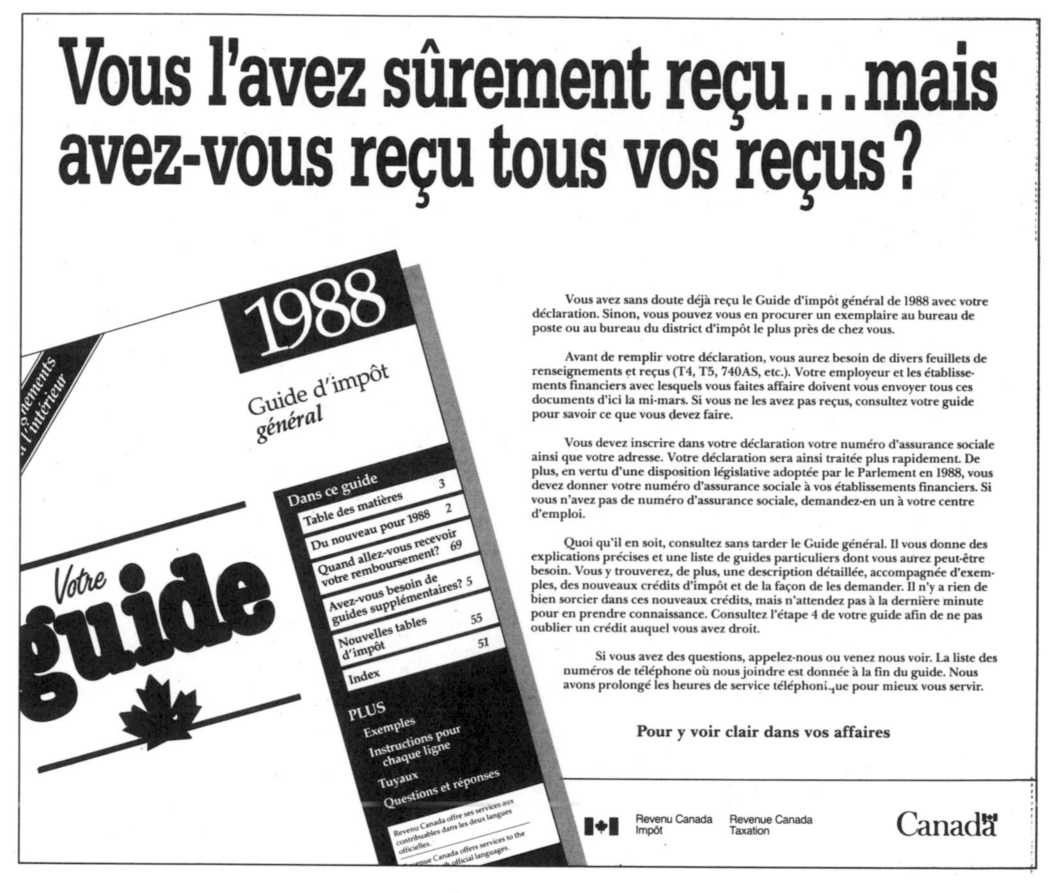

Laissez de côté les jeux de mots gratuits. Élevé au régime de la vidéocassette, des pages sportives et des revues à potins, le lecteur moyen n'est pas armé pour être profondément touché par les sous-entendus. Il n'est sensible qu'aux choses simples et directes.

montrant le beau côté des choses que le mauvais ; *les gens cherchent des avantages et non des punitions**.

Laissez de côté les jeux de mots gratuits, les reprises de proverbes et les titres à double sens. Pierre Martineau, du *Chicago*

* Il ne faut pas généraliser. Quand vous vous adressez à des introvertis, quand vous faites de la publicité pour des médicaments, du détersif, des compagnies d'assurances, des services publics ou financiers, les titres qui identifient un problème peuvent réaliser des scores supérieurs à la moyenne.

Les expressions populaires apportent de bons résultats en publicité. En 1965, Olivier Guimond et le célèbre « Lui, y connaît ça ! » de l'agence BCP ont fait passer les ventes de la Labatt de la troisième à la première position.

Tribune, écrit : « Élevé au régime du cinéma, des pages sportives et des revues à potins, l'individu moyen n'est pas armé pour être profondément ému par les textes des rédacteurs professionnels[24]. » Il n'est sensible qu'aux choses *simples* et *directes*.

Quand on lui demande le secret de son succès, monsieur *best-seller*, James Clavell, répond « que l'action prime sur le plaisir de jongler avec les mots ». C'est la même chose en publicité.

En contrepartie, les titres qui reprennent des expressions populaires font souvent sonner la caisse enregistreuse. Peu de temps après avoir obtenu le budget de la bière Labatt, Jacques Bouchard et deux de ses collaborateurs se rendaient dans une taverne. À la table voisine, un client solitaire pointe le barman en levant le pouce et s'écrie : « Lui y connaît ça ! ». Ces quatre petits mots allaient contribuer, en quelque temps, à tripler les ventes de la Labatt au Canada.

Au nom d'un pseudo-modernisme, certains rédacteurs osent écrire des publicités sans titre du tout. Ils oublient sans doute que dans un journal moyen, le lecteur est inondé de publicités et que, pour survivre dans cet environnement, il s'en remet à vos titres pour choisir ses lectures.

Si vous ne mettez pas de titre dans votre publicité, il ne fait aucun doute que vous passerez inaperçu. Le Bureau de la Publicité déclare : « Le titre est l'élément le plus déterminant en publicité imprimée. » Le Perception Research Services dit : « Nos recherches montrent que le taux de lecture d'un titre excède souvent de six à sept fois celui du texte qui l'accompagne. » Prenez-en note[25].

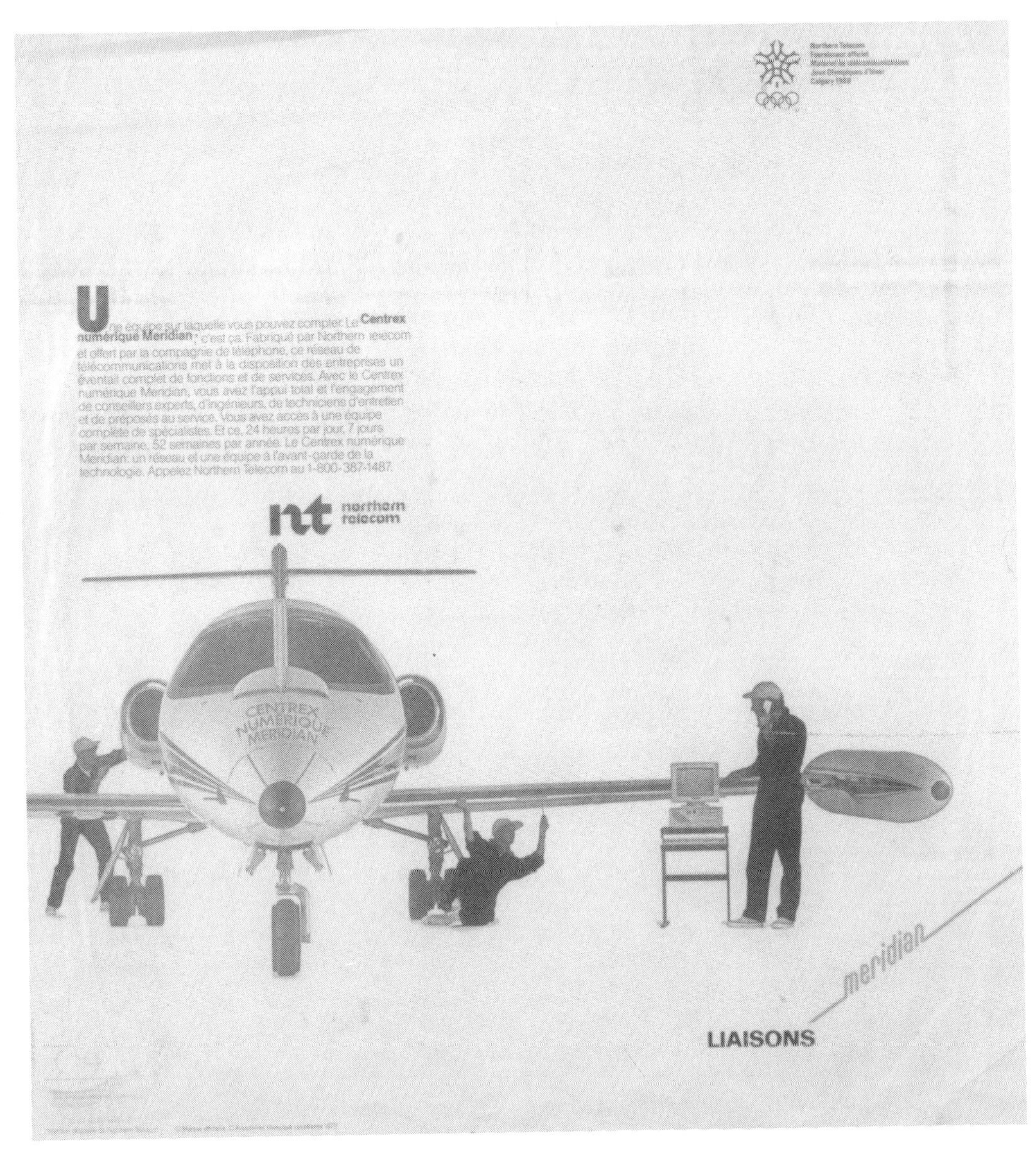

Certains rédacteurs s'amusent à écrire des publicités sans titre du tout. Ils oublient sans doute que les lecteurs s'en remettent aux en-têtes pour choisir leur lecture.

NOTES

1. BROCK, Timothy, Stuart M. ALBERT et Lee Alan BECKER. « Familiarity, Utility and Supportiveness as Determinants of Information Receptivity », *Journal of Personality and Social Psychology*, vol. 14, nº 4 , 1970, p. 292-301.
2. OGILVY, David. *La Publicité selon Ogilvy* (traduit par Elie Vannier), Paris, Dunod, 1984, p. 74.
3. AAKER, David A. « Developing Effective Corporate Consumer Information Programs », *Business Horizons*, janvier-février 1982, p. 32-39.
4. BERLYNE, Daniel E. « Conflict and Information Theory Variables as Determinants of Human Perceptuel Curiosity », *Journal of Experimental Psychology*, vol. 53, nº 6, juin 1957, p. 399-404 ; « Novelty and Curiosity as Determinants of Exploratory Behaviour », *The British Journal of Psychology*, vol. 41, partie 1 et 2, sept. 1950, p. 68-80.
5. RIDEAU, Alain. « L'argumentation dans la publicité pharmaceutique », *Les Cahiers de la publicité*, nº 20, avril-mai-juin 1968, p. 90.
6. HONOMICHL, Jack J. « The Ongoing Saga of Mother Baking Soda », *Advertising Age*, 20 septembre 1982, p. M-2, M-3 et M-22.
7. Pour en savoir davantage sur ce sujet, lisez :
   ANGERMAN, V. D. « Make Your Mail-Order Ads More Persuasive », *Printers' Ink*, 1er juin 1956, p. 32, 37 et 40 ;
   BAYAN, Richard. *Words that Sell : the Thesaurus to Help You Promote Your Products, Service, and Ideas*, Chicago, Contemporary Books Inc., 1984, 127 p. ;
   CAPLES, John. *How to Make Your Advertising Make Money*, Englewood Cliffs, Prentice Hall, 1983, p. 65-79 ;
   CAPLES, John. *Making Ads Pay,* New York, Dover Publications Inc., 1966, p. 129-132 ;
   CAPLES, John. *Tested Advertising Methods*, Englewood Cliffs, Prentice Hall, 1987, p. 53-68 ;
   OGILVY, David. *Les Confessions d'un publicitaire,* (traduit par Bernard Franckel et Jacques-Henry Bouet), Paris, Dunod, 1985, p. 108 ;
   SACKHEIM, Maxwell. *My First Sixty Years in Advertising*, Prentice-Hall, Englewood Cliffs, New Jersey, 1970, p. 89, p. 184-185.
8. HOPKINS, Claude. *Mes succès en publicité* (traduit par Louis Angé), Paris, La Publicité, 1927, p. 180.
9. RAPP, Stan et Thomas L. COLLINS. *MaxiMarketing*, Paris, McGraw-Hill, 1988, p. 46.
10. HAAS, Claude Raymond. *Pratique de la publicité*, Paris, Dunod, 1970, p. 230-231.
11. RUDOLPH, Harold. *Attention and Interest Factors in Advertising Survey, Analysis, Interpretation*, New York, Funk & Wagnalls Company en collaboration avec Printers' Ink Publishing Co. Inc., 1947, p. 46-47.
12. MILLER, George A. « The Magical Number Seven, Plus or Minus Two : Some Limits on Our Capacity to Process Information », *Psychological Review*, vol. 63, nº 2, 1956, p. 81-87.

13. HAAS, Claude Raymond. *Pratique de la publicité,* Dunod, Paris, 1970, p. 243-244.
14. CAPLES, John. *Tested Advertising Methods,* Prentice Hall, Englewood Cliffs, 1987, p. 38.
15. MARNEY, Jo. «Delivering the Promise», *Marketing,* 7 juin 1982, p.12.
16. McGRAW-HILL. *Laboratory of Advertising Performance,* New York, McGraw-Hill Research, 1950, Data Sheet #3200.
17. OGILVY, David. *La Publicité selon Ogilvy* (traduit par Elie Jannier), Dunod, Paris, 1984, p. 160.
18. HOWARD, John et Jagdish N. SHETH. *The Theory of Buyer Behavior,* New York, John Willey & Sons, 1969, p. 147-148.
19. REEVES, Rosser. *Le Réalisme en publicité* (traduit par R. Aubert), Paris, Dunod, 1968, p. 41-42
20. STRUNK, William et E. B. WHITE. *The Element of Style,* New York, Collier MacMillan, 1959, p. 15-16.
21. PERCY, Larry et John ROSSITER. « 10 Ways to More Ads Via Visual Imagery, Psycholinguistics », *Marketing News,* 19 février 1982, p. 10.
22. Voir à ce sujet, JANIS, Irving L. et Seymour FESHBACH. « Effects of Fear-Arousing Communications », *Journal of Abnormal and Social Psychology,* vol. 48, nº 1, janvier 1953, p. 78-92.
23. MARNEY, Jo. « The Headline's the Thing », *Marketing,* 17 novembre 1986, p. 8.
24. MARTINEAU, Pierre. *Motivation in Advertising,* New York, McGraw-Hill, 1957, p. 1.
25. MARNEY, Jo. « The Headline's the Thing », *Marketing,* 17 novembre 1986, p. 8.

CHAPITRE 3

COMMENT ÉCRIRE DES TEXTES QUI VENDENT

Mettons tout d'abord les choses au clair. Quelques-uns d'entre vous se sont peut-être déjà fait dire que les consommateurs ne lisaient pas les textes publicitaires. Ce n'est pas tout à fait exact. En réalité, les publicités dans les magazines obtiennent des taux de lecture de 10 %[1] en moyenne*.

Vous pourriez penser que ces 10 % ne valent pas la peine qu'on s'y arrête, mais vous vous trompez. La plupart du temps, ce petit groupe de lecteurs contient un certain nombre de prospects, des gens qui veulent en savoir plus long sur votre genre de produit avant de prendre une décision finale. Votre texte devra donc les

* Avec l'arrivée du *zapping*, les commerciaux télévisés éprouvent eux aussi des difficultés à retenir l'attention. L'impact du *zapping* varie selon les études. Selon A.C. Nielsen, entre 3 % et 5,2 % des commerciaux sont *zappés*. De son côté, Information Ressources inc. parle de 10 %, alors que Television Audience Assessment l'évalue à 39 %. Les émissions en soirée, les émissions de 30 minutes, les programmes présentés le samedi matin et les émissions sportives de fin de semaine sont les plus susceptibles d'être *zappés*. Par ailleurs, les jeunes *zappent* davantage que les gens plus âgés ; les messages les plus évités sont ceux concernant les analgésiques, les produits d'hygiène corporelle et les désodorisants. Les annonces les moins *zappées* sont celles concernant les ordinateurs, la gomme à mâcher et la bière légère. Enfin, la recherche indique que la majorité du *zapping* se produit en début et en fin d'émission.

persuader d'acheter votre produit plutôt que celui de vos concurrents.

COMMENT ÉCRIRE DES TEXTES EFFICACES

Si vous voulez écrire des textes qui vendent, vous devez respecter 25 principes élémentaires.

1. Personnalisez votre écriture

Certains rédacteurs publicitaires ont tendance à s'adresser aux consommateurs comme s'ils écrivaient à une masse inanimée. Ce n'est pas une bonne chose. Ce qu'il faut faire, c'est considérer le lecteur, lui parler et l'écouter. Vous devez traiter votre lecteur comme vous traitez les gens dans vos relations de tous les jours.

Voici quatre façons de personnaliser votre écriture :

A. Adressez-vous directement à votre lecteur en le *vouvoyant* ou parfois même en le *tutoyant.* Au lieu de dire : « Grâce au nouveau système Warner, on épargne 10 % sur sa facture de chauffage », dites : « Grâce au nouveau système Warner, *vous* pouvez épargner 10 % sur *votre* facture de chauffage ».

Remarquez comment l'auteur de ce texte a habilement personnalisé son discours :

« Voulez-*vous* « Gratter » et économiser 10, 15, 25, 50 ou 100 % ?

« À compter du 30 janvier 1989, *vous* pourriez économiser 10, 15, 25, 50 ou 100 % sur presque tous *vos* achats effectués dans *votre* magasin.

« *Vous* savez que notre marchandise déjà offerte à prix modique *vous* permet de gratter *vos* dépenses, voici donc une occasion de plus à ne pas manquer, puisque *vous* ne partirez pas sans avoir économisé au moins 10 %, garanti !

« Alors qu'attentez-*vous* ? *Vous* avez tout à gagner ! *Votre* carte « grattez et économisez » *vous* sera remise à domicile ou peut être disponible dans *votre* magasin

Bonimart. » (« Bonimart », *Le Soleil,* 30 janvier 1989, p. B-10.)

B. *Utilisez des phrases personnelles.* Sont définies comme phrases personnelles, les phrases écrites sur les modes de la conversation, les questions ou demandes adressées dans un style direct au lecteur, les exclamations, les phrases impératives et les phrases entamées mais laissées en suspens comme le bavardage.

C. Racontez une *histoire* autour de l'utilisation de votre produit. Au lieu d'écrire un texte démonstratif (*reason why*), écrivez un texte de type engagement personnel (*human interest*). Voici un exemple :

« Le jour de mon dernier anniversaire, j'ai réalisé que j'étais au beau milieu des plus belles années de ma vie. Le plus bel âge quoi... à condition de prendre bien soin de soi.

« J'ai donc commencé à faire de la bicyclette chaque jour. Puis j'ai essayé 2nd Début.

«Seul 2nd Début contient du CEF qui redonne à la peau son niveau d'humidité naturelle. Et ça, ça me plaît ! Non seulement le CEF hydrate ma peau, mais il y maintient cette hydratation. J'aime l'effet de 2nd Début sur ma peau. Ça me rajeunit je crois et, croyez-moi, je me sens en beauté.»

D. Incluez dans votre texte des *noms de personnalités* plus ou moins célèbres, des *prénoms,* des *pronoms personnels* à la première et à la deuxième personne du singulier et du pluriel, des *mots personnels* tels que *gens* ou *maman.*

Au lieu de dire : « J'ai manqué mon autobus » ou « Peux-tu venir me chercher », dites : « Allô, Claude ! Peux-tu venir me chercher ? »

La recherche publicitaire indique que les textes personnalisés sont extrêmement efficaces. Dans une recherche comportant 50 annonces publicitaires qui avaient obtenu des taux de lecture exceptionnels et 50 annonces qui avaient été des échecs lamentables, Daniel Starch constata que les annonces à succès faisaient presque toujours une place importante à la présence de l'humain[2].

Personnalisez votre écriture au maximum. Au lieu de dire « Peux-tu venir me chercher » ou « J'ai manqué mon autobus », écrivez plutôt « Allô, Claude ? Peux-tu venir me chercher ? »

Source : Info Presse Communications, *vol. 4, no 4, décembre-janvier 1989, p. 56.*

D'après le docteur Rudolph Flesch[3], plus un texte est personnalisé, *humain*, plus il a de chance d'intéresser un grand nombre de lecteurs. S'il est quelque chose qui intéresse tout le monde, ce sont les êtres humains. *Le public s'intéresse davantage aux hommes et aux femmes qu'aux choses et aux idées.*

2. Utilisez l'impératif, 2e personne du pluriel

En publicité, l'impératif est le mode de la suggestion, du conseil et de la recommandation.

Feuilletez quelques journaux et quelques magazines, et vous constaterez très vite que les rédacteurs publicitaires s'en remettent toujours à un certain nombre d'impératifs. En voici quelques-uns :

abonnez-vous
acceptez
achetez
adressez-vous
améliorez
appelez
apprenez
augmentez
ayez
bénéficiez
buvez
changez
cherchez
choisissez
cochez
collectionnez
commandez
conservez
débarrassez-vous
découpez
découvrez
demandez
devancez
développez
devenez
devinez
dirigez
donnez
économisez
écoutez
écrivez
entrez
envoyez
épargnez
essayez
étudiez
évitez
faites
gagnez
grattez
identifiez
imaginez
indiquez
intéressez-vous
jouez
laissez-vous
lisez
maîtrisez
mettez
misez
montrez
ne laissez pas
obtenez
offrez
organisez
osez
participez
possédez
postez
précisez
prenez
présentez-vous
recherchez
réfléchissez
regardez
remarquez
remplissez
retrouvez
révélez
sachez
savourez
soyez
téléphonez
tirez profit
trouvez
utilisez
venez
vivez
votez

D'autres formes de verbe sont également à prendre en considération[4]:

- *Le présent.* Il introduit une notion de portée générale et peut exprimer l'idée : voilà ce qui se fait, voilà ce que vous devez faire. Il peut aussi vous servir à exprimer un fait futur dont la réalisation est tenue pour certaine.

L'impératif est la forme verbale la plus utile en publicité, puisque c'est le mode de la recommandation, du conseil et de la suggestion.

- *Le futur.* Il exprime un engagement de la part du vendeur à satisfaire le client. Utilisez-le souvent puisque toute bonne publicité comporte, comme nous l'avons vu précédemment, une promesse.
- *L'infinitif.* C'est le mode le plus impersonnel qui soit. Des formules telles que « L'essayer c'est l'adopter » ne font plaisir qu'à l'orgueil de l'annonceur. Néanmoins, l'infinitif peut vous être utile pour les recettes, les modes d'emploi, les démonstrations, les locutions telles que : « À offrir » ou « À boire glacé », et pour les indications générales du genre : « Pour tous renseignements, écrire ou téléphoner à... », « Joindre un timbre-poste pour la réponse ».

- *Le participe présent.* Il est très utile, car il vous permet d'éviter une proposition relative qui compliquerait davantage vos phrases et poserait des difficultés d'emploi des modes.

3. Jouez à la fois sur la raison et sur l'émotivité

Votre publicité doit énoncer un *bénéfice produit*, comme « Notre produit rend vos dents plus blanches », mais également un *bénéfice émotionnel*, comme « Brossez-vous les dents avec notre dentifrice et vous aurez toutes les femmes dont vous avez toujours rêvé ».

Les publicités imprimées qui reposent sur le raisonnement peuvent être efficaces. Cependant, le spécialiste du changement d'attitude William McGuire[5] a constaté que les messages strictement rationnels sont difficilement accessibles au citoyen moyen. C'est pourquoi vous devez toujours mettre dans vos messages un soupçon de charme et de sentiment.

Jean-Jacques Rousseau écrivait dans *Julie ou La Nouvelle Héloïse*: « Si c'est la raison qui fait l'homme, c'est le sentiment qui le conduit. » Je ne peux pas dire mieux.

4. Faites des paragraphes aussi courts que possible

Les études de lisibilité entreprises par Gallup et Flesch sont formelles : plus vos paragraphes sont longs, moins les gens les liront.

5. Présentez l'argument majeur au début de votre message

Faites en sorte que votre premier paragraphe soit percutant. Proposez un avantage.

Tous les rédacteurs publicitaires de renom — Bly, Caples, Hauser, Hodgson, Lewis, Ogilvy, Sackheim, Schwab, Stone, Xardel — recommandent de créer dès le départ ce qu'on pourrait appeler l'*effet de surprise*. Vous devez susciter rapidement et intensément l'intérêt du lecteur sans quoi la partie est perdue d'avance.

Pour en savoir davantage sur la façon d'écrire le premier paragraphe, lisez le chapitre « How to Write the First Paragraph », contenu dans le livre *Tested Advertising Methods*, et le chapitre « Ten Ways to Write the First Paragraph », contenu dans le livre *Making Ads Pay*, tous deux du rédacteur publicitaire John Caples.

6. Soyez simple

Tous ceux qui écrivent des textes publicitaires doivent faire face au même problème : être compris de tous. Or, il est impossible d'être compris par le commun des mortels si vous n'écrivez pas dans un langage élémentaire.

Alfred Politz, directeur de Alfred Politz Research Inc. et spécialiste des études de marché, souligne que « l'efficacité en publicité dépend de l'utilisation d'un langage simple, d'une présentation simple et directe des arguments de vente[6] ». Al Ries et Jack Trout, de l'agence Trout & Ries, vont plus loin :

> «Aujourd'hui, pour beaucoup de gens ou de produits, un moyen de réussir consiste à observer ce que font les concurrents et ensuite à supprimer la poésie ou l'imagination qui sont devenues un obstacle pour transmettre correctement le message à l'esprit. Avec un message purifié et simplifié, vous pouvez alors pénétrer l'esprit du prospect[7].»

Là débute la difficulté : si vous employez un style trop élémentaire, vous risquez de choquer votre public ; si vous employez un style trop original, vous mettez votre lecteur sur la défensive et éveillez le doute dans son esprit. Conclusion : soyez simple mais ne prenez pas le lecteur pour un idiot.

7. Utilisez des mots courts et des mots courants

Les recherches montrent que les mots courts sont toujours préférables aux mots longs, et que les mots courants sont toujours meilleurs que les mots rares[8]. Les mots courts et les mots courants sont reconnus plus rapidement. On les comprend mieux, et on les retient mieux.

Écrivez	Au lieu de
Déçu	Désappointé
Accord	Consensus
Achat	Acquisition
Trop	Excessivement
Étude	Investigation

Bannissez ou utilisez avec précaution jargons, mots savants, mots étrangers, patois, archaïsmes, abréviations et mots nouveaux.

Le bon texte publicitaire utilise toujours les 2 200 mots du français fondamental*. Les mots que vous emploierez devront venir à 80 % de cette liste, sinon, le lecteur n'assimilera pratiquement rien de ce qui est écrit[9].

Dans un mémo distribué au sein de son agence, Leo Burnett indiquait : « N'écrivez rien qui ne pourrait pas être compris par un enfant de 16 ans[10]. »

Évidemment, vous pouvez parler de bits, de RAM et de logiciels, quand vous écrivez dans une revue spécialisée en informatique. Mais je ne donne pas cher de votre peau si vous vous acharnez à parler de mémoire interne et de mémoire externe dans une revue comme *Le Lundi.*

N'oubliez jamais que le vocabulaire de base d'un Québécois est évalué à 500 mots. À cela peuvent s'ajouter bien sûr le vocabulaire spécialisé de chacun, suivant sa profession, son milieu social, sa région, ses activités habituelles, sa culture et son style de vie. Mais vous ne pourrez y recourir à coup sûr que si votre public cible est très bien déterminé.

8. Utilisez l'humour avec soin

Les messages humoristiques peuvent vendre de la bière, des biscuits, des tablettes de chocolat, des boissons gazeuses et de la gomme à mâcher, mais leurs résultats sont inférieurs à la moyenne quand il s'agit de vendre des médicaments, des spiritueux, des cosmétiques, des parfums, des automobiles de luxe, des assurances, des services financiers et des produits nouveaux.

Une étude conduite par McCollum/Spielman montre que 75 % des publicités utilisant l'humour obtiennent un taux d'attention égal ou supérieur à la moyenne, mais que seulement 31 % des messages humoristiques étaient plus persuasifs que la norme[11]. Le succès des campagnes publicitaires pour le Poulet Frit Kentucky

* Vous trouverez en annexe la liste complète des mots du français fondamental.

(PFK), Pepsi-Cola et la Labatt Bleue confirme cependant le potentiel vendeur de l'humour dans certains cas bien précis.

9. Soyez direct, télégraphiez

Plus vous vous lancez dans de longs développements, plus vous exaspérerez votre lecteur. Rappelez-vous l'avertissement de Kenneth Roman et Joel Raphaelson : « Votre lecteur n'a pas de temps à perdre. Si vous voulez retenir l'attention des gens occupés, votre écriture doit aller directement au cœur du problème. Elle doit exiger un minimum de temps et d'effort de la part du lecteur[12]. »

10. Écrivez des phrases courtes

Des enquêtes de mémorisation de lecture effectuées aux États-Unis et en France révèlent que les phrases courtes sont mieux mémorisées que les phrases longues. La phrase de 17 mots apparaît comme le maximum théorique admis pour une mémorisation correcte de votre message. Au-delà, il y aura perte d'information.

11. Soyez positif

Quand vous dites : « Les croustilles Zombo ne contiennent pas d'agents de conservation », la majorité des lecteurs se rappelleront plus tard que votre produit contient des agents de conservation. En effet, la négation s'oublie facilement. Entendus ensemble, les concepts « croustilles Zombo » et «agents de conservation » sont stockés l'un à côté de l'autre en mémoire et ils se retrouvent naturellement associés.

Il y a quelques années, lorsque la compagnie Philip Morris a insisté sur le fait que l'une de ses marques de cigarettes était moins irritante que les autres, les personnes interrogées par Weiss et Geller pour expliquer la mévente qui s'ensuivit ont déclaré : « Quand je pense à Philip Morris, je pense à irritation[13]. »

Toutefois, si vous devez absolument utiliser une phrase négative, attirez l'attention du lecteur sur votre négation en la soulignant ou en l'imprimant en *italique*.

12. Respectez la structure sujet-verbe-complément

L'usage fréquent de propositions *emboîtées* (membres de phrase) les unes dans les autres exige un effort d'attention considérable de la part du lecteur. Un *taux d'emboîtement* élevé nuit à la bonne compréhension de votre texte.

13. Placez vos mots les plus importants au début de vos phrases

Si vous voulez être bien compris — donc bien retenu — réservez pour la fin de vos phrases les mots relativement peu importants. En moyenne, les mots placés en début de phrase sont mieux mémorisés que les mots placés en fin de phrase.

14. Suggérez une continuité de type cause à effet

Le spécialiste français de la lisibilité, François Richaudeau, a découvert que les débuts de phrases affirmatives du genre, *c'est pourquoi, par conséquent, en effet, il est assez clair que, parce que, à cause de, en dépit de, toutefois* et *malgré* favorisent la mémorisation de votre phrase en entier[14]. D'après Richaudeau, ce genre de phrase implique une structure bien définie de la suite linguistique et favorise donc la capacité de prédiction.

15. N'abusez pas des points de suspension

En trop grande quantité, les points de suspension finissent par fatiguer le lecteur en bloquant les mécanismes de la pensée.

16. Utilisez modérément les points d'exclamation

Ils sont trop souvent le refuge des rédacteurs qui ne parviennent pas à écrire avec émotion.

17. Évitez les banalités

Fuyez comme la peste les platitudes et les généralités du genre :

le meilleur au monde	*le plus performant*
le premier	*le plus fiable*
le préféré de tous	*le plus solide*
l'idéal	*l'inimitable*
le plus économique	*l'incomparable*
le moins cher	*l'unique*
le meilleur marché	

L'histoire montre qu'il y a très peu de campagnes publicitaires qui ont réussi à faire leur marque en recourant à ce moyen. Certes, il y a bien eu quelques exceptions, mais avec le temps, ces exagérations ont complètement perdu tout pouvoir vendeur. Elles sont donc à proscrire.

18. Oubliez-vous complètement

Laissez de côté les expressions du type :

Exigez cette marque	*Refusez les imitations*
Achetez ma marque	*Méfiez-vous des imitations*

S'ils y trouvent leur propre intérêt, les consommateurs seront réceptifs à vos déclarations. En revanche, ils vous ignoreront pour toujours si vous essayez de leur forcer la main pour obtenir ce qui n'est finalement qu'un avantage pour vous-même.

19. Misez sur l'enthousiasme populaire

Plusieurs habitudes de consommation sont directement influencées par la mode. Un Noël, tous les parents achètent des poupées Bout de Chou à leurs enfants, alors qu'un autre Noël, les jeux vidéo Nintendo prennent la vedette; une année, tous veulent s'acheter une planche à voile, tandis qu'une autre année, c'est un vélo de montagne ; une année, les femmes se parfument avec Lauren et, une autre année, les femmes utilisent Obsession.

Quoi que vous fassiez, vos publicités auront avantage à projeter l'image du produit que tout le monde s'arrache. Claude Hopkins, de l'agence Lord & Thomas, écrivait :

«Les gens sont comme des moutons. Ils sont incapables de juger de la valeur exacte des choses, tout aussi incapables que vous et moi. Nous jugeons les choses, pour une bonne part, d'après l'impression d'autrui, d'après la faveur dont elles jouissent auprès du public. Nous suivons la foule (...) C'est là un facteur dont il faut tenir bien compte. Les gens suivent les styles et les préférences en vogue. Il est rare que la décision vienne de nous-mêmes, parce que nous ne connaissons pas les faits. Lorsque nous voyons la foule s'engager dans une certaine direction, nous sommes très enclins à faire comme elle[15].»

Voici trois façons de miser sur l'enthousiasme populaire :

A. Vous pouvez utiliser des pourcentages : « 90 % des Québécois choisissent Anacin.»

B. Vous pouvez parler des ventes : «Plus de 12 000 automobiles vendues l'an dernier.»

C. Vous pouvez mentionner des clients satisfaits : « Neuf personnes sur dix préfèrent 7-Up. »

20. Soyez cordial

Selon James D. Woolf, auteur d'une célèbre chronique qui paraissait dans le magazine *Advertising Age* durant les années cinquante et soixante, vous avez de meilleures chances d'écrire une publicité à succès si vous êtes chaleureux, sincère et amical[16].

21. Utilisez un intertitre toutes les 25 lignes

Les intertitres les plus efficaces sont ceux qui intriguent le lecteur et lui permettent de saisir votre argumentation sans devoir lire votre texte du début à la fin.

22. Montrez le bon côté des choses

Chaque fois que vous avez affaire à des gens peu instruits, à un auditoire dont l'attitude générale est favorable ou à des groupes qui font preuve de fidélité envers vos produits ou vos services, tenez-

Pourquoi cette méfiance des Canadiens face au libre-échange?

La fierté que suscite notre appartenance au Canada en tant que nation provient de notre aptitude attestée à surmonter les obstacles, qu'il s'agisse de la vaste étendue de notre territoire, de notre climat varié et parfois redoutable, ou de la complexe mosaïque des communautés linguistiques et ethniques qui forment la population de notre pays. Contre des forces souvent indomptables, nous sommes devenus unis, nous avons conquis notre souveraineté et nous avons atteint la prospérité.

Or voilà qu'un nouveau défi nous est aujourd'hui proposé, et non moins stimulant. C'est que nous ne pouvons plus compter sur une prospérité durable en nous repliant sur nous-mêmes alors que, par-delà nos frontières, le monde accroît son niveau de vie en favorisant le libre-échange des biens et des services. Si nous choisissons l'isolement économique, nous entraverons notre croissance et notre développement. Si nous ne progressons pas, notre souveraineté sera moins imposante; notre culture aura moins de chance de fleurir, et notre identité nationale perdra de son caractère distinctif.

Depuis ses plus lointaines origines, le Canada a grandi grâce à l'exportation et, aujourd'hui encore, notre économie se fonde sur le commerce extérieur, principalement à cause de l'abondance de nos ressources. Qui plus est, la faiblesse relative de notre commerce intérieur doit nous inciter à rendre nos produits manufacturés et nos richesses naturelles aussi concurrentiels que possible sur les marchés étrangers.

L'occasion d'accéder librement à un marché potentiel de 240 millions de personnes s'offre aujourd'hui à nous. Car le Canada et les États-Unis ont conclu un accord historique sur le libre-échange, un accord qui fera peu à peu tomber les barrières entre les deux plus grands partenaires commerciaux du monde.

Pourquoi donc accueillons-nous cet accord avec tant de réticence?

Craindrions-nous d'être en quelque sorte spoliés de notre culture? Redouterions-nous de voir notre indépendance politique mise en péril? C'est en brandissant de tels spectres que certains se sont opposés à l'accord sur le libre-échange. Ceux-là soutiennent que les valeurs si chères aux Canadiens, et manifestes dans nos structures sociales, notre culture et notre système de gouvernement, s'en trouveraient menacées.

Mais les faits sont indéniables: cet accord avec les États-Unis n'est ni culturel, ni politique – il est économique. Et il s'appuie sur une thèse on ne peut plus vigoureuse, celle qui veut que le peuple canadien, au même titre que le peuple américain, ne s'en portera que mieux si nous éliminons les entraves au commerce qui subsistent encore sur près de 30 pour cent des biens et services qui franchissent notre frontière commune.

L'accord sur le libre-échange n'est certes pas sans faille. Aucun accord portant sur autant de points et concernant autant de personnes, de secteurs, de produits et de groupes de pression ne saurait prétendre à la perfection. Pour certains (de part et d'autre de la frontière), il devra faire l'objet d'ajustements. Mais il n'est nullement hors de notre portée ni de notre volonté de modifier et de parfaire un accord qui promet d'avoir des répercussions aussi profondes sur notre bien-être et celui de nos enfants.

L'accord sur le libre-échange prévoit des mécanismes propres à resoudre certains conflits commerciaux. Ces mécanismes non plus ne sont pas infaillibles. Néanmoins, ils traduisent la volonté expresse de deux pays d'aplanir leurs différends d'une manière exemplaire pour le monde industrialisé.

D'autres pays du monde, et plus concrètement les membres de la Communauté Économique Européenne, se regroupent pour former des zones élargies de libre-échange commercial. Si le Canada et son principal partenaire, les États-Unis, ne soutiennent pas maintenant l'accord sur le libre-échange, une telle occasion ne se représentera plus au cours de ce siècle.

Au départ, nous disions que les Canadiens ont érigé une nation en surmontant des obstacles. Or, l'accord sur le libre-échange n'est même pas un obstacle à surmonter. Il représente plutôt une occasion à saisir… la voie vers une économie plus concurrentielle, un plus grand nombre d'emplois et des prix plus avantageux.

L'autre voie ne mène nulle part.

Ne pensez-vous pas que cette annonce aurait été plus efficace si son auteur y avait ajouté quelques intertitres ?

vous-en à la publicité traditionnelle[17]. Mettez l'accent sur ce qui est favorable en écartant ce qui ne l'est pas.

L'exception qui confirme la règle: présentez les deux aspects du problème lorsque vous faites face à de l'opposition ou à des individus instruits[18]. En s'adressant aux Canadiens, la Société canadienne des postes a donné les deux côtés de la médaille. Elle a reconnu ses faiblesses en ce qui a trait à la lenteur du service et promit d'y remédier.

Quand la situation l'oblige, n'hésitez pas à faire une mise au point. Dans un monologue de départ présenté au « Tonight Show Starring Johnny Carson », Jay Leno fit un jour l'erreur d'associer la faillite de Lionel Corp. à celle des trains Lionel, deux entités pourtant indépendantes.

Devant le vent de panique qu'engendra cette nouvelle chez les vendeurs et les distributeurs du célèbre fabricant de trains électriques, l'agence de relations publiques corrigea rapidement l'information à l'intérieur du circuit des vendeurs. Leno, quant à lui, rectifia son propos lors de l'émission suivante. En bout de piste, Lionel bénéficia d'une publicité importante à peu de frais.

23. Tirez profit de vos réussites passées

Si l'un de vos produits connaît du succès auprès de vos consommateurs, un autre produit, différent mais portant le même nom de marque, sera accepté plus facilement et plus rapidement.

« Lors du lancement de la Fox, écrit le professeur Christian Dussart, Volkswagen a délibérément recherché une association positive avec la Coccinelle. Encore aujourd'hui le slogan nord-américain de la compagnie va dans ce sens : « *Volkswagen does it again* »[19]. »

24. Soyez crédible

Appuyez tout ce que vous dites par des preuves. La plupart des gens sont quelque peu sceptiques à l'égard de la publicité. Un sondage Gallup indique que deux Canadiens sur trois estiment que la plus grande partie des commerciaux télévisés ne sont pas véridiques, et un sur quatre pense que toutes les publicités sont malhonnêtes.

Quand vous faites face à de l'opposition, soyez franc. Si vous avez péché, avouez vos fautes. Lorsque la Société canadienne des postes s'adressa à la population, elle reconnut ses faiblesses et profita de l'occasion pour dire aux gens ce qu'elle comptait faire pour accélérer le service postal. Quatre mois plus tard, un rapport de la firme Clarkson Gordon révélait que la société des postes avait tenu parole. En effet, 96 % du courrier local était livré dans les 2 jours ; 96 % du courrier provincial en 3 jours ; et 98 % du courrier national en 4 jours.

Voici 12 façons de rendre vos affirmations plus crédibles :

A. *Les études et les tests.* Quand il s'agit de persuader les gens d'acheter telle ou telle marque, les études et les rapports d'enquêtes réalisés par des centres de recherche indépendants obtiennent des résultats au-dessus de la moyenne.

B. *Les comptes rendus d'utilisation exceptionnelle.* Pour démontrer sa solidité, la compagnie Maytag a déjà fait paraître une annonce dans laquelle on pouvait lire :

« Notre Maytag fait toute la lessive de la communauté depuis 1969... et nous sommes 35 !

« Durant toutes ces années, notre Maytag nous a merveilleusement bien servis et nous n'avons que des éloges à faire.

« Il y a dix ans que nous avons acheté notre laveuse Maytag pour le couvent (...).

« Depuis, elle fait en moyenne 50 à 60 brassées par semaine. Et pendant tout ce temps, elle n'a eu besoin que de peu de réparations. Cela démontre bien que les laveuses Maytag sont faites pour durer plus longtemps et vous faire économiser avec moins de réparations. »

C. *La satisfaction garantie.* Une étude entreprise par William Bearden et Terence Shimp a établi que la garantie de remboursement constitue de nos jours un argument clef dans la mesure où elle est totale[20].

Voici un exemple :

« Si, à quelque moment que ce soit, *L'actualité* ne vous donne plus satisfaction, il vous suffit de nous en informer par écrit : nous annulerons votre abonnement et nous vous enverrons le remboursement complet des numéros non postés. Signé Jean Paré, Rédacteur en chef. »

D. *La mention d'approbation par un organisme officiel.* Les déclarations d'organismes crédibles (organisation

LA GARANTIE
PRESTONE MD
DE 100 $
POUR VOTRE
RADIATEUR
PRESTONE PRÉSENTE SA NOUVELLE FORMULE D'AVANT-GARDE. ELLE EST TELLEMENT EFFICACE QU'ELLE NOUS PERMET DE GARANTIR VOTRE RADIATEUR.
Voici le nouvel antigel Prestone amélioré. Mieux qu'auparavant, la formule renouvelée Prestone d'avant-garde protège contre la corrosion le radiateur et le système de refroidissement de votre voiture. En effet, ses propriétés nous permettent de vous garantir votre radiateur pour une année. Nous vous donnerons jusqu'à 100 $ pour défrayer le coût des pièces et de la main d'oeuvre pour la réparation de votre radiateur si jamais ce dernier était endommagé par la corrosion.
Pour obtenir votre garantie... achetez deux (2) bidons de 4 litres d'antigel Prestone d'avant-garde et une (1) bouteille de Super Rince-Radiateur Prestone ou de Rince-Radiateur Prestone, rincez votre système de refroidissement en suivant les instructions, remplissez la formule d'enregistrement (à l'intérieur) en respectant toutes les exigences de la garantie. Certaines restrictions s'appliquent. Obtenez les renseignements chez votre détaillant Prestone le plus proche.
M.D. PRESTONE est une marque de commerce utilisée en vertu d'une licence par la Société First Brands du Canada Inc
© La Société First Brands du Canada Inc. 1988
4 LITRES
Prestone
ADVANCED FORMULA
D'AVANT GARDE
500 ML
Prestone
SUPER FLUSH
REMOVES RADIATOR RUST
SUPER RINCE-RADIATEUR

En garantissant l'antigel Prestone, le fabricant rassure le consommateur potentiel sur la qualité et la valeur de son antigel. Ce faisant, il réduit les sentiments de risque reliés à l'achat.

La « surgarantie » Chrysler de même que la présence d'un haut administrateur de la firme (Lee Iacocca) contribuent à rassurer le consommateur sur la qualité de la Eagle Premier ES 1988.

indépendante de consommateurs, institution d'enseignement, association de commerces ou organisme gouvernemental) obtiennent des taux de persuasion supérieurs à la moyenne.

La nourriture pour chiens Dr Ballard porte le sceau de l'Association canadienne des vétérinaires. Les balles de tennis Dunlop sont approuvées par la United States Tennis Association. Quand Procter & Gamble a reçu l'appui de l'Association dentaire américaine pour son dentifrice Crest, les ventes ont augmenté de 23 % en l'espace de quelques mois[21].

Les ventes de « The Club », une barre antivol pour automobiles, s'élevèrent à 100 millions de dollars, une augmentation de 75 % par rapport à l'année précédente, après que le fabricant eut reçu une recommandation de la National Fraternal Order of Police des États-Unis[22].

E. *Les prix et les médailles.* Chaque fois que vous remportez un trophée ou un concours, écrivez-le. Le public estime que les produits qui remportent des trophées et des médailles sont d'une qualité supérieure.

F. *La durée de vie du produit.* Quand un produit existe depuis longtemps, les consommateurs ont tendance à tenir pour acquis qu'il est d'une meilleure qualité.

Le pain Weston existe depuis 100 ans. Les fécules de maïs Benson's depuis 131 ans. La bière Molson depuis 200 ans. Le bicarbonate de soude Cow Brand depuis 100 ans. Les crayons Crayola pour enfants depuis 90 ans. *Et ce sont tous des produits gagnants.*

G. *La quantité de clients servis.* Le nombre de clients satisfaits peut être persuasif, comme lorsque les restaurants McDonald's déclarent qu'ils ont servi plus de 70 milliards de personnes.

H. *Un client célèbre.* Au début de son mandat, Bill Clinton avait pris l'habitude de terminer son *jogging* matinal par un arrêt au McDonald's, histoire de prendre un café et de parler avec quelques-uns de ses concitoyens. Il va sans dire que cette pause matinale permit au géant du hamburger de bénéficier d'une visibilité et d'une crédibilité importantes.

Selon Thomas Harris, ancien responsable des relations publiques pour McDonald's, «cela eut pour effet de légitimer le menu de la chaîne, tout en la rendant sympathique, même pour quelqu'un qui n'était pas un habitué du hamburger[23]».

Si votre produit existe depuis longtemps, dites-le. Pour la plupart des consommateurs, de longues durées de vie sont synonymes de qualité.

I. *Le nombre de magasins.* En rappelant aux consommateurs qu'il y aura 8400 franchises en activité en 1994, les restaurants Subway démontrent la force de leur produit.

J. *Les témoignages de fidèles utilisateurs.* Encore aujourd'hui, les témoignages d'utilisateurs loyaux sont un des moyens les plus puissants pour vendre des produits de consommation courante comme le café, le détergent ou le shampooing.

Attention toutefois ! Si vous avez recours à des utilisateurs loyaux pour témoigner de la qualité de vos produits, misez sur un seul témoignage plutôt que sur plusieurs. Et, surtout, n'en améliorez pas le style. Le rédacteur publicitaire Robert Bly rapporte « qu'un ton naturel ajoute de la crédibilité à un témoignage[24] ».

K. *Les témoignages d'administrateurs haut placés dans l'entreprise.* Depuis quelques années les campagnes publicitaires de Remington, Chrysler et Wendy's utilisent des porte-parole haut placés de leur compagnie pour augmenter la crédibilité de leur firme et, par ricochet, les ventes de leur produit.

Depuis que Victor Kiam apparaît dans ses annonces, les ventes du rasoir électrique Remington sont passées de 43 millions de dollars par année à plus de 100 millions de dollars. Bien sûr, ce commercial n'a remporté ni trophée ni concours de popularité, mais, comme le fait remarquer Edward F. Cone, « il a persuadé de nombreuses personnes d'acheter des rasoirs Remington[25] ».

L. *Les témoignages de vedettes.* Les annonces qui utilisent des témoignages de vedettes donnent généralement de bons résultats. Une étude réalisée par Video Storyboard Tests Inc. auprès de 30 000 consommateurs a montré que 10 des 25 annonces télévisées les plus appréciées en 1986 utilisaient des célébrités[26].

Récemment, la campagne publicitaire de Nuprin utilisant le joueur de tennis Jimmy Connors fit augmenter les ventes de l'analgésique de 23 %. Quand Brooke Shields

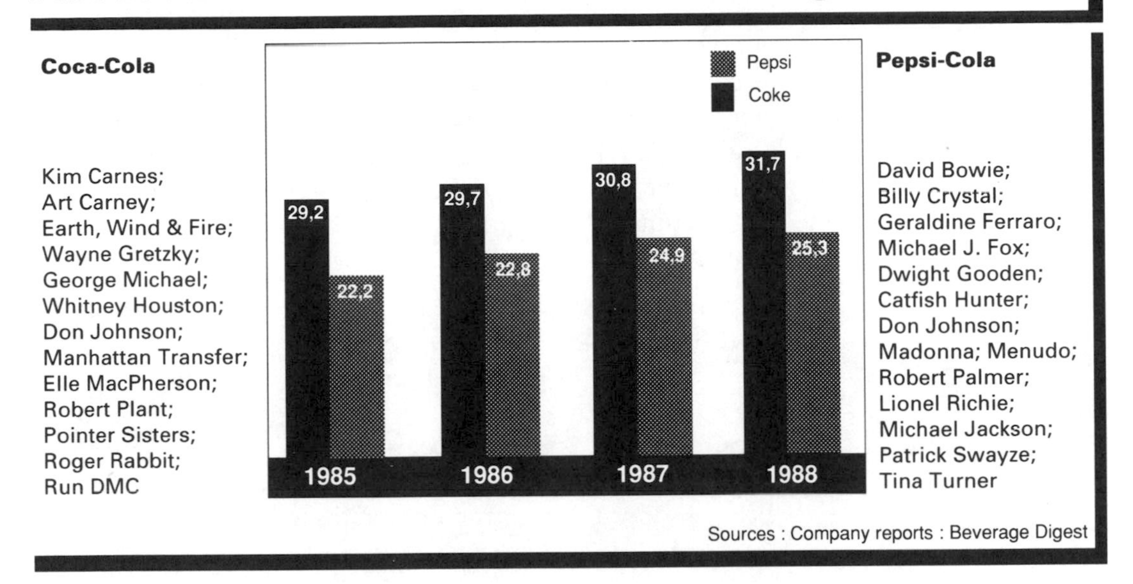

Les publicitaires consacrent des sommes énormes pour obtenir les services de certaines vedettes. Le chanteur Julio Iglesias a négocié un contrat de 30 millions de dollars pour 5 ans avec Coca-Cola. Pepsi-Cola a répliqué en offrant 15 millions de dollars à Michael Jackson. Ce tableau donne la liste des vedettes utilisées par Coke et Pepsi, de même que les parts de marché des deux firmes depuis 1985.

Source : *McGill, Douglas. « Star Wars in Advertising »,* New York Times, *27 mars 1989, p. d-1 et d-16.*

déclara dans une publicité ne rien mettre entre elle et ses jeans Calvin Klein, les ventes du produit augmentèrent de 300 %.

Voici 10 bonnes raisons de faire appel à une célébrité[27] :

- Quand votre produit n'existe que par une vedette. C'est le cas, par exemple, des parfums Uninhibited de Cher, Sophia de Sophia Lorens ou Spectacular de Joan Collins.
- Quand la célébrité communique fortement la personnalité de votre produit. Je m'empresse d'ajouter qu'il est important que vous vous assuriez qu'il y ait un lien entre la vedette choisie, le produit et son public cible.

En effet, s'ils apparaissent déplacés par rapport à votre produit, les témoignages de vedettes obtiendront de piètres résultats. Les exemples d'échecs sont nombreux. Parmi les plus récents, citons Grace Jones pour les cyclomoteurs Honda, David Copperfield pour Kodak, Jack Klugman pour les copieurs Canon, Burt Lancaster pour MCI, Kirk Douglas pour Sperry, Peter Sellers pour TWA et John McEnroe pour les rasoirs Bic jetables.

Lorsque les fabricants de l'analgésique Datril réussirent à convaincre John Wayne de vanter les mérites de leurs produits, ils pensaient bien avoir décroché le gros lot. Mais les consommateurs ne prêtèrent pas foi aux arguments de Wayne. Des études ultérieures allaient montrer que le public ne pouvait pas imaginer le célèbre cow-boy au prise avec un mal de tête.

- Quand votre porte-parole est perçu comme un expert dans le domaine[28]. Les exemples abondent : Jacques Duval pour les automobiles Ford, Jehane Benoit pour les fours à micro-ondes Panasonic, André Agassi et Bo Jackson pour Nike, Patrick Roy pour Gatorade ou Wayne Gretzky pour les patins Daoust.
- Quand vous cherchez à tout prix la notoriété. Pour acquérir rapidement un taux de notoriété satisfaisant, Friedman et Friedman ont montré que la célébrité est un formidable accélérateur[29].
- Quand vous voulez absolument attirer l'attention. La vedette représente une assurance sur la visualisation de votre annonce.
- Quand vous vous adressez à des jeunes. En 1983, Charles Atkin et Martin Block ont étudié l'effet des célébrités sur les consommateurs. Ils ont constaté, entre autres, que l'utilisation de célébrités est un moyen très efficace de vendre de l'alcool aux adolescents[30].
- Quand vous voulez une annonce agréable, vivante et moderne. Nul n'est mieux placé pour divertir et plaire que le chanteur ou l'acteur. Michael Landon pour

Kodak, Bill Cosby pour Jell-O, Whitney Houston pour Coke ou Tina Turner pour Pepsi.

Le héros de bandes dessinées Bart Simpson a aidé à augmenter les ventes de la tablette de chocolat Butterfinger. Selon Bob Sperry, responsable du marketing chez Nestlé, « Butterfinger était perçue auparavant comme une tablette vieux jeu, sans personnalité. Notre objectif consistait donc à la mettre au goût du jour en l'associant à Bart Simpson, un des personnages les plus contemporains qui soit[31] ».

Charlie Chaplin est à l'origine d'une des campagnes de publicité les plus efficaces et les plus amusantes de IBM. La campagne destinée à démystifier la technologie IBM parvint à repositionner une firme peu reconnue pour son sens de l'humour.

- Quand vous êtes dans le domaine des communications institutionnelles, des services et des grandes causes. C'est, par exemple, le cas de Ginette Reno pour la Croix-Rouge, Guy Lafleur pour Leucan ou René et Nathalie Simard pour Enfant-Soleil.

- Quand votre public cible appréhende un risque très élevé ou porte un intérêt très faible à votre produit. La vedette peut rassurer le consommateur et entraîner chez lui un certain intérêt ou une certaine curiosité. Pour plusieurs, le simple fait que Christie Brinkley boive de la Natural Light d'Anheuser-Busch est une raison suffisante d'essayer le produit.

  En utilisant le chanteur rap Marky Mark dans des poses suggestives, Calvin Klein parvint à augmenter de 40 % ses ventes de sous-vêtements, une catégorie de produits qui suscite généralement peu d'intérêt[32].

- Quand votre cible est trop large ou trop «pointue». Pour des communications destinées à des millions d'individus très différents ou pour des produits vendus à des petits groupes de consommateurs clairement identifiés, un porte-parole permet de livrer un message cohérent et fort.

Curieusement, les témoignages de personnes célèbres sont plus efficaces au Québec que dans le reste du pays et aux États-Unis. Jacques Bouchard, le père de la publicité au Québec, explique ce phénomène:

> «Contrairement aux pratiques de la publicité américaine ou canadienne-anglaise, la vedette d'un commercial n'est pas perçue comme porte-parole ou endosseur à prestige. Ici (au Québec), le porte-parole, devenu archétype, est une partie du message[33]. »*

Malgré tout, il faut considérer le revers de la médaille. Les célébrités qui endossent trop de marques — pensez, par exemple, à John Madden, l'ex-entraîneur des Raiders d'Oakland ou Mike Ditka des Bears de Chicago — tendent à perdre de leur impact-vendeur[34].

Qui plus est, aucune vedette n'est à l'abri d'un scandale sportif, sexuel ou politique comme en font foi les échecs de Seven-Up avec Flip Wilson (arrêté pour trafic de cocaïne), Mazda avec Ben Johnson (scandale des stéroïdes anabolisants aux Jeux olympiques de Séoul), Gillette avec Vanessa Williams (scandale des photos de nus dans le magazine *Penthouse*), Ace Hardware avec Suzanne Sommers (photos de nus dans le *Playboy*), Pepsi avec Mike Tyson (qui fut accusé d'agression sexuelle), Seagram avec Bruce Willis (qui fut admis dans un centre de désintoxication), Converse avec Magic Johnson (atteint du virus du sida) et Ivory Neige avec Marilyn Brigg (qui devint la porno-star Marilyn Chambers).

En de rares occassions toutefois, un scandale ou un incident peut se révéler payant. Ainsi, le commercial controversé de Pepsi mettant en vedette Madonna obtint plus de visibilité par l'entremise de la couverture médiatique qu'en investissements publicitaires. De

* D'autres particularités des Québécois: ils sont les champions consommateurs de mélasse, de biscuits au chocolat, de Coca-Cola, de bière, de beurre à l'érable, de bonbons, de cassonade, de gomme à mâcher, d'armes à feu, de motoneiges, de véhicules à quatre roues motrices, de tondeuses à gazon, de motocyclettes, d'aspirines, de laxatifs, de parfum, de tabac, de vin importé et d'alcool. En revanche, ils ne consomment que 8 % des légumes surgelés, 9 % des viandes, 17 % des jus et boissons. Si vous voulez en savoir plus long sur le consommateur québécois, je vous recommande le livre de Jacques Bouchard, *Les 36 cordes sensibles des Québécois*, publié chez Héritage.

son côté, l'incident qui coûta quelques mèches de cheveux à Michael Jackson permit à Pepsi de bénéficier de millions de dollars de publicité gratuite dans les journaux, les magazines et la télévision.

25. Concluez

Les messages qui contiennent une conclusion formulée explicitement sont deux fois plus efficaces que ceux qui n'en comportent pas[35].

Dans vos conclusions, visez à provoquer un acte. Votre lecteur est en train de feuilleter le journal dans lequel apparaît votre annonce. Il a lu les nouvelles du sport. Il a vérifié les numéros de la loto. Soudainement, il a remarqué votre annonce et il a commencé à la lire. Puis au bout de quelques instants, il a recommencé à feuilleter son journal comme si de rien n'était. Ce n'est pas acceptable. Vous ne pouvez pas vous permettre de perdre ainsi des milliers de clients. Il existe des techniques pour persuader le lecteur de bouger.

Tout d'abord, *reformulez les avantages principaux que vous proposez.* Plus le lecteur a présent à l'esprit les avantages qu'il peut obtenir, plus il peut justifier pour lui-même la décision que vous voulez qu'il prenne.

Ensuite, *incitez le lecteur à passer à l'action.* Faites-lui comprendre qu'il doit agir tout de suite. Voici quelques expressions qui inciteront vos lecteurs à agir immédiatement :

pour trois jours
jusqu'au 21 novembre
quatre jours seulement
aujourd'hui, jeudi et vendredi
dernière chance
dernière semaine
pour la dernière fois à ce prix
jusqu'à demain
deux derniers jours
pour un temps limité
jusqu'à épuisement des stocks
tant qu'il y en aura
samedi seulement
quantité limitée
édition limitée
cadeau en cas de réponse rapide
prix en vigueur jusqu'au 3 décembre 1989
l'offre prend fin le 31 décembre 1989

économisez jusqu'au
30 septembre 1989
le solde expire le 30 mars 1989
cette offre se termine le
31 janvier 1989
offre valable jusqu'au
20 décembre
du 24 au 27 novembre
pour plus de renseignements,
appelez dès maintenant
au 839-2246
téléphonez maintenant
achetez maintenant
téléphonez dès aujourd'hui

Terminez votre texte en indiquant votre adresse, vos conditions de vente et votre numéro de téléphone. Ajoutez votre signature de même que votre logo. Enfin, si vous utilisez un coupon, placez-le en bas, à droite.

TEXTE COURT OU TEXTE LONG ?

De façon générale, les enquêtes montrent que la longueur d'un texte doit varier en fonction des trois éléments suivants :

Quand vous faites des offres spéciales, imposez une date limite afin d'encourager le consommateur à agir maintenant.

1. *Des médias que vous avez retenus pour mener votre campagne à terme.* En marketing direct, par exemple, le rédacteur publicitaire John Caples révèle que les textes courts ne vendent pas. « Dans les textes comparatifs, écrit Caples, les textes longs vendent toujours plus que les textes courts[36]. »

   Dans son livre *Direct Mail and Mail Order Handbook,* Richard S. Hodgson rapporte qu'une lettre de 11 pages envoyée à 500 clients potentiels a entraîné 161 réponses positives et des revenus 45 fois plus élevés que les coûts[37].

2. *De vos cibles.* C'est dommage à dire, mais certaines classes de la population se refusent à tout effort de lecture dépassant quelques mots. Selon Joseph Newman et Richard Staelin, plus les consommateurs potentiels d'un produit sont instruits, plus ils ont tendance à rechercher de l'information avant l'achat[38]. Tenez-en compte.

3. *Du produit ou du service pour lequel vous faites de la publicité.* Un texte long vend plus qu'un texte court, en particulier dans les cas suivants :

   A. *Quand vous annoncez une nouveauté.* Chaque fois que vous lancez un nouveau produit sur le marché, votre texte doit énoncer des *faits concrets,* c'est-à-dire, informer votre lecteur sur la nature et les propriétés de votre produit : ses formes, ses dimensions, son poids, ses couleurs, son prix, sa taille, ses performances, ses qualités, et ainsi de suite.

   B. *Quand vous parlez à des techniciens qui achètent des produits au nom de leur entreprise et non pour leur usage personnel.* Ce sont d'abord les articles à usage industriel, agricole, commercial, ménager, les machines et l'outillage, les matériaux de construction, les fournitures industrielles, mais aussi tous les produits en général qui s'adressent à une classe d'acheteurs spécialisés, lesquels, par nature, sont réceptifs à des arguments d'ordre technique.

   C. *Quand vous voulez rectifier vos positions.* Ce n'est pas avec un texte court que vous allez faire oublier une situation de crise. Quand les supermarchés d'alimentation Provigo ont été soupçonnés d'avoir vendu du poisson avarié aux Québécois,

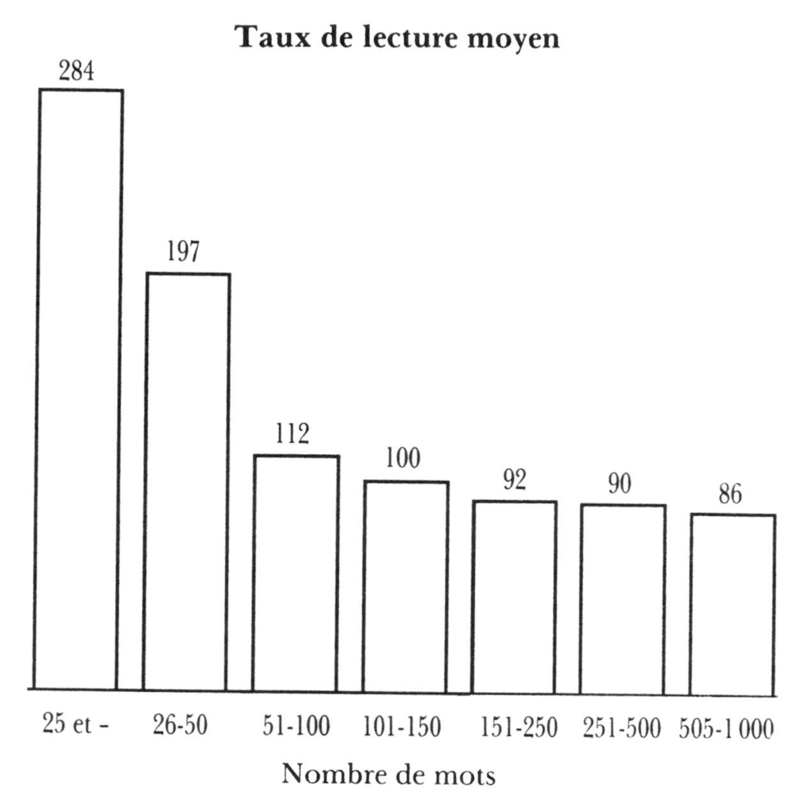

Plus votre texte sera court, plus les gens le liront. Par rapport à un indice général de 100, les études Starch nous révèlent que les annonces de 25 mots et moins obtiennent un taux de lecture moyen de 284 alors que celles de plus de 500 mots réalisent un score de lecture moyen de 86.

Source : *Starch, Daniel.* Measuring Advertising Readership and Results, *New York, McGraw-Hill, 1966, p.103.*

ils ont fait face aux problèmes en publiant un texte de 1 392 mots dans tous les grands quotidiens québécois pour tirer l'affaire au clair.

D. *Quand vous demandez au lecteur de dépenser beaucoup d'argent.* Un ordinateur, une voiture, un système de son, un fonds en fiducie, une police d'assurance, un séminaire, un magnétoscope, un appareil photo, ou un exerciseur demandent de longs textes. Ces produits ont une durée de vie relativement longue. Le consommateur qui songe sérieusement à en faire l'achat a besoin d'information pour se faire une idée. Dans

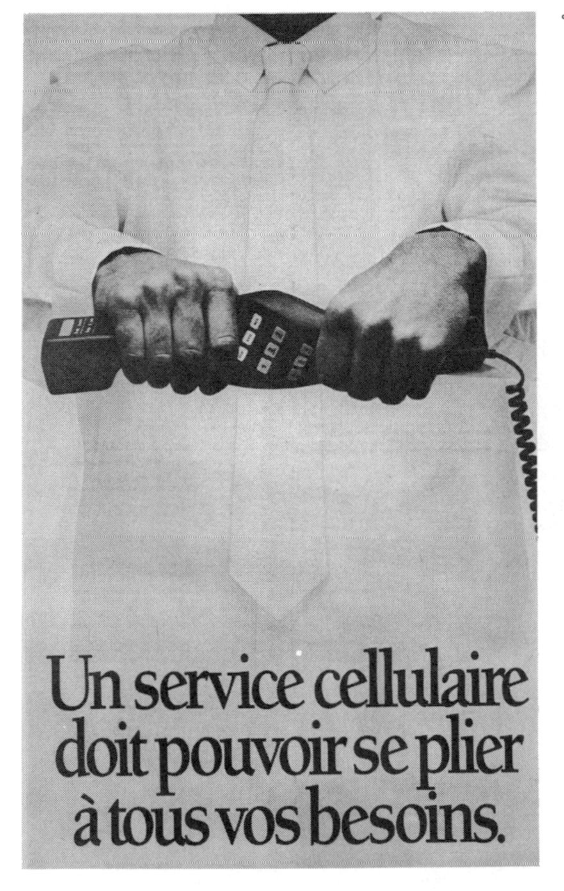

Québec, Soleil, mardi 24 mai 1988

Cellulaire Plus. Pour ceux qui exigent plus.

Vous songez à vous abonner à un service de téléphonie cellulaire ?

Voici un bon conseil.

Pour obtenir un service capable de répondre à toutes vos exigences, faites appel à la compagnie qui peut vous offrir le service le plus complet.

Le service Cellulaire Plus, de Bell Cellulaire.

Qu'est-ce que Cellulaire Plus?

Cellulaire Plus est la façon idéale d'obtenir tous les services exclusifs de télécommunication mobile qui vous permet de rester en contact où que vous alliez.

Aucun autre service de téléphonie cellulaire ne vous en offre autant.

Avec Cellulaire Plus, vous obtenez ce qu'il y a de mieux. Un réseau national. Des tarifs standardisés. Un système de facturation simple et efficace. Le meilleur service de messageries disponible. Des renseignements instantanés sur les affaires, la météo, les sports et les actualités. Un Service à la clientèle accessible 24 heures par jour, sept jours par semaine.

Tout cela grâce au réseau cellulaire national formé par l'ensemble des compagnies de téléphone canadiennes.

Premier avantage : un réseau national.

Dès que vous vous raccordez à Bell Cellulaire, vous devenez membre d'un réseau complet de communications cellulaires qui s'étend d'un océan à l'autre.

Ce réseau s'appelle CellNet Canada, le réseau cellulaire des sociétés téléphoniques affiliées du Canada.

Il vous donne tous les avantages que vous êtes en droit d'attendre de Bell Cellulaire–appels conférence, renvoi d'appels, appel en attente, et beaucoup plus encore–où que vous soyez dans le réseau national cellulaire.

CellNet est sans doute un des avantages les plus importants de Cellulaire Plus.

Le réseau profite en effet de l'expertise et de la technologie combinées de toutes les compagnies de téléphone canadiennes, qui ont ensemble plus de 100 ans d'expérience dans ce domaine.

Elles affichent des résultats inégalés dans le domaine de la recherche et du développement, de l'innovation technologique et de la fiabilité du service. D'un océan à l'autre, elles ont imposé dans le domaine des communications des standards d'excellence dont elles ont fait leur norme.

Cette qualité exceptionnelle et cette excellence constante se répercutent dans la standardisation et la simplification des tarifs offerts à l'échelle pancanadienne.

Chaque mois, vous ne recevez qu'une seule facture, ainsi qu'un relevé détaillé.

Tous les services dont vous avez besoin étant offerts par une seule société, vous pouvez obtenir réponse à toutes vos questions sur le service et la facturation en signalant un seul numéro de téléphone.

PLUS un centre de traitement des messages.

À quoi bon un téléphone cellulaire si vous n'êtes pas dans votre voiture ?

Cellulaire Plus a résolu cet épineux problème grâce à son Centre de messages Bell Cellulaire.™

24 heures par jour, ce centre enregistre les messages que vous recevez et transmet ceux que vous émettez; de sorte que vous ne perdez jamais le contact avec qui que ce soit, que vous soyez dans votre voiture ou non.

De plus, le centre conserve vos messages pendant 7 jours. Vous pouvez conserver jusqu'à 25 messages de 5 minutes pendant une semaine. Aucun autre système ne vous offre autant.

Le Centre de messages est le système le plus évolué, le plus élaboré et le plus facile à utiliser sur le marché.

Non seulement vous permet-il de bénéficier d'un service de prise de message fonctionnant 24 heures sur 24, mais il vous offre de plus l'Avis de Rappel™ qui vous avertit sans délai de l'arrivée de messages prioritaires.

Mieux encore, le Centre de messages vous donne la possibilité de prendre connaissance de vos messages à partir de n'importe quel appareil Touch Tone™ n'importe où dans le monde, au moyen d'un simple code personnel.

PLUS un service d'informations économiques et financières 24 heures sur 24.

Chez Bell Cellulaire, nous savons à quel point il est vital pour vous de connaître à tout moment la situation du marché financier.

Vous avez besoin de renseignements appropriés et fiables, et vous en avez besoin immédiatement.

Cellulaire Plus vous offre donc InfoCell™ un vaste réseau de données qui vous transmet des renseignements cruciaux instantanément, 24 heures par jour, 7 jours par semaine.

De plus, vous pourrez profiter de notre nouveau service d'information financière offert en collaboration avec le journal Les Affaires et le journal Financial Post. Où que vous soyez, vous pourrez consulter en tout temps les rapports financiers et les cotes boursières.

Et bientôt, vous pourrez obtenir des rapports sur l'actualité, les sports et la météo. À Montréal et à Toronto, vous pourrez consulter les guides sur les restaurants, ainsi que les spectacles et les cinémas.

InfoCell™ vous offre donc un avantage de plus : une source d'information privilégiée, à l'usage exclusif des abonnés de Cellulaire Plus.

PLUS un Service à la clientèle à l'écoute de vos besoins.

Une chose à laquelle vous pouvez vous attendre de Bell Cellulaire, c'est un Service à la clientèle sans égal.

Ce service débute avant même que vous n'apposiez votre signature au bas du contrat. Une véritable armée de spécialistes des communications est à votre disposition pour vous aider, dès le départ, à faire votre choix dans cet univers hautement technologique et à déterminer les services qui répondent exactement à vos besoins.

Bien entendu, une telle infrastructure exige une formation intensive et une connaissance parfaite des derniers développements en matière de télécommunication. Deux avantages dont tous vos conseillers Cellulaire Plus peuvent faire bénéficier votre entreprise.

Et si jamais un problème survenait, notre Service à la clientèle s'occupera de vous, que ce soit le jour ou la nuit.

Et encore PLUS pour très bientôt !

Lorsque vous vous abonnez à Bell Cellulaire, vous n'achetez pas seulement un ensemble de services.

Vous avez la promesse de Bell Cellulaire de vous faire bénéficier de tous les avantages de Cellulaire Plus, ceux d'aujourd'hui, et ceux de demain.

Nous accroîtrons les zones de couverture pour répondre au développement de vos besoins, en offrant un service cellulaire ininterrompu dans le corridor Québec-Windsor d'ici la mi-juin.

Au Québec, Shawinigan s'ajoutera aux zones récemment couvertes de Sainte-Anne-de-Beaupré et de l'Île d'Orléans.

Dans la région de Montréal, Valleyfield se joint au réseau Bell Cellulaire.

Nous ajouterons également le lac Meech à la région d'Ottawa, de même que Orangeville, Caledon, Stouffville et Uxbridge à la région de Toronto.

Nous couvrirons aussi les régions de villégiature–telles que les Muskokas–d'ici avril. Les régions de ski dans les Laurentides, le Mont Ste-Anne et Collingwood sont déjà desservies.

Cependant, cette expansion n'est qu'un début, car Bell Cellulaire est déterminée à vous offrir d'autres produits et services encore plus utiles.

Nous sommes équipés mieux que quiconque pour y parvenir. Seul Bell Cellulaire dispose des ressources, de l'expérience et de l'expertise que lui ont conférés 100 années de travail dans le domaine des télécommunications.

Nous ne nous alignons pas sur les derniers développements de la technologie cellulaire, nous les créons !

Pour en savoir PLUS.

Si vous désirez en savoir plus sur les avantages de Bell Cellulaire, composez sans tarder le 1-800-361-5551.

Et découvrez par vous-même comment Cellulaire Plus vous offre beaucoup plus.

Toutes les fois que vous avez une nouveauté à annoncer comme un nouveau service de téléphone cellulaire, par exemple, les textes longs vendent plus que les textes courts.

tous les cas, votre texte a pour mission de l'aider à justifier le prix de votre produit pour des raisons de qualité, de performance, de culture et de prestige.

Par ailleurs, limitez la longueur de vos textes quand vous faites de la publicité pour des boissons gazeuses, des vêtements, des bonbons, des croustilles, de la bière, du vin, des bijoux, de la lingerie, du parfum, du savon, des produits de beauté ou du shampooing. Il n'y a presque aucune argumentation à faire valoir. Les traits distinctifs ne sont pas très importants. Ce sont des produits achetés sur la base de l'émotion, des biens de consommation proprement dits.

Québec, Le Soleil, jeudi 5 novembre 1987 — C-7

C'est dans des moments comme ceux-là qu'il faut réfléchir... et bien réfléchir.

Nous n'avions jamais rien connu de pareil. La semaine historique qui s'est achevée le 23 octobre a vu les marchés boursiers mondiaux afficher de nouveaux records de variation. Les volumes négociés n'ont cessé de s'accroître, certains investisseurs cherchant à sortir du marché alors que d'autres étaient à l'affût des bonnes occasions. La plupart des analystes et des gestionnaires de portefeuille, y compris notre propre équipe au Trust Royal, s'attendaient à une correction de ce marché qui était à la hausse depuis août 1982. En fait, nous avions soigneusement ajusté nos portefeuilles dans l'attente de ce rajustement. Cependant, nul ne s'attendait à une correction aussi soudaine et aussi marquée que celle qui a eu lieu le lundi 19 octobre. Nul ne prévoyait non plus les violentes oscillations à la hausse et à la baisse qui ont suivi.

Plusieurs établissent un parallèle avec le krach de 1929 et certains prédisent même une nouvelle dépression.

LE SOLEIL — JEUDI 29 OCTOBRE 1987 — 35¢

Des cours boursiers plutôt chaotiques

Tokyo en baisse et le dollar chute

Nous ne sommes pas d'accord.

Les indicateurs économiques actuels ne montrent pas, à notre avis, l'approche d'une récession. Le marché boursier n'est en aucune façon un baromètre infaillible de l'avenir économique. Bien que nous ayons assisté à une dévalorisation spectaculaire des avoirs boursiers au cours des derniers jours, il ne s'agit pas d'un facteur significatif pour l'économie dans son ensemble. Le consommateur canadien reste dans une situation financière raisonnablement saine.

Après avoir évalué la situation économique à la lumière des événements récents, le Trust Royal a réduit, d'un peu moins de 0,5%, ses prévisions de croissance économique réelle pour 1988. Nous estimons que le Canada affichera un taux de croissance d'environ 2,5 à 3% l'année prochaine, ce qui reste une bonne performance, notamment par rapport aux autres grandes nations.

En résumé: Il faut envisager l'avenir avec optimisme, mais aussi avec prudence.

À présent, que faire?

Ne pas céder à la panique de vente.

Il faut aujourd'hui faire preuve de patience et de prudence. Il faut également garder en tête les principes de base du placement. Souvenez-vous que le succès d'un placement à long terme repose sur une répartition soigneuse de vos avoirs en fonction des critères suivants:

- Vos besoins personnels, vos objectifs et votre planification fiscale.
- Le degré de risque que vous êtes prêt à accepter.
- La nature de votre actif et vos revenus prévisibles.
- Votre âge, votre santé et votre situation de famille.

Vous pouvez, par exemple, établir un portefeuille équilibré qui vous assure sécurité, revenu et croissance du capital en fonction de vos besoins. Un tel portefeuille doit contenir divers placements qui évolueront avec la nature de vos besoins. Il peut s'agir d'obligations, d'actions, de dépôts à terme, de placements immobiliers et d'autres types de placements. Votre décision quant à leur répartition aura des conséquences considérables sur votre rendement total, au fil des ans.

Par exemple, une personne jeune disposant d'un bon salaire qui a investi essentiellement sur le marché boursier peut avoir enregistré des pertes sérieuses au cours des derniers jours. Cette personne peut, à juste titre, être fortement tentée de vendre tout ce qu'elle peut, à pratiquement n'importe quel prix.

Ce serait une erreur.

Nous conseillons de ne pas bouger jusqu'à ce que le marché se calme, ce qu'il fera. Si vous devez convertir certains de vos titres en liquidités, vendez lors des périodes de reprise qui, elles aussi, surviendront inévitablement. Ne vendez jamais vos actions lorsque le marché s'effondre. Lorsque les conditions se seront stabilisées, ayez recours à divers fonds communs pour accroître votre diversification et votre sécurité. Pour une personne jeune, nous recommandons la pondération suivante:

- 25% dans un fonds d'actions ou un fonds de croissance
- 35% dans un fonds d'obligations
- 25% dans un fonds de titres hypothécaires
- 15% dans un fonds du marché monétaire, en obligations d'épargne du Canada (OEC) et en dépôts à terme.

Les fonds d'actions visent la plus-value du capital. Malgré les récents événements, le marché boursier continue de suivre sa courbe ascendante. Les fonds d'obligations et de titres hypothécaires offrent sécurité et revenu, et permettront de réaliser un gain en capital si les taux d'intérêt continuent à chuter. Les dépôts à terme, les fonds du marché monétaire ou les OEC permettent de disposer très rapidement d'argent comptant, s'il y a lieu, tout en offrant un bon rendement. Toute personne jeune qui ne dispose pas déjà d'un REER devrait en constituer un le plus rapidement possible. Nous recommandons d'accumuler au départ des dépôts à terme assurés par la Régie de l'assurance-dépôts du Québec et qui constitueront la base de votre fortune future.

Vers l'âge de 40 ans, certains de vos fonds doivent déjà être placés dans des instruments sûrs, tels que les OEC, les dépôts à terme et les comptes d'épargne.

Si vous avez investi sur le marché boursier, nous vous recommandons également d'éviter toute réaction hâtive. Laissez les choses se stabiliser. Ensuite, restructurez votre portefeuille pour atteindre la répartition suivante:

- 50% en actions ou dans un fonds d'actions ou un fonds de croissance
- 25% en obligations ou dans un fonds d'obligations
- 15% dans un fonds de titres hypothécaires
- 10% dans un fonds du marché monétaire, en OEC et en dépôts à terme.

Un tel portefeuille offre la sécurité. Il permet de disposer de fonds d'urgence puisque les OEC ou les titres des fonds du marché monétaire sont immédiatement négociables.

Si vous êtes dans la cinquantaine et qu'une part importante de vos avoirs est placée sur le marché boursier, vous devez envisager de vous diversifier dans les titres à revenus fixes. Là encore, nous vous recommandons d'attendre que le marché se stabilise avant d'agir, à moins que vous n'ayez immédiatement besoin de liquidités. Dans votre cas, un portefeuille bien réparti comprendra:

- 40% dans un fonds d'actions ou un fonds de croissance (ou en actions individuelles si votre portefeuille est assez important pour atteindre la diversification souhaitée)
- 30% en obligations ou dans un fonds d'obligations
- 15% dans un fonds de titres hypothécaires
- 15% dans un fonds du marché monétaire, en OEC et en dépôts à terme.

À mesure que vous approchez de votre retraite, vous devez réduire la partie actions de votre portefeuille et accroître la pondération des titres à revenus fixes de façon à assurer la sécurité de votre capital.

Au Trust Royal, nous disposons de plus de 70 gestionnaires de portefeuilles, qui offrent leurs services aux grandes entreprises comme aux particuliers. Nous offrons la plus vaste gamme de fonds communs sans frais d'acquisition qui soit au Canada. L'actif dont nous sommes responsables est passé à plus de 15 milliards de dollars.

Si vous avez besoin de conseils, nous examinerons ensemble votre situation, avec le plus grand plaisir.

Entre temps, nous espérons que ces quelques recommandations vous seront utiles.

Appelez au 1-800-387-1610 ou passez à une succursale du Trust Royal.

AU QUÉBEC DEPUIS PRÈS DE 100 ANS

Note: La diversification de votre portefeuille peut varier selon vos objectifs et le degré de risque que vous consentez à assumer.

À la suite du krach du 19 octobre 1987, Trust Royal se servit d'un texte de 1 010 mots pour calmer les investisseurs et refaire le point en sa faveur.

LA SOLVABILITÉ DE LA LAURENTIENNE GÉNÉRALE EST IRRÉPROCHABLE

Un article publié à la une de LA PRESSE du 4 avril a pu laisser planer un doute sur la solvabilité de plusieurs compagnies d'assurance du Québec, dont la Laurentienne Générale.

Une mise au point s'impose:

La solvabilité de la Laurentienne Générale n'a jamais été mise en doute par les autorités de contrôle qui régissent l'industrie de l'assurance.

En fait, la Laurentienne Générale compte parmi les assureurs les mieux cotés au niveau de sa solvabilité et de sa responsabilité auprès de sa clientèle et ceci même sur la scène internationale.

Bien qu'elle y ait obtenu une cote très favorable, la Laurentienne Générale se dissocie du Guide canadien des assurances qui a servi d'instrument de référence à cet article de presse.

Les tableaux de ce Guide sont difficiles à comprendre et ont été la cause de graves erreurs d'interprétation.

La confusion qui en a resulté a causé un tort injustifié à une institution responsable dont la réputation est irréprochable.

Les faits sont les suivants:

- La Laurentienne Générale est et demeure l'un des assureurs les mieux cotés au niveau de la solvabilité au Québec.
- L'institution de contrôle qui surveille le fonctionnement des compagnies d'assurance et qui est responsable de la législation les concernant reconnaît le haut degré de qualité offert par la Laurentienne Générale.
- La Laurentienne Générale s'est bâtie à force d'acquisitions successives et a démontré depuis 85 ans sa capacité de gérer sa croissance.
- Les courtiers d'assurance et l'ensemble de la population du Québec ont les meilleures raisons au monde de faire confiance à la Laurentienne Générale, une compagnie d'assurance dont les performances, la qualité du service et la responsabilité ont toujours servi de modèle à l'industrie.
- La Laurentienne Générale est le premier assureur I.A.R.D. du Québec et entend demeurer le chef de file en ce domaine.
- Plus de 1 000 courtiers d'assurance ont choisi de représenter la Laurentienne Générale et ses filiales.
- La Laurentienne Générale est fière d'être le choix de plus d'un demi-million de clients satisfaits.

En somme:

La Laurentienne Générale demeure le modèle d'une réussite exemplaire dans le monde de l'assurance et, qui plus est, l'un des plus beaux fleurons de l'économie québécoise.

En réplique à un quotidien qui mettait en doute sa solvabilité, La Laurentienne fit paraître une publicité de 354 mots dans laquelle elle expliquait comment elle demeurait un modèle de réussite dans le domaine de l'assurance. (Notez la minceur des paragraphes, l'utilisation judicieuse d'intertitres et de pastilles.)

« L'incident a eu lieu en janvier 1987... »

« Il ne concerne qu'un établissement, le magasin Waldman situé au 74, rue Roy Est, Montréal. »

« À cette époque, Waldman n'approvisionnait aucun magasin ou établissement relié à Provigo... »

« C'est à tort que les 14 caisses ont été réquisitionnées et libérées de l'entrepôt. »

LETTRE OUVERTE DE MONSIEUR PIERRE LORTIE
Président du conseil et chef de la direction de PROVIGO INC.

Au cours des derniers jours, on a fait état à plusieurs reprises, notamment à l'Assemblée nationale du Québec, de la "disparition" en janvier 1987 de 14 caisses de vivaneaux appartenant à Waldman que des inspecteurs du ministère de l'Agriculture, des Pêcheries et de l'Alimentation avaient mises sous saisie pour analyse par les laboratoires du ministère. Il m'apparaît opportun de mettre en lumière les faits que nous avons établis et de dissiper, je l'espère, toute inquiétude suscitée par ce débat. Notre détermination et celle de 20 000 Québécois membres de l'équipe Provigo est de maintenir des normes d'hygiène et de salubrité très élevées.

L'incident a eu lieu en **janvier 1987** et met en cause 14 caisses de marchandises d'une valeur totale de 2 275 $. Il ne concerne qu'un établissement, le magasin Waldman situé au 74, rue Roy Est, Montréal. Ce commerce fut acquis par nous le 9 février 1986. Waldman fut revendu le 3 décembre 1988. Par conséquent, cet établissement ne fait plus partie de notre groupe.

À cette époque, Waldman **n'approvisionnait aucun** magasin ou établissement relié à Provigo et, conséquemment, les interrogations doivent être circonscrites au seul établissement Waldman de la rue Roy. Au terme de notre enquête et de l'examen des dossiers de Waldman, nous sommes en mesure de conclure que **ce poisson a été détruit et qu'il n'a pas été mis en vente.**

Il importe de connaître les conditions d'exploitation de Waldman pour suivre correctement la séquence des événements.

Compte tenu de son volume d'affaires, les locaux de La Poissonnerie Waldman sont trop exigus pour entreposer tous ses inventaires de marchandises. Conséquemment, une quantité importante de ses produits de la mer sont entreposés dans des entrepôts frigorifiques publics appartenant à des compagnies indépendantes. C'est ainsi que le 27 octobre 1986, plusieurs caisses de poissons appartenant à Waldman, dont 17 caisses de vivaneaux, ont été livrées à l'entrepôt de

Le lendemain matin, soit le 9 janvier 1987, Lomex, une société spécialisée dans la récupération de produits alimentaires impropres à la consommation humaine, a recueilli le vivaneau avarié. Les dossiers internes de Waldman nous permettent de conclure que les marchandises ramassées par Lomex correspondent au contenu total des 14 caisses de vivaneaux qui avaient été mises sous saisie.

C'est le 15 janvier 1987, donc une semaine plus tard, que les résultats des expertises du ministère ont été connus. Ces analyses concluaient que le vivaneau devait être détruit. L'inspecteur s'est rendu à l'entrepôt le 30 janvier 1987 et a constaté que les caisses de vivaneaux avaient disparu; il en avise immédiatement le responsable de l'entrepôt. Le 2 février 1987, on informe le directeur général de Waldman et le 4 février 1987, le conseiller juridique de Provigo Distribution. Des directives ont alors été données aux responsables des opérations pour qu'en semblable situation, à l'avenir, Waldman se conforme à la réglementation.

Monsieur André Arsenault qui a occupé les fonctions de directeur général de Waldman de janvier 1986 à mai 1987, a affirmé sous serment, en date du 19 avril 1989, ce qui suit :

"Dans le cadre de mes fonctions, je peux certifier que les quatorze (14) caisses restantes de cinquante (50) livres de vivaneaux ainsi saisies par le ministère de l'Agriculture, des Pêcheries et de l'Alimentation n'ont jamais été vendues au public ni non plus mises en vente sur les comptoirs de Waldman ou dans aucun magasin de détail.

Plus précisément, les quatorze (14) caisses restantes de vivaneaux ainsi saisies furent remises à un camion de récupération de la compagnie Lomex dans le but d'en disposer et de les retirer du marché."

C'est à tort que les 14 caisses ont été réquisitionnées et libérées de l'entrepôt. Mais les documents et témoignages montrent qu'une fois que les caisses de vivaneaux ont été remises dans le système

PROVIGO FAIT LE POINT.

« Nous sommes en mesure de conclure que ce poisson a été détruit et qu'il n'a pas été mis en vente. »

« ...les gens de Waldman se sont acquitté de leur responsabilité envers le consommateur et ont détruit volontairement ce vivaneau avarié. »

« Waldman fut revendu le 3 décembre 1988. »

la rue Ferrier de la compagnie Les Entrepôts AFC, une compagnie indépendante d'entreposage où Waldman maintenait des quantités importantes de produits de la mer surgelés. La compagnie Les Entrepôts AFC était chargée à la fois de l'entreposage et de la manutention des produits qui y étaient localisés.

Le 11 décembre 1986, un inspecteur du ministère, suite à une inspection des stocks entreposés chez AFC, a émis un rapport indiquant qu'à son avis, les 17 caisses contenant du poisson présumé impropre à la consommation et conséquemment, étaient placées sous saisie, en attente d'être prélevées et analysées par le laboratoire du ministère. Dans de telles circonstances, les produits ainsi visés ne peuvent être déplacés sans l'autorisation préalable du ministère. Cette responsabilité incombe aussi bien au propriétaire des produits sous saisie qu'aux gestionnaires de l'entrepôt. Le 16 décembre 1986, 2 de ces caisses de vivaneaux ont été expédiées au ministère. Une 3e caisse a été expédiée à un laboratoire le 2 février 1987.

Le 6 janvier 1987, une réquisition a été émise par le préposé aux inventaires chez Waldman pour plusieurs produits entreposés chez AFC, entre autres pour les 14 caisses de vivaneaux en cause. Il appert que le préposé n'était pas au fait que le lot réquisitionné était sous saisie. Il est évident que Waldman n'aurait pas dû émettre une réquisition pour le produit et que les préposés de l'entrepôt n'auraient pas dû permettre son déplacement malgré cette réquisition.

Une fois les caisses sorties de l'entrepôt AFC, les employés de Waldman qui ont manipulé le produit ne pouvaient savoir que ces caisses de vivaneaux étaient sous saisie. Les vivaneaux étant surgelés, il fallait attendre quelque temps avant de les couper en filet. C'est ce qui fut commencé le 8 janvier 1987. Des responsables de l'atelier chez Waldman ont déterminé alors que le poisson n'était pas bon et ont ordonné immédiatement sa destruction. Cette destruction volontaire a été effectuée dans le cours normal des opérations de Waldman. Les produits de la mer étant très fragiles, il est fréquent que des quantités doivent être ainsi détruites. Ces décisions de destruction volontaire sont prises par les employés responsables et ces destructions volontaires ne sont pas supervisées par un inspecteur du ministère. Ce sont ces mêmes pratiques qui ont été suivies dans le cas qui nous importe.

Waldman, les gens de Waldman se sont acquitté de leur responsabilité envers le consommateur et ont détruit volontairement ce vivaneau avarié.

Dès l'acquisition de Waldman en février 1986, nous avons fait des efforts soutenus, reconnus lors des inspections du ministère, pour élever significativement les normes d'hygiène et de salubrité de cette entreprise qui étaient déficientes. Les employés de production de Waldman ont reçu des cours de sensibilisation et de formation à la qualité des produits marins élaborés avec l'Institut de technologie agro-alimentaire de Saint-Hyacinthe. Des investissements importants de 950 000 $ ont été effectués chez Waldman afin de faire en sorte que l'établissement et l'équipement rencontrent des normes élevées. Durant la période où nous avons été propriétaire de Waldman, son permis d'usine de préparation de produits marins a été renouvelé à deux reprises par le ministère de l'Agriculture, des Pêcheries et de l'Alimentation.

En ce qui concerne Provigo, les faits et gestes que nous avons posés lors des menaces de contamination des produits de l'Afrique du Sud, dans le dossier des moules et plus récemment dans celui des produits du Chili, où nous avons été systématiquement la première entreprise à donner l'ordre de retrait des produits du marché, constituent une indication tangible de notre souci de protéger la santé des consommateurs québécois.

La bataille de la qualité est une lutte de tous les instants. Nous y sommes engagés résolument. Nous continuerons de collaborer étroitement avec les ministères concernés car le maintien de hauts standards de qualité au sein du système agro-alimentaire québécois exige non seulement des normes élevées, mais leur respect intégral dans la quotidienneté des opérations et les efforts soutenus et concertés de tous les intervenants.

Pierre Lortie

Lorsque l'Assemblée nationale du Québec fit état de la disparition de 14 caisses de poissons impropres à la consommation que les inspecteurs du ministère de l'Agriculture avaient saisies pour analyse, Provigo écrivit un texte de 1 392 mots pour tirer les choses au clair. C'est la firme de relations publiques Optimum, une filiale de l'agence de publicité Cossette Communication-Marketing, qui géra la crise.

POUR OU CONTRE LES PROMOTIONS ?

Depuis 20 ans, la promotion ne cesse de prendre de l'importance aux dépens de la publicité. En 1969, 53 % des budgets de marketing étaient investis en publicité contre 47 % en promotion. En 1991, Donnelley Marketing indique que 70 % des budgets de marketing sont maintenant alloués à la promotion[39] .

Les entreprises ont distribué 292 milliards de coupons en 1991 alors que les consommateurs en utilisaient près de 7,5 milliards, soit un taux de retour de 2,6 %[40]. En comparaison, le retour de coupons s'élevait à 56 % en Belgique, 16 % en Italie et en Espagne, et 7,5 % en Angleterre[41].

D'après Nielsen, 58 % des familles utilisaient les bons de réduction en 1971, 65 % les utilisaient en 1975 et 76 % en 1980[42]. L'industrie estime cependant que plus de 20 % des coupons sont utilisés frauduleusement, ce qui pose de plus en plus de problèmes aux entreprises[43].

Une étude réalisée par la Cahners Advertising Research Report en 1979 montre que 98,7 % des consommateurs sont influencés par le prix lorsqu'ils achètent un produit[44]. Conséquemment, vous obtiendrez de meilleurs résultats si vous indiquez le prix de votre produit. Un acheteur ne peut sérieusement envisager l'achat d'un produit tant qu'il n'en connaît pas le prix.

Pour lancer un produit nouveau ou pour améliorer la vente d'un produit déjà sur le marché, la distribution d'échantillons gratuits se révèle un stimulateur puissant de la communication. En l'absence de toute publicité ou de promotion sur le produit, 33 % des personnes ayant reçu un échantillon gratuit d'une nouvelle marque de café en ont parlé autour d'elles[45].

Dans l'industrie des parfums, ce sont les échantillons, et non la publicité, qui font souvent foi de tout. « La publicité sera toujours nécessaire pour établir une image, mais l'on a découvert que l'élément le plus important de cette industrie est de se retrouver entre les mains du consommateur », déclare Sharon LeVan, vice-président des parfums Aramis[46].

Si vous offrez un cadeau en prime, faites en sorte que ce soit un cadeau *surprise*. La curiosité est un des stimulants les plus puissants de la nature humaine. Si vous indiquez avec précision quel est le cadeau que vous offrez, quelques personnes le voudront, mais un plus grand nombre décideront qu'ils n'en ont pas besoin. En revanche, tout le monde désire un cadeau surprise[47].

Quand vous mettez sur pied une promotion, ne faites pas l'erreur d'imprimer trop de billets chanceux comme l'ont déjà fait Kraft et Anheuser-Busch. Essayez également de concevoir une promotion qui coure la chance de recevoir un accueil *raisonnable*. En mars 1993, Maytag-Angleterre a évité de peu le fiasco à la suite d'une offre de billets d'avion gratuits pour les États-Unis et l'Europe avec chaque achat de 150 dollars de produits Hoover. En effet, plus de 200 000 réponses à l'offre d'un voyage aérien gratuit furent reçues.

Cela peut sembler évident, mais testez vos promotions avant de les lancer sur le marché. La promotion « Magic Summer '90 », une des plus importantes jamais mises sur pied par Coca-Cola, connut une fin abrupte lorsque le mécanisme disposé à l'intérieur de certaines des 750 000 cannettes de boisson gazeuse eut des ratés. En effet, le mécanisme qui devait faire surgir entre 5 $ et 200 $ en argent à l'ouverture des canettes refusa de fonctionner à quelques reprises. Au moins un enfant but le liquide remplaçant le Coke dans les canettes gagnantes. D'autres furent très surpris de voir des rouleaux de dollars surgir de leur cannette. Coca-Cola fut enfin critiquée pour avoir envoyé aux journalistes des cannettes gagnantes à titre promotionnel. Tout cela se termina en un cuisant échec financier[48].

Si vous avez des réductions ou des offres spéciales à annoncer, mettez un mot dans votre publicité qui attirera l'attention des gens, comme ceux-ci :

gratuit
gratuitement
prime gratuite
brochure gratuite
cadeau gratuit
1/2 prix
moitié prix
achetez-en trois et obtenez-en un gratuitement
20 % d'escompte
solde fin de saison
vente (d'été, avant inventaire, estivale, 25e anniversaire, à 1¢)
achetez maintenant, payez l'automne prochain
concours
solde final, de 50 %, de fermeture, de liquidation, de vente d'entrepôt, etc.
super solde de juillet
liquidation d'été
soldes vacances
offre (spéciale, sans pareille, et ainsi de suite)
épargnez
économisez 5 $
seulement 2,99 $
soldes
aubaines
jusqu'à 25 % de rabais
6 pour 1,69 $
59 ¢
50 % de plus

20 % en prime
200 grammes en prime
super prix
au prix de 1,99 $
rabais de 30 %
super solde
économisez en grand
pour seulement 29,99 $
2 pour 1,99 $
achetez un lecteur de disque compact et obtenez cinq disques compacts gratuits
4,95 $ pièce
99 ¢ chacune
49,99 $ la paire
gratuit à l'achat d'un film
vente à un sou
3 pour 1
à partir de 5,69 $
prime
15,00 $ de rabais
prix courant 6,99 $, prix Wise 3,59 $
à l'achat d'un bibelot, vous pouvez gagner un voyage pour quatre à Disneyland
prix spécial de lancement

Dans un monde où l'infidélité est devenue la norme (selon John Philip Jones, il est maintenant acquis que les consommateurs n'achètent pas une marque précise, mais plutôt un répertoire de quatre ou cinq marques et vont de l'une à l'autre selon les circonstances[49]), les publicités qui annoncent des réductions et des offres spéciales sont gagnantes à coup sûr.

Cependant, je m'empresse d'ajouter qu'il n'est jamais sage d'abuser des promotions. Bien que des recherches récentes démontrent que les réductions et les autres moyens de promotion sont très efficaces pour augmenter instantanément les ventes d'un produit[50], il y a tout de même un danger. Le professeur Don Schultz affirme :

> « L'un des plus grands risques est de donner naissance à un groupe de consommateurs désireux de profiter systématiquement des occasions et de détruire ainsi la structure interne du prix du produit. (...) En insistant sur ces promotions, les annonceurs créent un marché avec des gens qui ne se soucient pas de savoir s'il s'agit de Dr. Pepper, de Seven-Up ou de Coke. Tout ce que voient les gens, c'est que le prix est de 1,09 $. C'est ainsi qu'on finit par détruire la notoriété d'une marque[51] ».

Si vous pouvez utiliser le mot gratuit, ne vous gênez pas. Le mot gratuit est le mot le plus puissant qu'il vous soit donné d'utiliser en publicité. Tout le monde est intéressé à se procurer quelque chose qui lui est offert gratuitement.

Claude Cossette et René Déry, les auteurs de *La Publicité en action,* insistent : « Si le prix courant est continuellement réduit de 33 %, on finira par en déduire que le produit n'a jamais valu plus de 66 %[52]. » Len Daykin, directeur de Brand Management Report, ajoute :

> « À leurs débuts, les bons de réduction étaient utilisés de façon sélective par le fabricant. Aujourd'hui, cette utilisation est quasi automatique — si un article de l'entrepôt a besoin d'une promotion, on fait généralement appel aux bons de réduction pour l'écouler. L'effet est négatif, parce que toutes les semaines, un consommateur au regard affûté trouvera un bon de réduction pour un article dans presque toutes les catégories de produits. Je pense qu'on

> est en train de créer un groupe très large de consommateurs fidèles aux bons de réduction et non aux marques[53]. »

Plusieurs entreprises, incluant Coca-Cola, Frito-Lay, Kraft, R. J. Reynolds et Procter & Gamble, réalisent maintenant que les promotions ne sont pas la solution à tous les problèmes.

L'image de Maxwell House a été ternie au cours des récentes années à la suite des abus de promotion et d'une diminution de 17,5 millions de dollars des investissements publicitaires. Les responsables de la mise en marché chez Minute Maid connurent leur année la plus difficile quand la presque totalité des investissements en marketing allèrent à la promotion. Pendant ce temps, Tropicana, le plus proche compétiteur, augmentait son budget publicitaire de 30 millions de dollars. Même McDonald's éprouva des problèmes lorsque sa promotion « Scrabble » ne fut pas à la hauteur des prévisions de la firme.

Au fond, l'expérience montre que la promotion est utile dans les tactiques à court terme, tandis que la publicité est un engagement à plus long terme. Selon les études, les ventes à long terme commencent à diminuer lorsque le ratio publicité/promotion devient inférieur à 60/40. On sait que la publicité influence l'image d'un produit et les attitudes de consommation beaucoup plus que la promotion. Un juste partage des budgets entre la publicité et la promotion est donc une recette efficace.

Dans une entreprise gagnante comme IKEA, la règle veut que 65 % du budget-marketing soit alloué à la publicité d'images, 25 % à la promotion et le reste à la publicité radiophonique et extérieure.

LA COMMANDITE

Parallèlement à la promotion, la commandite est un autre phénomène qui a pris un essor considérable durant les dernières années. En 1980, 900 entreprises américaines ont investi 300 millions de dollars en commandite tandis qu'en 1987, 3 700 sociétés injectaient près de 2 milliards de dollars dans ce type de communication.

Selon l'International Event Group, la commandite sportive représentait, en 1992, deux tiers des investissements totaux en commandite (2,2 milliards de dollars) ; le reste se partageant entre la musique (328 millions de dollars), les festivals et les foires commerciales (295 millions de dollars), les causes humanitaires (262 millions de dollars) et les arts (230 millions de dollars[54]). Même Rolex a commandité les activités de l'Association nord américaine de croquet !

Une étude récente conduite par Frankel & Co. indique que 59 % des gens remarquent le nom des commanditaires durant une manifestation sportive, et que 54 % ont une attitude plus favorable face aux commanditaires[55].

Dans le même sens, une recherche de Decima Research réalisée durant les Olympiques de 1988 révèle que :

- 59 % des répondants sont plus succeptibles de se procurer le produit des commanditaires ;
- 74 % ont une meilleure image du commanditaire ;
- 76 % pensent que le commanditaire est le leader dans son secteur d'activité[56].

Dans ces conditions, il n'est pas étonnant que ces commandites soient de plus en plus dispendieuses. En 1988, Coca-Cola a déboursé 22 millions de dollars pour devenir le commanditaire officiel des Jeux olympiques. Mais parce que peu d'entreprises peuvent se payer le luxe de débourser de pareilles sommes, un nouveau phénomène, appelé *ambush marketing*, a fait son apparition.

L'*ambush marketing* est une stratégie utilisée par les entreprises qui ne détiennent pas officiellement la commandite d'un événement. Elle consiste essentiellement à s'associer indirectement à un événement afin de bénéficier des retombées positives qu'il engendre. Il va sans dire que cela se fait toujours au détriment du commanditaire officiel qui se voit ainsi obligé de partager une partie de sa visibilité.

Ces dernières années, plusieurs entreprises ont eu recours à ce procédé marketing. Ainsi, pendant que le fabricant de chaussures sportives Reebok était le commanditaire officiel des Jeux olympiques de 1992, la publicité de son principal concurrent, Nike, utilisait six joueurs de l'équipe nationale de basketball des États-Unis pour annoncer ses produits. Ce faisant, Nike bénéficiait d'une partie du prestige associé aux entreprises liées directement aux Jeux olympiques, et cela sans avoir à débourser les sommes importantes d'argent comme les commanditaires officiels.

Dans le même sens, Wendy's distribua des affiches montrant des scènes de sports d'hiver pendant que McDonald's investissait des sommes considérables en tant que commanditaire officiel des Jeux olympiques d'hiver de 1988.

La commandite peut parfois se faire subtile. Dès le début des opérations Bouclier du désert en Irak en 1991, les militaires de la coalition reçurent gratuitement 60 000 caisses de Coke et de Pepsi, 10 000 cartouches de cigarettes Marlboro, 5000 baladeurs Sony et 60 000 cassettes Polygram. Selon le magazine *Mother Jones*, chaque exposition de ces produits dans les reportages télévisés des trois grands réseaux équivalait à un investissement de 250 000 $ US[57].

EN RÉSUMÉ

Pour écrire des textes qui vendent, il est essentiel que vous respectiez un certain nombre de principes :

1. **Personnalisez votre écriture**
2. **Utilisez l'impératif, 2e personne du pluriel**
3. **Jouez à la fois sur la raison et sur l'émotivité**
4. **Gardez vos paragraphes aussi courts que possible**
5. **Présentez l'argument majeur au début de votre message**
6. **Soyez simple**
7. **Utilisez des mots courts et des mots courants**
8. **Évitez l'humour**
9. **Soyez direct, télégraphiez**
10. **Écrivez de courtes phrases**
11. **Soyez positif**
12. **Respectez la structure sujet-verbe-complément**

13. Placez vos mots moins importants à la fin de vos phrases

14. Suggérez une continuité de type cause à effet

15. N'abusez pas des points de suspension

16. Utilisez modérément les points d'exclamation

17. Évitez les banalités

18. Oubliez-vous complètement

19. Misez sur l'enthousiasme populaire

20. Soyez cordial

21. Utilisez un intertitre toutes les 25 lignes

22. Montrez le bon côté des choses

23. Tirez profit de vos réussites passées

24. Soyez crédible

25. Concluez

De plus, écrivez de longs textes quand vous annoncez une nouveauté, quand vous vous adressez à des spécialistes, quand vous voulez rectifier vos positions et quand vous demandez au lecteur de dépenser beaucoup d'argent.

Ajoutons que les promotions sont utiles dans les stratégies à court terme, mais qu'elles peuvent devenir dangereuses dans les engagements à long terme, dans la mesure où elles ne contribuent pas à l'établissement d'une marque.

NOTES

1. ROSSITER, John R. « The Increase in Magazine Ad Readership », *Journal of Advertising Research*, vol. 28, nº 5, octobre-novembre 1988, p. 35-39.
2. STARCH, Daniel. « Why Readership of Ads Has Increased 24 % », *Advertising & Selling*, août 1946, p. 47.
3. FLESCH, Rudolph. *How to Test Readability*, New York, Harper & Brothers, 1951, 56 p.
4. LEBATTEUX, Philippe. *La Publicité directe : conception et diffusion*, Paris, Les Éditions d'Organisation, 1976, p. 60-62.
5. Voir à ce sujet l'excellente synthèse de William McGUIRE sur le changement d'attitude intitulée « The Nature of Attitude and Attitude Change », dans Gardner Linsley et Elliot Aronson, *The Handbook of Social Psychology*, Reading, Massachusetts, Addison-Wesley Publishing Co., vol. 3, 2e édition, 1968, chapitre 21, p. 136-314.
6. POLITZ, Alfred. « Dilemma of Creative Advertising », *Journal of Marketing*, vol. 25, nº 2, oct. 1960, p. 1.
7. RIES, Al et Jack TROUT. *Le Positionnement : la conquête de l'esprit*, Paris, McGraw-Hill, 1987, p. 27.
8. En réalité, ces deux règles ne sont que les deux facettes d'une même règle plus générale. Dans son livre *La Psychologie du langage : une introduction à la philosophie dynamique* publié chez Retz-C.E.P.L., l'Américain George Kingsley Zipf a démontré, par ses études statistiques sur le langage, que les mots les plus fréquents sont également les plus courts; les uns et les autres sont en fait les mêmes mots : des mots *simples*.
9. LAZAREFF, Alexandre et Jean-Pascal TRANIÉ. *Les chemins de la réussite expliqués aux impatients*, Paris, Laffont, 1987, p. 66.
10. BURNETT, Leo. *Communications of an Advertising Man*, Chicago, Leo Burnett Co. Inc., 1961, p. 246.
11. McCOLLUM/SPIELMAN. « Focus on Funny », *Top Line*, vol. 3, nº 3, juillet 1982.
12. ROMAN, Kenneth et Joel RAPHAELSON. *Writing that Works*, New York, Harper & Row, 1981, p. 2.
13. PACKARD, Vance. *La Persuasion clandestine*, Paris, Calmann-Lévy, 1958, p. 143.
14. RICHAUDEAU, François. *Le Langage efficace*, Paris, Denoël, 1973, p. 81. J'ajoute que le lecteur qui désire en savoir plus long sur tout ce qui concerne la lisibilité doit *absolument* commencer par lire les ouvrages intitulés *La Lisibilité*, *L'Écriture efficace* et *Le Langage efficace* du spécialiste François Richaudeau.
15. HOPKINS, Claude. *Mes succès en publicité*, Paris, La Publicité, 1927, p. 115.
16. WOOLF, James D. « Salesense in Advertising... Outstanding Advertising Need Not Stretch the Truth », *Advertising Age*, 18 mars 1957, p. 81.

17. HOVLAND, Carl I., Arthur A. LUMSDAINE et Fred D. SHEFFIELD. *Experiments on Mass Communication*, Princeton, New Jersey, Princeton University Press, 1949, p. 201-227.

18. LUMSDAINE, Arthur A. et Irving L. JANIS. « Resistance to Counter Propaganda Produced By One-sided Two-sided Propaganda Presentations », *Public Opinion Quarterly*, vol. 17, n° 3, 1953, p. 311-318.

19. DUSSART, Christian. *Comportement du consommateur et stratégie de marketing*, Montréal, McGraw-Hill, 1983, p. 171.

20. BEARDEN, William O. et Terence A. SHIMP. « Warranty and Other Extrinsic Cue Effects on Consumers' Risk Perceptions », *Journal of Consumer Research*, vol. 9, n°1, juin 1982, p. 38-46.

21. SHUCHMAN, Abe et Peter RIESZ. « Correlates of Persuasibility : the Crest Case », *Journal of Marketing Research*, vol. 12, n° 2, février 1975, p. 7-11.

22. LORD, Laura. « The Club », *Advertising Age*, 5 juillet 1993, p. S-19.

23. HUME, Scott. « Clinton Serves McD's a PR Feast », *Advertising Age*, 14 décembre 1992, p. 6.

24. BLY, Robert. *The Copywriter's Handbook : A Step-by-step Guide to Writing Copy that Sells*, New York, Dodd, Mead & Company, 1985, p. 22-23.

25. CONE, Edward F. « Terrific ! I Hate it », *Forbes*, 27 juin 1988, p. 130-132.

26. COHEN, Dorothy. *Advertising*, Glenview, Illinois, Scott Foresman, 1988, p. 514.

27. Adaptation d'un article écrit par Patrick Verlinden intitulé « Dix bonnes raisons d'introduire une célébrité dans la publicité », paru dans *Revue française de marketing*, n° 108, 1986, p. 59-62.

28. HOVLAND, C. et W. WEISS. « The Influence of Source Credibility on Communication Effectiveness », *Public Opinion Quarterly*, 15, 1951, p. 635-650 ; SCHULMAN, G. et C. WORRALL. « Salience Patterns, Source Credibility, and the Sleeper Effect », *Public Opinion Quarterly*, 34, 1970, p. 371-382 ; WARREN, I. « The Effect of Credibility in Sources of Testimony on Audience Attitudes Toward Speaker and Message », *Speech Monographs*, 6, 1969, p. 456-458.

29. FRIEDMAN, Hershey H. et Linda FRIEDMAN. « Endorser Effectiveness by Product Type », *Journal of Advertising Research*, vol. 19, n° 5, octobre 1979, p. 70.

30. ATKIN, Charles et Martin BLOCK. « Effectiveness of Celebrity Endorsers », *Journal of Advertising Research*, vol. 23, n° 1, février-mars 1983, p. 57-61.

31. FISHER, Chrysty. « Butterfinger », *Advertising Age*, 5 juillet 1993, p. S-9.

32. SLOAN, Pat. « Calvin Klein Underwear », *Advertising Age*, 5 juillet 1993, p. S-12.

33. BOUCHARD, Jacques et coll. *La Publicité québécoise : ses succès, ses techniques, ses artisans*, Montréal, Éditions Héritage, 1976, p. 141.

34. KAHLE, Lynn R. et Pamela M. HOMER. « Physical Attractiveness of the Celebrity Endorser : A Social Adaptation Perspective », *The Journal of Consumer*

Research, vol. 11, n° 4, mars 1985, p. 954-961 ; SWASY John L. et James M. MUNCH. « Examining the Target Receiver Elaborations: Rhetorical Question Effects on Source Processing and Persuasion », *The Journal of Consumer Research*, vol. 11, n° 4, mars 1985, p. 877-886.

35. HOVLAND, Carl I. et Wallace MANDELL. « An Experimental Comparison of Conclusion-Drawing by the Communicator and by the Audience », *Journal of Abnormal and Social Psychology*, vol. 47, n° 3, juillet 1952, p. 581-588.
36. CAPLES, John. *Tested Advertising Methods*, Englewood Cliffs, Prentice Hall, 1987, p. 138-139.
37. HODGSON, Richard S. *The Dartnell Direct Mail and Mail Order Handbook*, Chicago, The Dartnell Corporation, 1964, p. 390.
38. NEWMAN, Joseph W. et Richard STAELIN. « Prepurchase Information Seeking for New Cars and Major House-hold Appliances », *Journal of Marketing Research*, vol. 9, n° 3, août 1972, p. 249-257.
39. LANDLER, Mark et coll. « What Happened to Advertising », *Business Week*, 23 septembre 1991, p. 71.
40. HUME, Scott. « Couponing Reaches Record Clip », *Advertising Age*, 3 février 1992, p. 1.
41. « Coupon Capitals », *Advertising Age*, août 1990, p. 14.
42. SCHULTZ, Don E. et William A. ROBINSON. *Sales Promotion Essentials*, Lincolnwood, Illinois, NTC Business Books, 1989, p.6.
43. HUME, Scott. « Redeeming Feature », *Advertising Age*, 4 février 1991, p. 35.
44. CAHNERS ADVERTISING RESEARCH REPORT. « How Important to Readers is the Mention of Price in An Advertisement ? », *Cahners Advertising Research Report*, New York, 1979, n° 115.1.
45. HOLMES, John H. et John D. LETT. « Product Sampling and Word of Mouth », *Journal of Advertising Research*, vol. 17, n° 5, octobre 1977, p. 34-40.
46. SLOAN, Pat et Scott DONATON. « Sampling Smells Sweet for Scent Biz », *Advertising Age*, 3 août 1992, p. 17.
47. HOPKINS, Claude. *Mes succès en publicité*, Paris, La Publicité, 1927, p. 105.
48. WINTERS, Patricia. « MagiCan Maladies », *Advertising Age*, 21 mai 1990, p. 3 et 62 ; « Coke and Gadgetry's Pitfalls », *Advertising Age*, 4 juin 1990, p. 20.
49. JONES, John Philip. *What's in a Name ?*, Massachusetts, Lexington Books, 1986, p. 2-3, p.106.
50. GUADAGNI, Peter et John D. C. LITTLE. «A Logic Model of Brand Choice Calibrated on Scanner Data», *Marketing Science*, vol. 2, été 1983, p. 203-238 ;

    GUPTA, Sunil. « Impact of Sales Promotion on When, What, and How Much to Buy », *Journal of Marketing Research*, vol. 25, n° 4, novembre 1988, p. 342-355 ;

    NESLIN, Scott A., Caroline HENDERSON et John QUELCH. « Consumer Promotions and the Acceleration of Product Purchases », *Marketing Science*, vol. 4, été 1985, p. 147-165.
51. HAUGH, Louis J. « Questioning the Spread of Coupons », *Advertising Age*, 22 août 1983, p. M-31.

52. COSSETTE, Claude et René DERY. *La Publicité en action*, Québec, Les Éditions Riguil Internationales, 1987, p. 42-43.

53. ENGLISH, Mary McCabe. « Like it or Not, Coupons Are Here to Stay », *Advertising Age*, 22 août 1983, p. M-26, M-27, M-28.

54. BERNSTEIN, Sid. « Sponsors Love the Sporting Life », *Advertising Age*, 23 novembre 1992, p. 17.

55. HUME, Scott. « Sports Sponsorship Value Measured », *Advertising Age*, 6 août 1990, p. 22.

56. MARNEY, Jo. « CARF Plans for the Future », *Marketing*, 27 mars 1989, p. 10.

57. LAMARCHE, Robert. « Sans limite, la pub ? », *Protégez-vous*, août 1991, p. 48.

CHAPITRE 4

QUELS GENRES D'ILLUSTRATIONS SONT LES PLUS EFFICACES

De nos jours, l'illustration est devenue l'élément graphique le plus important.

Il y a des années, alors qu'il y avait beaucoup moins d'annonces, cela avait un sens d'essayer de capter l'attention de tout le monde sans utiliser d'illustrations. Mais dans les conditions actuelles, cela n'est plus possible. En effet, il y a maintenant beaucoup plus de médias, beaucoup plus de supports et beaucoup plus d'annonces imprimées.

Vous réalisez plus facilement l'étendue des dommages lorsque vous constatez que la publicité est partout. À preuve, on en retrouve :

- Dans les journaux
- Dans les magazines
- Sur les affiches et les placards publicitaires
- Sur les camions
- Dans le métro
- Sur et dans les autobus
- Sur le toit des taxis
- Sur les badges
- Sur des banderoles
- Sur les chapeaux

- Sur les nappes
- Sur les briquets
- Sur les stylos-billes et les crayons
- Sur les boîtes d'allumettes et les billets de spectacles
- Sur les sacs à provisions, bagages à main et valises
- Sur les dirigeables et autres ballons
- Sur les macarons
- Sur les parcomètres
- Sur les écrans de cinéma et les cassettes vidéo, que ce soit avant, pendant ou après les films
- Lorsque vous allez chercher les messages reçus sur télécopieur
- Sur les T-shirts
- Le long des terrains de football et de tennis (pour ne donner que ces deux exemples)
- En fait, il y a même de la publicité dans les cabinets de toilette et sur les poubelles!

Pour faire face à cette avalanche de publicité, les gens ont appris à sauter d'une image à une autre pour découvrir ce qu'on leur offre. Une compilation d'études Starch réalisées par Herbert Krugman révèle que 44 % des lecteurs remarquent une annonce, 35 % identifient l'annonceur, mais que seulement 9 % lisent plus de la moitié du texte[1]. Faites donc en sorte que votre illustration livre son message *instantanément.*

Je partage cette opinion d'Henri Joannis : « Il faudra chercher à communiquer notre message non pas en l'exprimant verbalement, mais en le représentant ; l'annonce la plus efficace sera celle qui requerra le moins possible de lecture pour être comprise[2]. »

QUELS GENRES D'ILLUSTRATIONS MARCHENT LE MIEUX ?

Les experts s'entendent généralement pour dire qu'il y a 12 sortes d'illustrations qui mènent à des scores supérieurs à la moyenne. Ce sont celles qui montrent :

- Votre produit
- Votre emballage

Dans une société surinformée comme la nôtre, l'image a un avantage énorme sur l'écrit ; contrairement au texte, les images n'ont pas besoin d'être longuement traitées par le cerveau pour être intelligibles. Elles livrent leurs messages instantanément.

- Une certaine partie de votre produit
- Votre produit en utilisation
- Comment utiliser votre produit
- La satisfaction qu'on obtient à utiliser votre produit
- La comparaison de votre produit à un autre
- L'utilisation de l'humour
- Un fidèle utilisateur
- Une vedette ou un personnage célèbre
- La représentation « avant et après »
- Ce qui arrive si on n'utilise pas votre produit

Chaque fois que cela vous est possible, faites de votre *produit* le sujet de votre illustration. Dans son livre *Tested Advertising Methods*, John Caples mentionne qu'il y a quatre sortes d'illustrations efficaces :

« 1) celles qui montrent le produit lui-même ;
2) celles qui montrent l'usage qu'on fait du produit ;

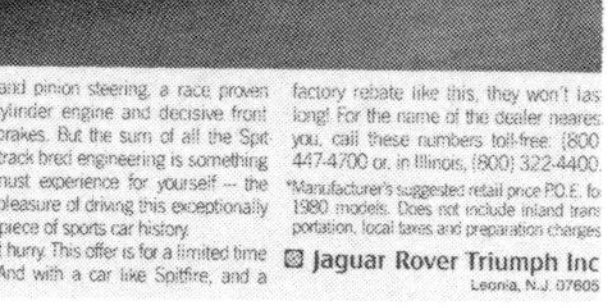

La puissance persuasive de l'illustration réside dans sa capacité à influencer l'inconscient. Ainsi, une automobile qui gravit une montagne ne « dit » pas la même chose qu'une automobile animée du mouvement contraire. Tandis que la première évoque la force, l'activité et l'énergie, la seconde suggère plutôt le repos, la romance et la tranquillité d'esprit.

Source : *Baker, Stephen.* Visual Persuasion : The Effects of Pictures on Subconscious, *New York, McGraw-Hill, chapitre 3.*

3) celles qui montrent des gens qui utilisent le produit ;
4) celles qui montrent la satisfaction qu'on obtient à utiliser le produit[3]. »

Chaque fois que cela est possible, montrez votre produit en action dans les mains de son utilisateur. En moyenne, les publicités illustrées avec des personnages obtiennent des valeurs d'attention et de mémorisation deux fois plus élevées que les publicités sans personnage du tout. Pierre Martineau, le spécialiste de la recherche publicitaire, explique cet engouement :

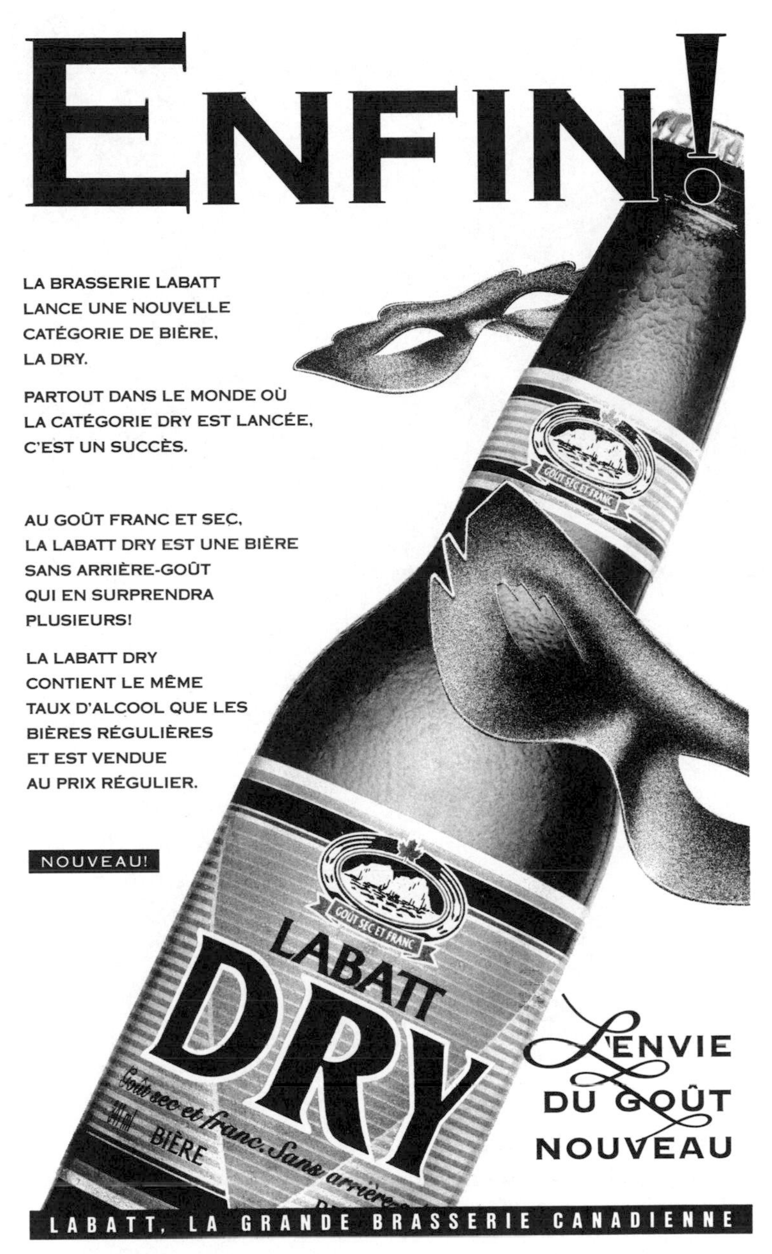

Lorsque vous lancez un nouveau produit sur le marché, l'objectif numéro un de votre publicité est d'amener le prospect à faire connaissance avec votre produit. Vous devez donc montrer votre emballage dans votre illustration.

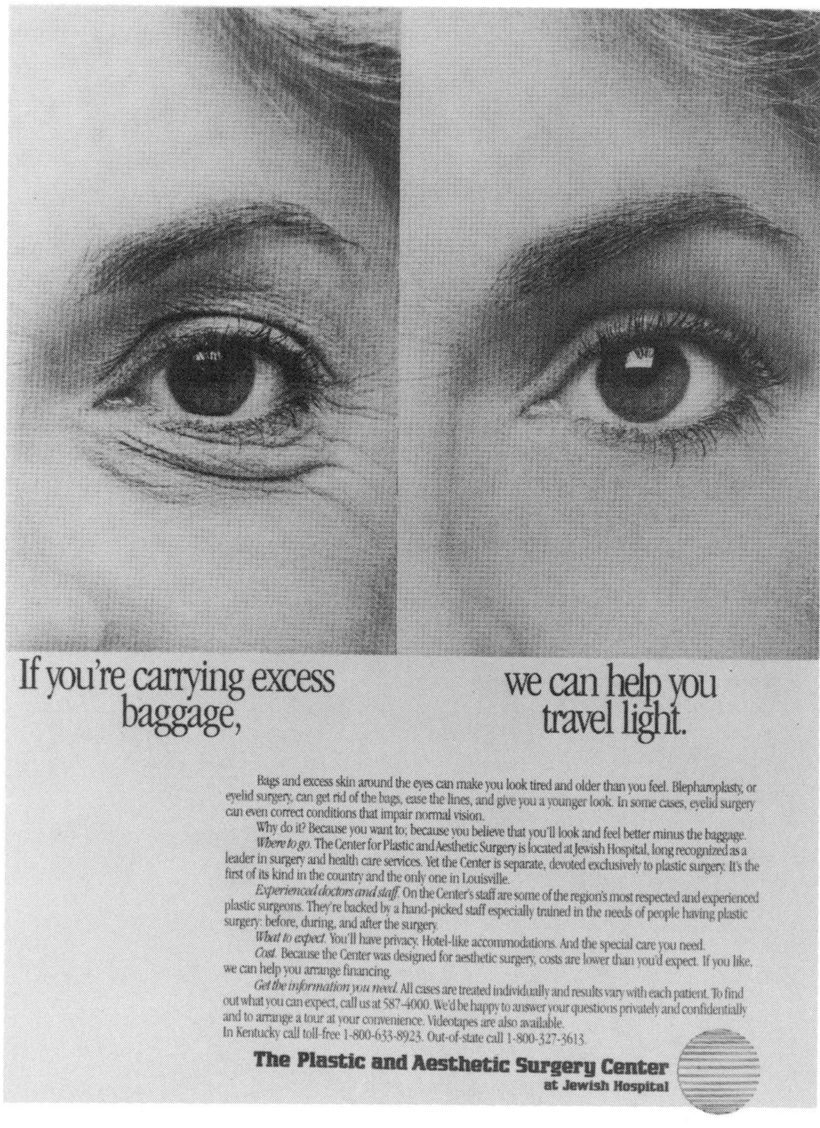

Les illustrations avant-après donnent des résultats au-dessus de la moyenne, en particulier quand vous faites de la publicité pour des produits de beauté, des programmes de conditionnement physique, d'amaigrissement ou de chirurgie plastique.

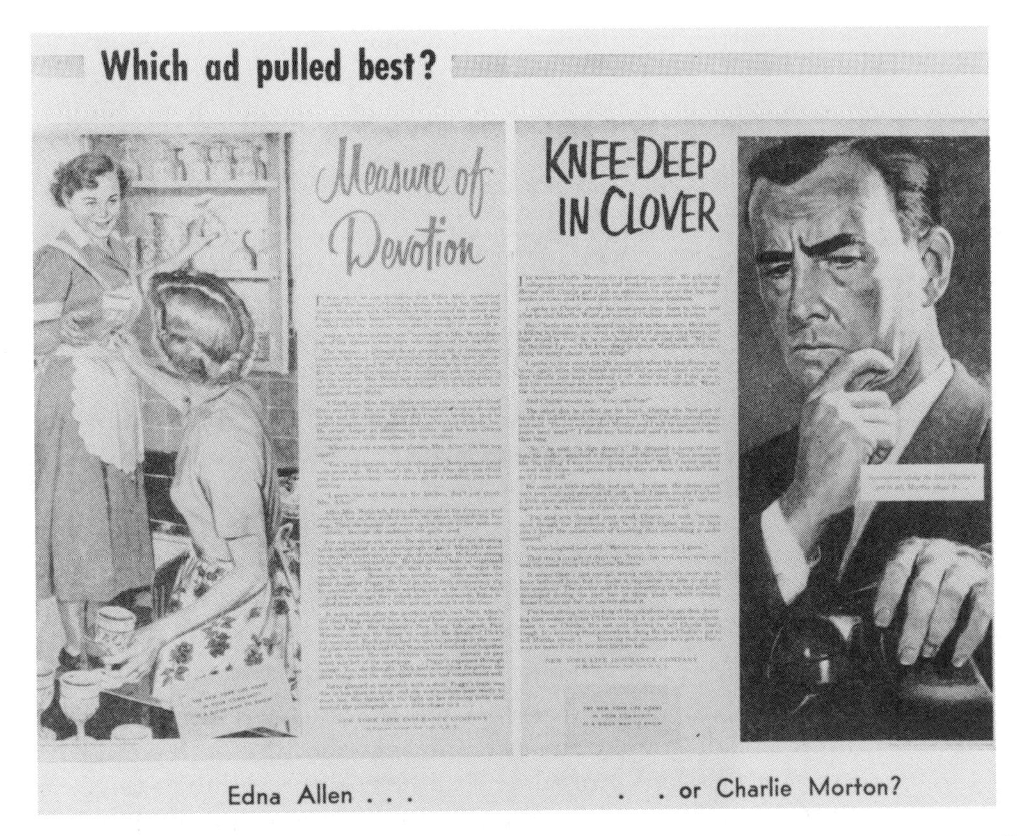

Nous remarquons davantage les annonces qui montrent des représentants de notre propre sexe. Il y a quelques années, la New York Life *soumit ces deux annonces au Test Starch. La publicité illustrée avec une femme fut lue davantage par les femmes, tandis que celle illustrée avec un homme fut remarquée davantage par les hommes.*

Source : Printer's Ink, *27 août 1954, p. 25, 36.*

« Si le lecteur peut s'identifier aux usagers du produit, s'il peut se voir dans la situation, ses sentiments entrent en jeu et il s'achemine vers l'acceptation du message publicitaire et la conviction de l'excellence du produit. (...) La personnalité doit être quelqu'un comme vous et moi, de sorte que je puisse me voir dans la même situation, quelqu'un que j'admire, quelqu'un que je souhaiterais être[4]. »

Curieusement, les hommes et les femmes ont davantage tendance à accorder leur attention aux illustrations qui montrent des personnes de leur sexe respectif. En général, les photographies représentant des femmes sont remarquées par 33 % plus de femmes que d'hommes, et celles représentant des hommes sont remarquées par 50 % plus d'hommes que de femmes[5].

Les recherches indiquent également que les annonces qui montrent des jeunes obtiennent des taux de lecture légèrement supérieurs à celles qui présentent des gens plus âgés, et que chaque sexe préfère son propre sexe plus âgé et le sexe opposé plus jeune[6].

Devez-vous utiliser de jolis modèles? Cela dépend du genre de produit pour lequel vous faites de la publicité. Si vous vendez des produits qui ne sont pas reliés à la séduction (du café, par exemple), Michael Baker et Gilbert Churchill indiquent que des femmes séduisantes sont moins efficaces que celles qui ne le sont pas. En revanche, si vous vendez des produits reliés à la séduction (du parfum, par exemple), les femmes séduisantes donnent d'excellents résultats[7].

Il est important de savoir que la présence d'une belle femme ou d'un bel homme dans une annonce modifie la perception de votre produit. Dans une étude réalisée en 1968, Smith et Engel[8] ont démontré qu'une automobile accompagnée d'une belle fille est perçue comme plus attirante, plus jeune, plus rapide, plus chère, moins sécuritaire et plus puissante qu'une automobile entourée d'images plus neutres*.

La recherche a montré que nous assignons *de facto* aux belles personnes des qualités comme le talent, la gentillesse, l'honnêteté et l'intelligence. Les personnes séduisantes sont, en outre, perçues

* J'en profite pour ajouter que l'ouverture pupillaire de vos modèles sera décodée inconsciemment par les lecteurs. Eckhard Hess a présenté à 50 sujets deux paires de photos qu'il avait au préalable retouchées: sur une des photos, il avait diminué la dimension de la pupille et sur l'autre il l'avait augmentée. Le chercheur a constaté qu'une femme à grandes pupilles était perçue comme plus douce, plus jolie, plus féminine, alors que la même femme à petites pupilles était perçue comme plus égoïste, plus froide et plus dure (KING, Albert S. « Pupil Size, Eye Direction, and Message Appeal : Some Preliminary Findings », *Journal of Marketing*, vol. 36, no 3, juillet 1972, p. 55-58).

Une publicité qui utilise efficacement la sensualité pour attirer l'attention. Elle n'est pas sans rappeler certaines poses prises jadis par Marilyn Monroe.

La couleur de cheveux de vos modèles contribue à la signification de votre illustration. Ainsi, une femme aux cheveux blonds suggère la dépendance, la protection et le sexe. Elle est identifiée au social et au bébé. Au contraire, une femme aux cheveux foncés évoque l'indépendance, la famille et la sécurité. Elle est perçue comme plus renfermée et est davantage associée à la notion de classe et de raffinement. Par ailleurs, il semble que les femmes remarquent les noires et ignorent les blondes en publicité.

Source : *Baker, Stephen.* Visual Persuasion : The Effects of Pictures on Subconscious, *New York, McGraw-Hill, chapitre 3.*

comme sexuellement actives, plus sociables et plus extraverties que les personnes moins séduisantes.

Toutefois, ce n'est pas une bonne idée d'attirer l'attention des hommes en couplant des images érotiques à des noms de marques. Major Steadman a présenté à des hommes une série de six photos contenant une allusion sexuelle et une série de six autres n'en contenant aucune. Après un certain laps de temps, Steadman a constaté que les noms de marques accompagnés de jolies filles en tenue légère étaient moins bien mémorisés que les noms de marques accompagnés d'illustrations plus neutres[9]. Neuf ans plus tard, Wayne Alexander et Ben Judd ont procédé à des recherches similaires et ont obtenu les mêmes résultats[10].

Les illustrations qui utilisent le sexe comme simple moyen d'attirer l'attention obtiennent des résultats inférieurs à la moyenne.

Comment se fait-il qu'il n'y ait pas plus de représentants des minorités visibles dans les illustrations publicitaires ? Cela tient-il du fait que les publicitaires sont racistes ? Ou bien que les entreprises refusent de donner des rôles à des individus issus de minorités ethniques clairement identifiables ? André Morrow, un des publicitaires les plus audacieux, répond en ces termes :

> « Pourquoi pas un Noir (ou un Jaune ou un Rouge), et un Blanc pour annoncer mon savon ? Allez diffuser ça à Rimouski, vous ! Ou même à Québec ! Je n'ai pas de chiffre sur la répartition des minorités visibles par région, mais admettez avec moi que ce n'est pas évident pour ma tante qui habite à Sainte-Anne-de-Beaupré ! Les Noirs, c'est dans Miami Vice, pour elle, pas dans la rue principale de son village !
>
> « Attention, je ne vous dis pas que ma tante est raciste : je vous dis simplement que son village, c'est pas Montréal. Encore moins New York. Et que, par conséquent, ma pub de savon ne voudra rien dire pour elle. Si je ne crée pas d'empathie entre elle et mon produit, mon effort de publicitaire est nul.
>
> « La pub, on ne la fait pas que pour Montréal. Nos mandats sont provinciaux, quand ils ne sont pas nationaux. Il faut que tout le monde s'y reconnaisse. C'est nécessaire. (...)
>
> «La pub, c'est un univers de perceptions. Pour qu'elle passe le cap, il faut qu'elle soit créative, forte et pertinente. Il faut que le consommateur, dans son salon, comprenne le message. Il faut que les symboles que nous utilisons concordent avec sa propre réalité[11]. »

Ce n'est pas parce que votre visuel publicitaire est efficace à un endroit qu'il le sera ailleurs. Récemment, le commercial de Diet Coke montrant des scènes du Grand Canyon et des images typiquement américaines a été jugé trop « américain » pour les consommateurs français. La décision de modifier certaines images fut prise après que le commercial n'eut pas obtenu de résultats satisfaisants en prétest.

De la même façon, le joueur de rugby Jacko, sportif reconnu pour sa violence, réussit très bien à vendre les batteries Eveready en

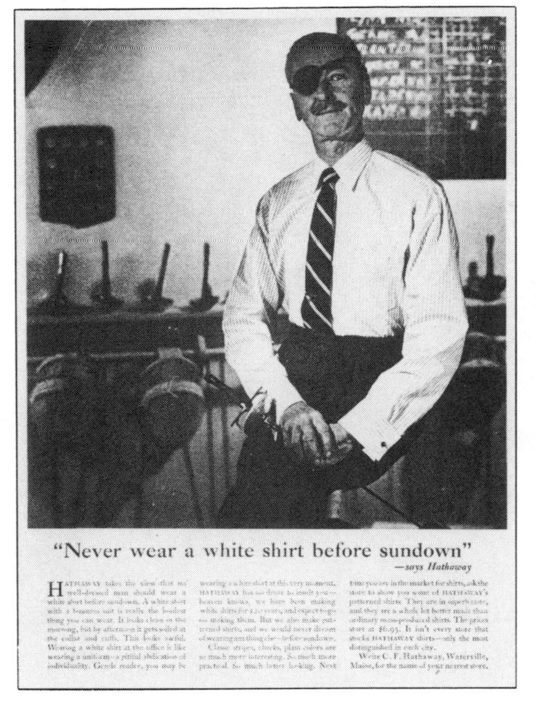

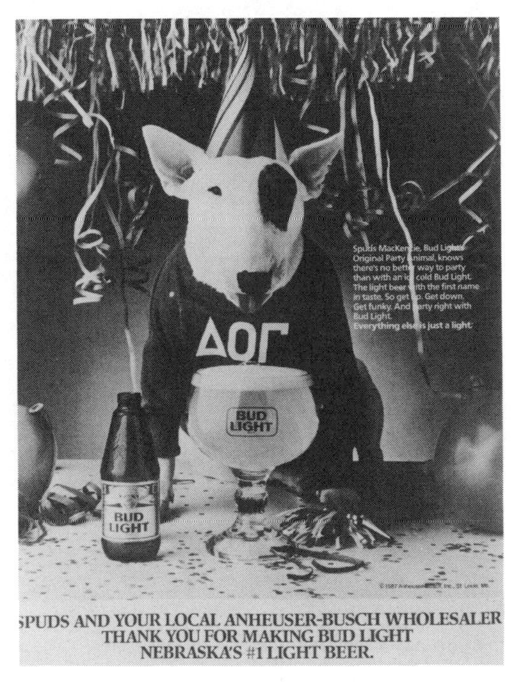

Les personnages fictifs comme le baron borgne d'Hathaway ou le chien Spuds MacKenzie donnent un très bon rendement. « En rendant une personnalité célèbre, écrit Claude Hopkins, vous rendez son produit célèbre. »

Australie — les parts de marché de la marque passèrent de 35 % à 51 % durant la campagne — mais il ne réussit pas à faire la même chose en Amérique. Les consommateurs lui reprochèrent en effet son air agressif et méchant.

Les illustrations qui utilisent un personnage ou un animal comme symbole du produit obtiennent des résultats nettement supérieurs à la moyenne. « En rendant une personnalité célèbre, dit Claude Hopkins, vous rendez son produit célèbre. Les êtres humains ne s'intéressent pas aux sociétés anonymes. Ils s'intéressent aux gens et à leurs réalisations[12]. »

Les exemples de personnalités qui ont rendu leur produit célèbre abondent : le Colonel Sanders, le cow-boy de Marlboro, le baron borgne d'Hathaway, Tony le Tigre, les California Raisin, Monsieur Net, l'Agent Glad, Aunt Jemima, Betty Crocker, le réparateur

L'une des personnalités les plus célèbres jamais créées est Betty Crocker de la General Mills. Pourtant, sa création fut le fruit du hasard. En 1921, la firme offre un prix à celui qui découvrira la solution à l'un de ses jeux de patience. Lorsque les responsables du concours dépouillent le courrier reçu, ils découvrent que plusieurs participants en profitent pour demander quelques conseils sur l'art de bien nourrir leur famille. Un jeune homme, Sam Gale, est responsable du concours. Il persuade ses supérieurs qu'il faut répondre aux questions reçues. Gale signe personnellement les lettres jusqu'à ce que la direction décide qu'il est incongru qu'un homme donne des conseils sur l'art de faire la cuisine. On décide alors de créer un personnage fictif auquel on donne le nom de « Betty Crocker ». En 1936, la General Mills engage Neysa McMein pour dessiner le portrait de Betty Crocker. Depuis, ce portrait a été modifié à plusieurs reprises afin de l'adapter à l'image de la femme typique contemporaine.

Maytag, le Capitaine Crunch, Orville Redenbacher, Frank Bartles et Ed Jaymes, Juan Valdez, le tigre Esso, Fido Dido, le lapin Energizer, Joe Camel, le chef Boyardee, le Géant Vert, le P'tit Bonhomme de Pillsbury, Mr. Bubble, Morris le chat, le chien RCA Victor, Spuds MacKenzie et Cric Crac Croc.

Des études menées par le service de recherche des restaurants McDonald's ont montré que plus un enfant appréciait le clown Ronald, plus il était susceptible de choisir McDonald's comme son restaurant favori. Il y a plusieurs années, Kraft a relancé ses cristaux Kool-Aid en créant le Pichet Kool-Aid, sorte de personnage débordant d'énergie.

En fait, le seul exemple connu d'échec de personnage fictif s'explique très bien. En 1986, Burger King a créé Herb the Nerd, sorte de « petit casse-pieds à grandes lunettes ». L'idée consistait alors à découvrir quelqu'un qui n'était jamais allé manger dans un Burger King. La campagne de 40 millions de dollars fut un échec quand les consommateurs commencèrent à associer le personnage Herb au client typique de Burger King.

Je vous conseille de mettre du mouvement dans votre illustration. La représentation d'objets en mouvement attire davantage l'attention des lecteurs que celle d'objets inanimés. La réaction d'orientation vers tout ce qui bouge est innée : nos yeux sont involontairement attirés par le mouvement tout comme le papillon de nuit l'est par la lumière.

Évidemment, la photographie peut sembler plus apte à arrêter le mouvement qu'à le rendre. Pourtant, vous pouvez suggérer le mouvement en recourant à ces trois techniques :

1. Vous pouvez suggérer l'idée de mouvement en vous servant d'une série d'illustrations qui rendent les principaux moments de l'action.

2. Vous pouvez suggérer l'idée de mouvement en faisant en sorte que le déplacement de votre sujet — ou de votre appareil — créera un flou : flou du lointain et netteté du premier plan ou encore flou du premier plan et netteté du lointain.

3. Vous pouvez suggérer l'idée de mouvement par une illustration nette mais prise à un moment si important de l'action que le lecteur la regardera et la complétera mentalement.

Dans tous les cas, favorisez la simplicité géométrique. Les formes ayant des contours géométriques précis attirent immédiatement le regard. Plusieurs chercheurs ont montré que l'esprit humain se refuse à considérer le monde qui l'entoure comme un désordre. Celui-ci cherche continuellement à y retrouver des formes

Les illustrations qui simulent le mouvement attirent toujours l'attention. Le skieur qui dévale une pente, le joueur de tennis qui exécute un smash ou le cycliste qui file à toute vitesse donnent une impression de mouvement, et ce, même si la photo les immobilise.

familières, des formes qui répondent à des qualités de simplicité géométrique comme le triangle, le carré et le cercle.

Si vous pensez que les illustrations de formes irrégulières sont payantes, il vous sera sans doute utile de savoir que les recherches indiquent que les photographies rectangulaires attirent plus l'attention et sont plus crédibles que les photographies de toutes autres formes, particulièrement les formes irrégulières.

Ne laissez pas vos lecteurs s'égarer. Assurez-vous que votre photographie répète exactement la même chose que votre texte. Si vous écrivez « cette bière vous rafraîchira », montrez en même temps une bière rendue froide par le flot des vagues. La répétition est un facteur facilitant l'apprentissage et la mémorisation.

Soyez toujours très simple dans vos illustrations. Une étude conduite par Ogilvy & Mather dans le New Jersey, l'Illinois et le Texas indique qu'un tiers des publicités est mal compris. Lors du test, plus de 40 % des gens pensèrent qu'une annonce de Cointreau faisait la promotion pour une huile de bain et 45 % estimèrent qu'une annonce pour une banque en était une pour un attaché-case[13].

Cadrez votre photographie. C'est grâce au cadrage que vous pourrez choisir de mettre l'accent sur certains détails et évacuer de la photographie ce qui est contraire à la signification que vous désirez lui donner. Il y a sept façons de cadrer votre photo :

1. *Le plan d'ensemble* (plan de grand ensemble ou plan général). Il embrasse un vaste paysage — désert ou habité par un ou plusieurs personnages qui, à l'échelle, paraissent tout petits.
2. *Le plan de demi-ensemble* (ou de petits ensembles). Il place votre personnage dans son cadre et présente donc un décor beaucoup plus restreint (une pièce, la façade d'une petite maison, etc.).
3. *Le plan moyen.* Il montre votre personnage en pied pour souligner l'attitude générale de son corps.
4. *Le plan américain.* Il fait voir votre personnage de plus près. Le lecteur peut ainsi avoir une vision plus claire de l'activité du personnage.

Gros plan ou plan d'ensemble ? Tout dépend de l'objectif poursuivi. Si vous voulez mettre en évidence une particularité de votre produit, par exemple, le gros plan est de mise.

5. *Le plan rapproché.* Il prend un ou deux personnages en buste. On distingue parfois le plan demi-rapproché qui coupe le personnage à la ceinture.

6. *Le gros plan.* Il attire l'attention de votre lecteur sur un visage ou sur un objet de même surface.

7. *Le très gros plan.* Il a pour sujet un petit détail[14].

Soyez honnête dans vos photographies. Des photographies retouchées ou truquées ont donné lieu à des histoires embarrassantes pour la soupe Campbell et Volvo. Dans le cas de Volvo, une enquête révéla que les voitures suédoises avaient bénéficié d'un renforcement spécial du châssis pour mieux résister au coup lors de la prise de photographies. En ce qui a trait à Campbell, on plaça des billes dans le fond de l'assiette à soupe pour rendre son contenu plus consistant[15].

Avant de décider quelle position prendra votre personnage, vous devez savoir que la position qu'il tient sur vos illustrations est décisive. Dans son livre *Intelligence de la publicité,* Georges Péninou distingue trois situations caractérisées par la position du personnage : celle où le personnage est de face, celle où il se présente de profil et celle où il est placé de trois quarts.

1. *Le personnage de face.* Il parle, raconte ou interpelle. Il s'adresse directement au lecteur. Le personnage de face est le moyen le plus efficace de retenir l'attention.

2. *Le personnage de profil.* Le lecteur devient spectateur ; il est le témoin d'une action qui se déroule devant lui.

3. *Le personnage de trois quarts.* Il exprime toutes les nuances de la psychologie du personnage. On est dans l'univers du mystère, de la tentation, du narcissisme : introversion, introspection, rêverie, domaine de l'incertain et du délicat, mais aussi domaine de la sensibilité[16].

En 1968, Raymond Augustive Bauer et Stephen A. Greyser estimaient que le consommateur nord-américain était exposé à 750 messages publicitaires par jour[17], soit 273 750 par an. En 1991, soit 23 ans plus tard, McKenna[18] évalue à 3000 par jour, le nombre de messages auxquels nous sommes potentiellement exposés. Pour

Pour retenir l'attention du lecteur, le meilleur appât reste un personnage de face.

attirer l'attention dans cet environnement surchargé, il faudra donc être différent. Comme le fait si bien remarquer William Bernbach :

> « Pourquoi quelqu'un devrait-il porter attention à votre annonce? Le lecteur n'achète pas son magazine pour lire votre message publicitaire; l'auditeur n'a pas branché sa radio pour entendre ce que vous avez à dire... À quoi cela sert-il de dire toutes les meilleures choses au monde si personne n'est là pour les lire ou les entendre. Et croyez-moi, personne ne lira vos annonces si vous ne vous exprimez pas avec fraîcheur, originalité et imagination... Si, en d'autres termes, elles ne sont pas différentes[19]. »

PHOTOGRAPHIES OU DESSINS ?

Si la qualité de l'impression vous le permet, je vous conseille d'illustrer vos publicités avec des photographies plutôt qu'avec des dessins. « En moyenne, écrivent Jane Maas et Kenneth Roman, les publicités illustrées avec des photos sont retenues par 26 % de lecteurs de plus que les publicités illustrées avec des dessins[20].»

Toutefois, je vous recommande d'utiliser le dessin dans les cas suivants :

- Quand vous voulez suggérer une atmosphère de mode, un haut style de vie ;
- Quand vous voulez révéler une physionomie ou une émotion ;
- Quand votre message s'adresse à des jeunes consommateurs et que vous voulez utiliser l'humour.

QUELS GENRES DE PHOTOGRAPHIES ATTIRENT LE PLUS L'ATTENTION ?

Si vous voulez que vos publicités aient un impact vendeur, il faudra tout d'abord qu'elles retiennent l'attention. Comme le dit Victor Schwab, « une publicité ne peut pas vendre si elle n'est pas lue ; elle ne peut pas être lue si elle n'est pas vue; et elle ne peut pas être vue si elle n'attire pas l'attention[21] ».

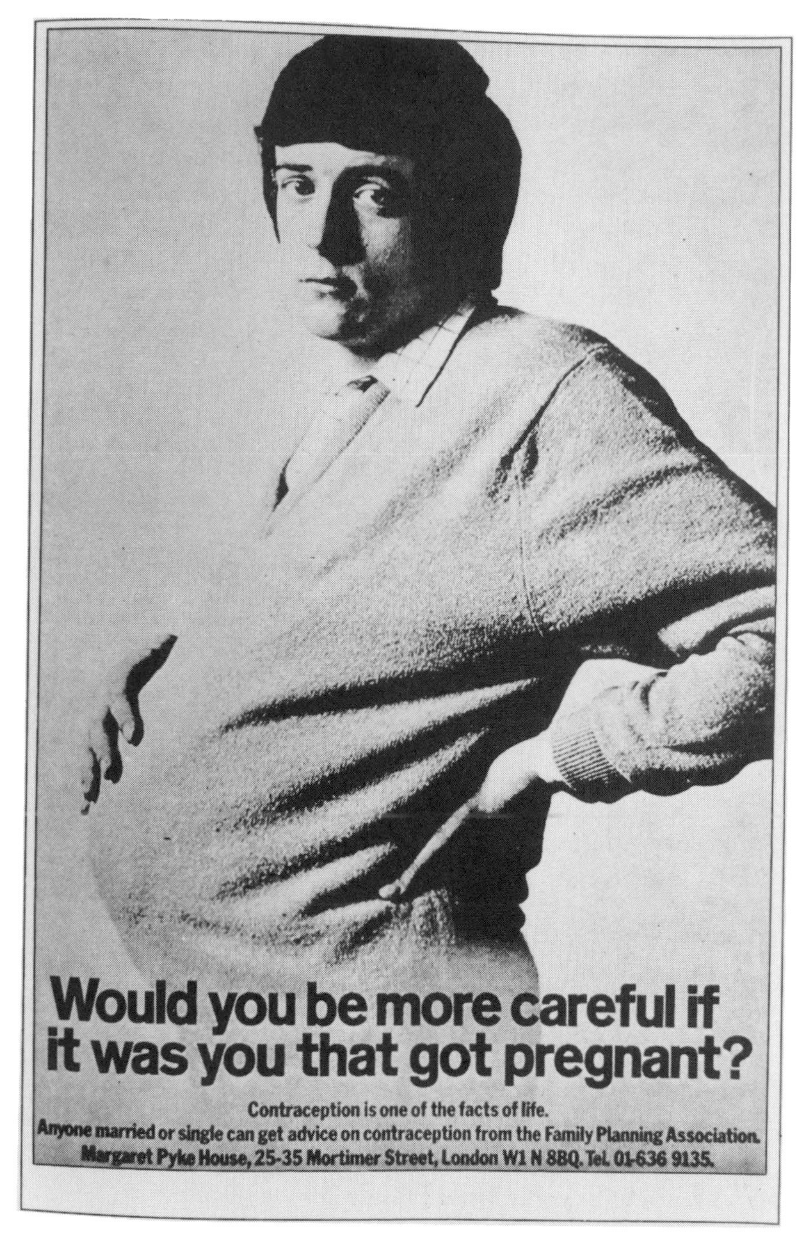

Would you be more careful if
it was you that got pregnant?
Contraception is one of the facts of life.
Anyone married or single can get advice on contraception from the Family Planning Association.
Margaret Pyke House, 25-35 Mortimer Street, London W1 N 8BQ. Tel. 01-636 9135.

Pour vous faire remarquer par les lecteurs, présentez-leur quelque chose de nouveau. Cette photo est une des meilleures de l'histoire de la publicité. C'est une annonce de l'agence Saatchi & Saatchi visant à encourager les gens à se renseigner sur les méthodes de contraception.

Il y a 11 genres de photographies qui intéressent particulièrement les lecteurs[22]. Ce sont :

1. Les nouveaux mariés
2. Les bébés
3. Les animaux
4. Les personnages célèbres
5. Les personnages revêtus de costumes originaux
6. Les personnages aux allures étranges
7. Les photos qui racontent une histoire
8. Les scènes romantiques
9. Les catastrophes
10. Les sujets qui font la manchette
11. Les photos dont le contenu coïncide avec des moments forts de la vie.

Dans le même ordre d'idées, Robert Palmer[23] explique que les scènes qui attirent le plus le lecteur peuvent se réduire en réalité à 13 champs d'intérêts principaux. Ce sont, par ordre décroissant :

1. La sexualité
2. L'amour romantique
3. La mort
4. La destruction
5. Le combat physique
6. La bonne chère
7. L'aventure au masculin
8. La force physique
9. Le gentil monde des animaux
10. Les visages
11. Les paysages
12. Les mythes
13. Les mondanités.

Les hommes préfèrent les photos d'animaux, particulièrement celles qui montrent de gros chiens, tandis que les femmes accordent davantage d'attention aux photos de bébés et de jeunes enfants. Par ailleurs, les photos de personnages célèbres suscitent l'intérêt des deux sexes.

Si le trois-quarts est par excellence le format affectionné par la publicité des produits de beauté et de soin, il ne faut pas y voir là l'effet du hasard ; le photographe sait éviter par ce traitement la dureté des traits et le tranchant du regard. Il est facile de vérifier que le trois-quarts va de pair avec la délicatesse : pudeur de la jeune fille, pureté et fragilité du sentiment, douceur des visages, lèvres entrouvertes ou fermées, paupières mi-closes, regard indéchiffrable, énigme du masque.

Source : *Péninou, Georges.* L'Intelligence de la publicité, *Paris, Laffont, 1959, p. 190-192, 284.*

À l'occasion, n'hésitez pas à aller à l'encontre des mentalités. Ce genre de photographies n'a pas son pareil pour attirer l'oeil.

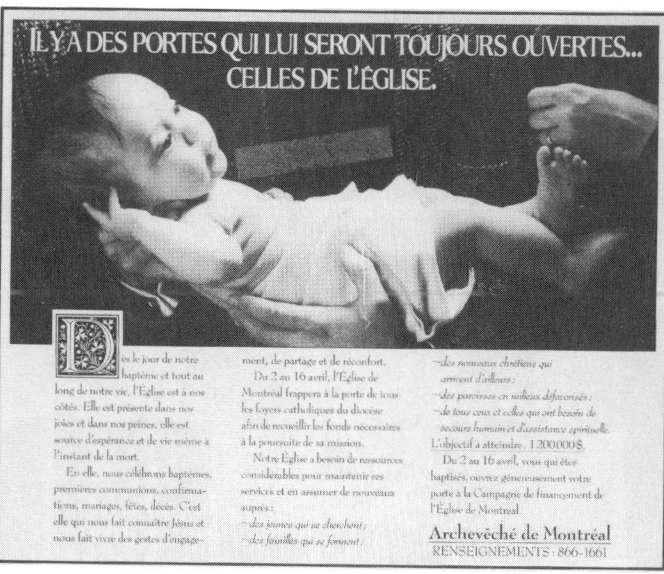

Les publicitaires savent que le public est fasciné par les photographies de bébé, de jeunes enfants et de nouvelles mariées.

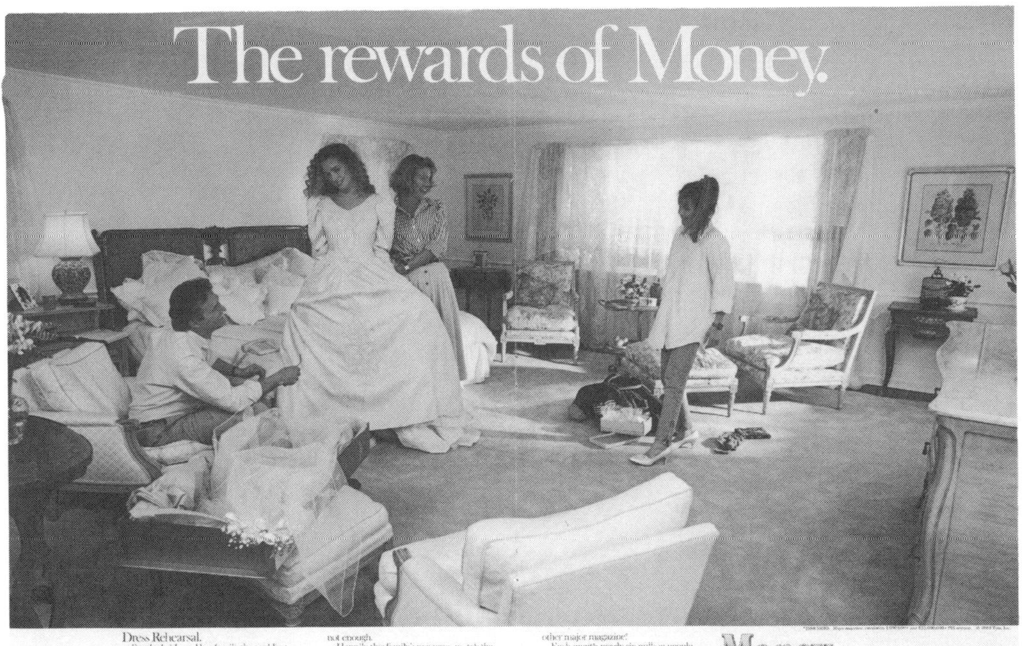
The rewards of Money.

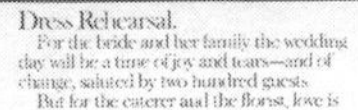
Dress Rehearsal.
For the bride and her family the wedding day will be a time of joy and tears—and of change, saluted by two hundred guests.
But for the caterer and the florist, love is not enough.
Happily this family's resources match the celebratory moment. In fact, the readers of MONEY magazine have a higher median personal income than do the readers of any other major magazine.
Each month nearly six million people turn to this remarkable magazine.
And for advertisers, these readers are themselves—the rewards of MONEY.
Money

And The Bride Wore Extremely Gentle Make-Up
Cover Girl
Cover Girl
Extremely Gentle Make-Up
PURITY TESTED. FRAGRANCE FREE. COVER GIRL BEAUTIFUL.

HERO
A NEW COLOGNE FOR MEN FROM PRINCE MATCHABELLI
EVERYONE NEEDS A HERO.
HERO

Cependant, ne vous méprenez pas. Ce n'est pas parce que votre photo attire l'attention qu'elle va faire acheter votre produit. Pour que votre photo amène votre lecteur à se procurer votre produit, il faudra qu'il y ait un lien entre celle-ci, votre produit, et votre concept. Une publicité d'ordinateur illustrée à l'aide de bébé ne fera pas vendre plus d'ordinateurs, tout comme les animaux que vous pouvez voir dans des publicités de détergent ou de désinfectant ne convaincront personne.

Les photos de jeunes enfants sont idéales pour vendre des bonbons, de la gomme à mâcher, de la crème glacée, des gâteaux, des céréales et des boissons gazeuses. Mais elles performent sous la moyenne en ce qui a trait au service financier, à la viande, les fruits en conserve, les instruments agricoles et les produits pour le jardin.

COMMENT REGARDONS-NOUS UNE ILLUSTRATION ?

Des études sur la perception ont permis de dégager certains principes qui régissent la lecture des illustrations. Les chercheurs savent, par exemple, que le regard explore la page, non pas dans un balayage continu, mais par une série de sauts séparés par des fixations qui ne relèvent pas du hasard. À cet égard, on remarque certaines particularités.

A. Les yeux ont tendance à explorer, en particulier et successivement, quatre points qui sont les intersections des droites parallèles aux côtés et tracées à un tiers et aux deux tiers des longueurs et des largeurs.

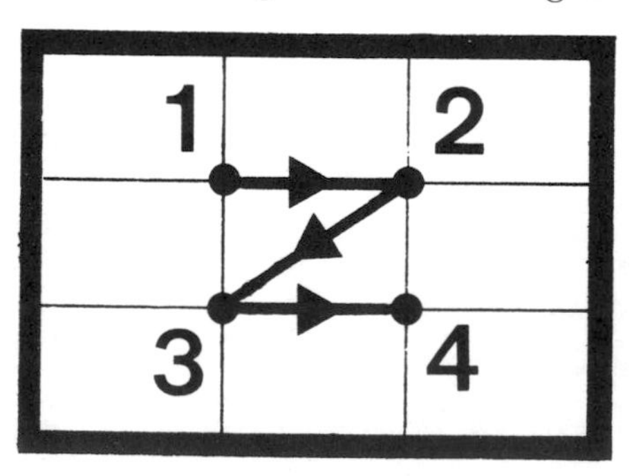

B. Les yeux ont tendance à bouger dans le sens des aiguilles d'une montre.

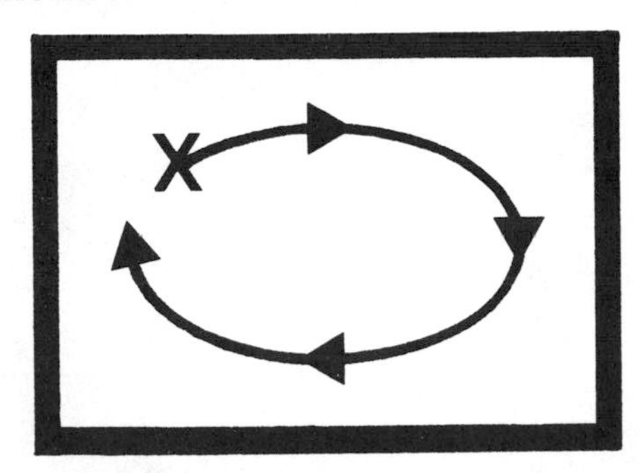

C. Les yeux ont tendance à regarder davantage la moitié supérieure gauche d'une illustration.

D. Les yeux ont tendance à regarder d'abord les êtres humains, puis les objets en mouvement comme les nuages et les automobiles et, enfin, les objets immobiles[24].

Puisque nous avons pris l'habitude de parcourir toutes les formes de gauche à droite et de haut en bas, vous aurez tout intérêt à construire vos illustrations de façon à ce qu'elles respectent ce schéma d'exploration oculaire.

Pour en savoir plus long sur les schémas d'exploration et sur les images, lisez le livre de Claude Cossette *Les images démaquillées* publié aux Éditions Riguil Internationales.

9 trucs pour réaliser des illustrations réussies

1. Montrez un seul produit à la fois.
2. Limitez votre photographie à six ou sept éléments graphiques.
3. Soyez simple.
4. Simplifiez l'arrière-plan.
5. Montrez un sujet principal.
6. Décentrez le sujet.
7. Visez sous des angles différents.

Trois bonnes raisons d'utiliser le dessin. Lorsque vous voulez :
1. suggérer une atmosphère de mode, un haut style de vie

8. Prenez les petits objets de dessus et les gros objets de dessous[25].
9. Donnez un fini professionnel à vos photos.

* * *

Dans la mesure où les consommateurs ont pris l'habitude de se contenter de regarder les illustrations pour voir ce qu'on leur offre, je vous recommande fortement de mettre des images dans vos publicités.

Toutefois, Henri Joannis insiste pour rappeler qu'il y a trois circonstances où l'illustration peut être absente ou reléguée au second plan :

2. *révéler une physionomie, une émotion*

1. Lorsque vous voulez jouer la carte du super sérieux.
2. Lorsque la morale sociale vous empêche d'illustrer le sujet de votre communication.
3. Lorsque votre message a par lui-même un tel caractère de nouveauté qu'une simple affirmation textuelle de votre part suffit à attirer l'attention.

Malgré tout, regardons la vérité bien en face : 9 fois sur 10, vous devez utiliser une illustration. Le professeur Claude Cossette, de l'Université Laval, écrit :

> « Les grands succès de la publicité américaine ou européenne sont construits sur des concepts, c'est vrai ; mais ce

3. vous adresser à de jeunes enfants.

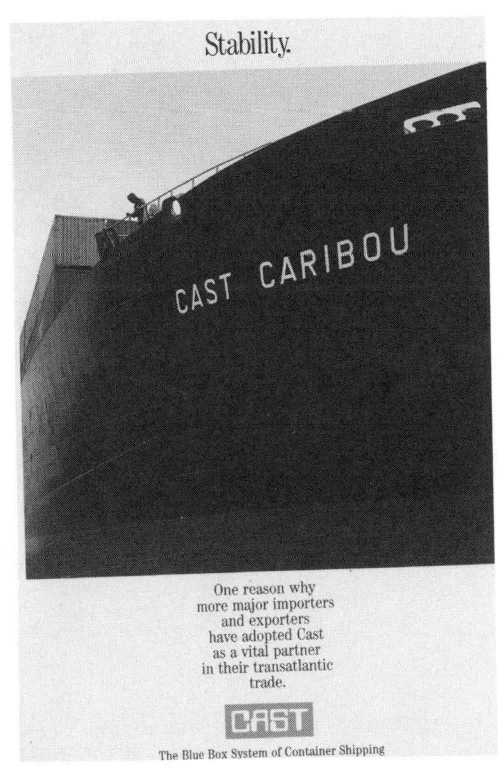

Il est possible de changer le sens de votre photo en modifiant l'angle de prise de vue. Si vous voulez donner une impression d'écrasement et de profondeur, inclinez votre appareil photo vers le bas et prenez votre photo en plongée. En revanche, dirigez votre appareil vers le haut quand vous voulez donner une impression de puissance et de grandeur, prenez votre photo en contre-plongée.

> qui est ancré dans la tête du public, ce sont des images : le cow-boy viril de Marlboro, le baron borgne d'Hathaway, le tigre d'Esso, le Bibendum de Michelin[26]. »

Napoléon a dit : « Quand on veut électriser les foules, il faut avant tout parler à leurs yeux. » C'est aussi vrai en publicité.

IL FAUT QUE CES ACTES CRIMINELS CESSENT.

Plus de 500 actes de vandalisme et de sabotage ont été commis contre les installations de Bell depuis juin 1988.

Des câbles ont été sectionnés et des boîtes de raccordement ont été incendiées et détruites. On a même éventré des puits d'accès que nous avions scellés pour plus de sécurité.

Ces actes sont des crimes contre le public. On prend des milliers de Québécois en otage, les privant de télécommunications. Des gens ne peuvent pas communiquer avec la police, les pompiers ou les services d'urgence. D'autres se trouvent coupés de leurs parents et amis.

Nous faisons tout ce qui est humainement possible pour contrer le vandalisme, et les réparations sont effectuées en un temps record.

Nous avons aussi renforcé les mesures de sécurité et, avec le précieux concours des forces policières de toute la province, nous cherchons à traduire en justice les vandales et les saboteurs.

La situation est à ce point sérieuse que nous avons décidé d'offrir une récompense pouvant aller jusqu'à 25 000 $ pour toute information qui permettra l'arrestation et la condamnation des responsables d'actes de vandalisme contre les installations de Bell.

Si vous possédez des indications à ce sujet, veuillez téléphoner au 1-800-363-6330.

Les appels visant à nous appuyer dans nos efforts demeureront confidentiels.

Par ailleurs, n'hésitez pas à communiquer avec le poste de police le plus proche si vous notez une activité suspecte, quelle qu'elle soit, à proximité de nos installations.

Toute détérioration intentionnelle des télécommunications constitue un crime contre la population. **Avec votre aide, nous pouvons y faire échec.**

Merci.

Bell

Lorsque vous voulez donner une image de sérieux à votre message, les annonces publicitaires sans illustration sont de mise.

AUX CONSOMMATEURS ET À NOTRE CLIENTÈLE

La Brasserie Molson O'Keefe a récemment éprouvé un problème avec un nombre restreint de ses bouteilles sur le marché dans lesquelles on a découvert un agent nettoyant.

- Bien que nous nous soyons engagés à vous offrir un produit de la meilleure qualité qui soit, une défectuosité temporaire a créé des problèmes sur l'une de nos chaînes d'embouteillage produisant les caisses de 6 et de 24 bouteilles. Les consommateurs et les détaillants peuvent être assurés que le problème a été corrigé : cette chaîne d'embouteillage fonctionne maintenant à la perfection.

- Afin de nous assurer que vous ayez toujours pleine confiance en nos produits, des centaines d'employés de Molson O'Keefe travaillent jour et nuit et vérifient chacune des bouteilles mises en vente au Québec, quel que soit l'endroit où elles ont été distribuées. Nous avons déjà inspecté **81 %** des bouteilles et nous finirons le tout au cours des prochains jours. À titre d'information, nous avons retracé deux bouteilles suspectes : une à nos entrepôts et une autre qui nous a été remise par un consommateur.

- Nous faisons appel à votre collaboration pour nous aider à retracer le plus rapidement possible les bouteilles ayant pu être affectées. Pour déceler facilement une bouteille suspecte, vous n'avez qu'à la regarder de près pour voir si elle contient un liquide de couleur foncée et opaque.

- Évidemment, nous sommes peinés par cet incident isolé et nous regrettons tout inconvénient causé à nos consommateurs et à nos détaillants. Nous nous engageons à toujours vous offrir des produits de la plus haute qualité et vous avez la garantie que nous ferons tous les efforts possibles afin de retracer les quelques bouteilles suspectes, s'il devait en rester sur le marché.

- Nous désirons vous remercier de votre compréhension et de votre appui. Si vous souhaitez obtenir de plus amples renseignements, appelez-nous en tout temps au **1-800-565-MOLSON**.

Merci.

Les employés et la direction.

Dans tous les cas de rappel de produits évitez les illustrations. Donnez des informations factuelles et remerciez la clientèle de son appui.

NOTES

1. KRUGMAN, Herbert E. « What Makes Advertising Effective ? », *Harvard Business Review,* vol. 53, nº 2, mars-avril 1975, p. 96.
2. JOANNIS, Henri. *De l'étude de motivation à la création publicitaire et à la promotion des ventes,* Paris, Dunod, 1976, p. 240.
3. CAPLES, John. *Tested Advertising Methods,* Englewood Cliffs, N.J., Prentice-Hall, 1987, p. 212.
4. MARTINEAU, Pierre. *Motivation in Advertising : Motive that Make People Buy,* New York, McGraw-Hill, 1957, p. 125-126.
5. HEPNER, Harry. *Advertising : Creative Communications with Consumers,* New York, McGraw-Hill, 1964, p. 462.
6. *Idem, Ibidem.*
7. BAKER, Michael J. et Gilbert A. CHURCHILL Jr. « The Impact of physically Attractive Models on Advertising Evaluations », *Journal of Marketing Research,* vol. 14, nº 4, novembre 1977, p. 538-555.
8. SMITH, G. H. et R. ENGEL. « Influence of a Female Model on Perception Characteristics of an Automobile », *Proceedings of the 76th Annual Convention of the American Psychological Association,* vol. 3, 1968, p. 681-682.
9. STEADMAN, Major. « How Sexy Illustrations Affect Brand Recall », *Journal of Advertising Research,* vol. 9, nº 1, mars 1969, p. 15-19.
10. ALEXANDER, Wayne et Ben JUDD, Jr. « Do Nudes in Ads Enhance Brand Recall ? », *Journal of Advertising Research,* vol. 18, nº 1, février 1978, p. 47-50.
11. Discours prononcé par André Morrow, président de Groupe Morrow, sur les minorités visibles et la publicité, Montréal, Centre de recherche action sur les relations raciales, 10 novembre 1989.
12. HOPKINS, Claude. *Mes succès en publicité,* Paris, La Publicité, 1927, p.110-111, p.140-141.
13. OGILVY, David. « We Sell. Or Else », *The Advertiser,* été 1992, p. 22.
14. GENZEL, David. *De la publicité à la communication,* Paris, Rochevignes, 1984, p. 193-194.
15. LAFAYETTE, Jon. « Scandal puts focus on ad visuals », *Advertising Age,* 26 novembre 1990, p. 62.
16. PÉNINOU, Georges. *Intelligence de la publicité,* Paris, Laffont, 1972, p. 188-194.
17. BAUER, Raymond Augustive et Stephen A. GREYSER. *Advertising in America : the Consumer View,* Boston, Division of Research, Harvard Business School, 1968, p. 173-177.
18. McKENNA, Regis. « Marketing is everything », *Harvard Business Review,* janvier-février 1991, p. 74.
19. MAYER, Martin. *Madison Avenue USA : les coulisses de la publicité américaine* (traduit par J. E. Leymarie), Paris, Les Éditions d'Organisation, 1968, p. 72.

20. ROMAN, Kenneth et Jane MAAS. *How to Advertise*, New York, St. Martin's Press, 1976, p. 34;

MAAS, Jane. *Better Brochures, Catalogs and Mailing Pieces*, New York, St. Martin's Press, 1981, p. 21.

21. SCHWAB, Victor O. *How to Write a Good Advertisement*, New York, H. Wolff, 1942, p. 9.

22. CAPLES, John. *Tested Advertising Methods*, Englewood Cliffs, N.J., Prentice-Hall, 1987, p. 205.

23. PALMER, Robert D. « Cluster Analysis of Preference Ratings of Pictorial Stimuli », *Journal of Clinical Psychology*, vol. 31, no 2, juillet 1975, p. 437-438.

24. ALMASY, Paul. *La Photographie, moyen d'information*, Paris, Tema-éditions, 1975, p. 33.

25. COSSETTE, Claude. *L'Iconique : sémiologie de l'image fonctionnelle statique, notes de cours ARV 14629*, École des arts visuels, Université Laval, Québec, 1979, p. 156.

26. COSSETTE, Claude. *Les Images démaquillées*, Québec, Les Éditions Riguil Internationales, 1985, p. 135-136.

CHAPITRE 5

QUELLE EST LA PERSONNALITÉ DES PRINCIPAUX CARACTÈRES TYPOGRAPHIQUES

Les caractères typographiques que vous utilisez peuvent annuler ou renforcer le sens de votre texte. En effet, les caractères typographiques, comme les êtres humains, ont une *personnalité.* Certains sont masculins, d'autres féminins. Certains dénotent le prestige, d'autres évoquent une bonne affaire, reflètent la tradition ou encore le modernisme.

Robert Guérin exprime cette notion en ces termes : « La typographie est au texte écrit ce que l'intonation, le volume, le timbre de la voix sont au texte parlé[1]. »

Ainsi les caractères gras suggèrent la force ; ceux qui sont penchés vers la droite sont dynamiques tandis que ceux penchés vers la gauche sont pleins de retenue. Les lettres élancées créent l'idée d'élévation alors que les caractères maigres donnent une impression de distinction, de délicatesse et de noblesse. Les lettres manuelles sont quant à elles énergiques. Elles ont un caractère sensationnel, voire impératif.

La personnalité d'un caractère typographique dépend de l'œil du caractère, de son axe, de sa graisse, du contraste entre les jambages pleins et les déliés, et de son empattement.

POUR CEUX
QUI N'AIMENT PAS
FLAMBER LEUR
ARGENT,

Texaco vous propose la location d'un chauffe-eau au mazout et vous offre un crédit de 100$ en échange de votre vieux chauffe-eau électrique.

qui préfèrent les economies aux folles dépenses,

Pas besoin de dépenser une fortune à l'achat d'un chauffe-eau électrique quand on peut réaliser de véritables économies en louant un chauffe-eau au mazout ultra-efficace de Texaco. Sa location ne vous coûtera que 7,99 $ (taxe en sus) par mois pour un réservoir de 30 gallons si vous possédez un système de chauffage au mazout et que vous profitez du programme Confort au foyer de Texaco.

qui détestent les douches froides,

Un chauffe-eau au mazout chauffe l'eau beaucoup plus vite qu'un chauffe-eau électrique. Fini les douches à l'eau froide et les attentes interminables, désormais vous aurez de l'eau chaude à volonté.

qui cherchent la bonne affaire

Afin de rendre cette offre de location encore plus alléchante, Texaco vous propose de créditer votre compte de 100 $ en échange de votre chauffe-eau électrique actuel. Vous bénéficierez aussi du programme gratuit de protection de l'équipement loué, pour toute la durée du contrat de trois ans.

et qui apprécient la tranquillité du confort au foyer.

En adhérant au programme Confort au foyer de Texaco, vous pouvez vous attendre à plus. Plus de confort, plus d'efficacité et plus d'économies.

Évitez le gros investissement qu'engendre le remplacement du vieux système de chauffage au mazout en louant un appareil à air pulsé Texaco. Peut-être seul le brûleur nécessite d'être remplacé par un modèle à retenue de flamme ultra-efficace Texaco. Il pourrait réduire votre facture annuelle de 24 % ! Nos prix de location sont modiques.

De plus, vous bénéficiez de la livraison automatique de mazout 24 h sur 24 et de la facturation par mensualités égales si vous le désirez. Si jamais vous déménagez, le contrat est transférable au prochain occupant. Bien sûr, ces offres doivent être approuvées par Texaco et certaines conditions ou restrictions s'appliquent.

Téléphonez sans tarder à un Centre Confort au foyer Texaco de la région de Québec ou de Pont-Rouge pour connaître tous les détails, car une offre aussi intéressante ne durera pas éternellement !

Québec 529-0333   Pont-Rouge 873-2841

Voici un bon exemple de typographie qui contribue à rehausser la portée du message.

L'*œil*, c'est la partie imprimable du caractère, celle qui lui donne du relief. On l'envisage comme une forme. Il y a des caractères qui, dans un même corps, présentent des dessins de différentes grandeurs : on dit alors que le caractère a plusieurs œils (petit, moyen, gros œil).

L'*axe* concerne l'orientation que prend le caractère : est-il droit, penche-t-il vers la gauche ou vers la droite ?

La *graisse*, c'est la qualité du trait : maigre, demi-gras, gras, extra-gras.

Le *contraste entre les jambages pleins et les déliés* d'un caractère est la trace distinctive visible surtout dans les courbes.

L'*empattement* indique la façon dont les traits s'arrêtent sur la ligne de base du caractère. On distingue généralement quatre grandes familles de caractères caractérisées par la forme de l'empattement[2] :

L'antique est un caractère sans empattement. Relevé sur les inscriptions phéniciennes, il apparaît pour la première fois en Angleterre en 1816. Il est redessiné en 1927 par le sculpteur anglais Eric Gill, puis par des dessinateurs allemands, en particulier Renner et Erbar. L'antique a une allure moderne, mais sa lecture est fatigante. Il ne convient donc que pour les titres.

L'égyptienne est un caractère à empattement rectangulaire relevé sur les inscriptions grecques. Il est employé pour la première fois en 1815 par Figgins, puis par Thorn en 1820. Séduisant et engageant, il est d'une certaine lourdeur propre à la publicité.

Le didot est un caractère dont l'empattement se termine par un trait perpendiculaire filiforme. Il a été mis au point par F.-A. Didot et imité par Bodoni au XVIIIe siècle. Son alternance de traits gras et maigres marquée lui donne un aspect un peu strict et austère. C'est avant tout un caractère rationnel, logique, sec et sévère qui sert à annoncer les grands événements.

L'elzévir est un caractère dont l'empattement se termine en écrasement triangulaire. La structure de la lettre rappelle le tracé calligraphique. Relevé sur les inscriptions romaines, il est réalisé en types mobiles à la fin du XVe siècle par Nicolas Jenson, puis par Alde Manuce et Garamond. D'une grande beauté, il est synonyme de raffinement, de distinction et de noblesse.

Tout caractère typographique devrait être choisi en fonction de la nature du produit, du type d'acheteurs visés, de la longueur du texte de l'annonce, de son format, de la nature de son illustration, de l'argument de vente principal, du genre de quotidien ou du périodique utilisé, des caractères à la mode et, plus que tout, de sa *lisibilité.*

On lira plus volontiers votre texte s'il est imprimé avec des caractères que les gens ont l'habitude de lire dans les magazines, les journaux, les livres, les brochures et la publicité : les caractères Century, Caslon, Times, Baskerville, Jenson, Futura, Franklin Gothic, Bembo, Garamond et Goudy.

Utilisez le plus souvent possible des caractères orientés horizontalement. Les caractères imprimés en spirale, en courbe ou même en diagonale sont difficiles à lire et n'attirent pas le lecteur. Dans une étude réalisée il y a quelques années, Daniel Starch a comparé deux annonces pour Lucky Strike, dont le titre de l'une était imprimé de biais et l'autre horizontalement. La reconnaissance a donné des résultats semblables, mais le score de lecture s'est révélé meilleur pour les caractères imprimés à l'horizontale[3].

Quand vous voulez mettre en évidence un mot ou un groupe de mots, diverses techniques sont possibles :

1. Vous pouvez utiliser l'*italique.*
2. Vous pouvez composer en MAJUSCULE.
3. Vous pouvez composer en caractères **gras.**
4. Vous pouvez imprimer en couleur.
5. Vous pouvez souligner.
6. Vous pouvez encadrer.
7. Vous pouvez encercler.
8. Vous pouvez écrire à la main.
9. Vous pouvez marquer au crayon fluorescent.

Je vous conseille de ne pas imprimer tout votre texte en italique. D'après le spécialiste de la lisibilité typographique, Miles Albert Tinker, un texte composé intégralement en italique ralentit la lecture de 15 mots par minute[4]. Selon le même chercheur, 96 % des sujets testés pensent qu'ils lisent un texte en italique plus lentement qu'un texte en caractères standards[5].

Si vous voulez réduire votre taux de lecture, imprimez votre texte en diagonale, en spirale ou à la verticale.

Évitez également d'imprimer tout votre texte en majuscules. Un texte imprimé en lettres majuscules est lu plus lentement qu'un texte imprimé en minuscules, le ralentissement étant de l'ordre de 18,9 %[6].

C'est une bonne idée de commencer votre texte par une lettrine. Le publicitaire français Régis Hauser rapporte que « la lettrine est un caractère d'imprimerie disproportionné qui a l'avantage miraculeux d'attirer le regard et de stimuler la lecture »[7].

Un interlignage serré gêne la lecture lorsque les lignes de texte sont très courtes ou très longues. Prenez note également que les mots et les lettres trop rapprochés ou trop éloignés compliquent inutilement la lecture.

Votre texte devrait être imprimé idéalement en 11 points. Si des caractères plus grands provoquent une sorte de malaise, des caractères plus petits augmentent inutilement la difficulté de lecture[8].

«Comment devenir *millionnaire* pour seulement 4,79$* par jour?»

1. La méthode Capital est reconnue!
La méthode Capital repose sur une stratégie équilibrée d'investissement dans les *fonds mutuels* admissibles au Régime enregistré d'épargne-retraite (REÉR). Cette stratégie s'appuie sur l'analyse personnalisée de vos possibilités d'épargne et de placements.

Reconnus et encouragés par les gouvernements, les REÉR constituent le moyen le plus efficace de reporter vos impôts. Cette année, vous avez jusqu'au 2 mars pour profiter du report d'impôt applicable à l'année 1986.

2. La méthode Capital a fait ses preuves!
Établis au Canada depuis 1932, les fonds mutuels (appelés aussi fonds d'investissement) sont la base même de la méthode Capital.
Cette forme de placement très populaire vous permet de faire des investissements que vous ne pourriez faire individuellement. La mise en commun de vos ressources avec celles d'autres investisseurs est plus fructueuse que les petits placements individuels.

Vous êtes propriétaire du nombre d'actions qui correspond à votre investissement et vous avez droit au même taux de rendement élevé que les gros investisseurs.

3. La méthode Capital, c'est mathématique!
Si votre placement annuel est de 3500$,
il atteindra le montant indiqué dans 20, 25 ou 30 ans.

Rendement	20 ans	25 ans	30 ans
9 %	194 800 $	326 994 $	533 967 $
11 %	252 477 $	459 705 $	817 985 $
13 %	330 529 $	655 401 $	1 275 534 $
15,8 %	445 282 $	**1 000 000 $**	2 216 367 $
16,8 %	514 265 $	1 209 008 $	2 809 941 $

4. La méthode Capital est sûre!
En diversifiant vos placements parmi les fonds mutuels les plus sûrs et les plus performants, *Services financiers Capital* vous permet d'investir dans des centaines d'entreprises et institutions canadiennes reconnues.
En procédant ainsi, nous ne mettons pas tous vos oeufs dans le même panier.

5. La méthode Capital, c'est la meilleure méthode!
L'inflation, c'est pas drôle!
En se basant sur un taux d'inflation de 6,08 % (moyenne des 25 dernières années), vous aurez besoin d'un revenu *annuel* de 149 838$ dans 25 ans pour conserver le même niveau de vie que vous permet aujourd'hui un revenu annuel de 35 000$. Ceux qui vous garantissent 9 % pour vos REÉR, ne font que vous garantir une retraite précaire!

Par contre, grâce à la méthode Capital, vos placements profitent d'un rendement annuel composé élevé; vos dividendes, intérêts et gains en capital étant réinvestis.

6. La méthode Capital: simple comme « bonjour »!
Votre participation à un REÉR de *Services financiers Capital* peut être retenue à la source et l'impôt reporté automatiquement avec la collaboration de votre employeur.

Ainsi, votre capital et vos intérêts s'accumulent plus régulièrement; vous devenez *millionnaire* plus rapidement.

7. La méthode Capital, c'est la liberté!
En tout temps, sur demande et sans frais, en tout ou en partie, vous pouvez retirer ou transférer vos fonds. Chez nous, vos placements ne sont *jamais* gelés!

Nous pouvons aussi vous conseiller sur le transfert chez nous de vos contributions antérieures.

De fait, les fonds sélectionnés selon la méthode Capital ont généré au cours des dix dernières années un rendement annuel moyen de 16,8 %** (tous frais déduits) alors qu'il suffit d'un rendement annuel moyen de 15,8 % (tous frais déduits) pour que vous deveniez *millionnaire*!
Et, il ne vous en aura réellement coûté que 4,79$* par jour!

Claude Ouellet, c.a., vice-président

Luc Champagne, B. A.A., B. SC.E.C., courtier

Claude Fortin, D. A., courtier

Hélène Gagné, B. A., courtier

Pierre Néron, L. E.P., courtier

Venez nous rencontrer au Salon du REÉR à Place Sainte-Foy.

Services financiers Capital est une société de courtiers inscrits, spécialisés en épargne collective, en fonds d'investissement et en abris fiscaux. Exceptionnellement, jusqu'au 1er mars, les bureaux de Services financiers Capital seront ouverts de 8 h 30 à 21 h, en semaine; de 9 h à 18 h, le samedi; de 12 h à 18 h, le dimanche.
À l'extérieur de ces régions on peut rejoindre, sans frais, Services financiers Capital en composant
1-800-463-5279.

SERVICES FINANCIERS CAPITAL INC

Québec
2590, boulevard Laurier
Bureau 950, Sainte-Foy
651-7441

Montréal
750, boulevard Laurentien
bureau 350, Saint-Laurent
744-8087

Chicoutimi
345, rue des Saguenéens
bureau 206
696-0199

Rivière-du-Loup
110, rue Lafontaine
867-3331

Trois-Rivières
173, rue Beaudry
379-9234

***4,79$**
Avec un placement annuel brut de 3500$, une récupération d'impôts (à 50 %) de 1750$, votre déboursé net réel est donc de 1750$ ÷ 365 jours = 4,79$ par jour.

Fonds d'investissement admissibles au REÉR sélectionnés par Services financiers Capital
AGF, fondée en 1957; avoirs: 1,6 milliards $; rendement moyen, 10 ans: 17,9 %
Bolton Tremblay, fondée en 1946; avoirs: 3 milliards $; rendement moyen, 10 ans: 16,05 %
Industrial (Mackenzie), fondée en 1967; avoirs: 2 milliards $; rendement moyen, 10 ans: 16,48 %
Timvest (Timmins), fondée en 1967; avoirs: 1,25 milliards $; rendement moyen, 10 ans: 13,85 %
United Financial, fondée en 1958; avoirs: 550 millions $; rendement moyen, 10 ans: 19,85 %
Rendement selon la méthode Capital: 16,8 %**
Rendement moyen nécessaire pour devenir millionnaire: 15,8 %

Pour mettre un mot en relief, composez-le en italique.

La lisibilité d'un texte est définitivement freinée quand votre texte est imprimé avec des caractères plus petits que les corps de huit points. Miles A. Tinker et Donald G. Paterson ont constaté, après avoir filmé des lecteurs devant un texte imprimé en corps de six points, « davantage de fixation et de régression » et une « augmentation significative de temps par fixation »[9].

Les colonnes de texte de 20 caractères et moins bloquent les mécanismes de la pensée et celles de 120 caractères et plus rebutent le lecteur. Présentez donc votre texte en colonne de 35 à 55 caractères de large pour éviter ces problèmes.

Je vous recommande fortement d'imprimer vos textes en noir sur fond blanc ou, à la rigueur, en lettres foncées sur fond clair. Selon Paterson et Tinker[10], les rapports chromatiques les plus lisibles par ordre décroissant de vitesse de lecture sont les suivants :

- le noir sur blanc
- le vert sur blanc
- le bleu sur blanc
- le noir sur jaune
- le rouge sur jaune
- le rouge sur blanc
- le vert sur rouge
- l'orange sur noir
- l'orange sur blanc
- le rouge sur vert
- le noir sur violet*

Il est fortement déconseillé d'imprimer votre texte en caractères blancs sur fond gris ou sur fond noir. Daniel Starch a montré qu'un texte imprimé en caractères noirs sur fond blanc est lu 42 % plus

* Conduisant des recherches similaires, Matthew Luckiesh (Luckiesh, Matthew. *Light and Color in Advertising and Merchandising*, New York, D. Van Nostrand, 1923, p. 246-251) a obtenu des résultats quelque peu différents. Il a découvert que les combinaisons de couleurs les plus visibles étaient par ordre décroissant : 1) noir sur jaune 2) vert sur blanc 3) rouge sur blanc 4) bleu sur blanc 5) blanc sur bleu 6) noir sur blanc 7) jaune sur noir 8) blanc sur rouge 9) blanc sur vert 10) blanc sur noir 11) rouge sur jaune 12) vert sur rouge et 13) rouge sur vert.

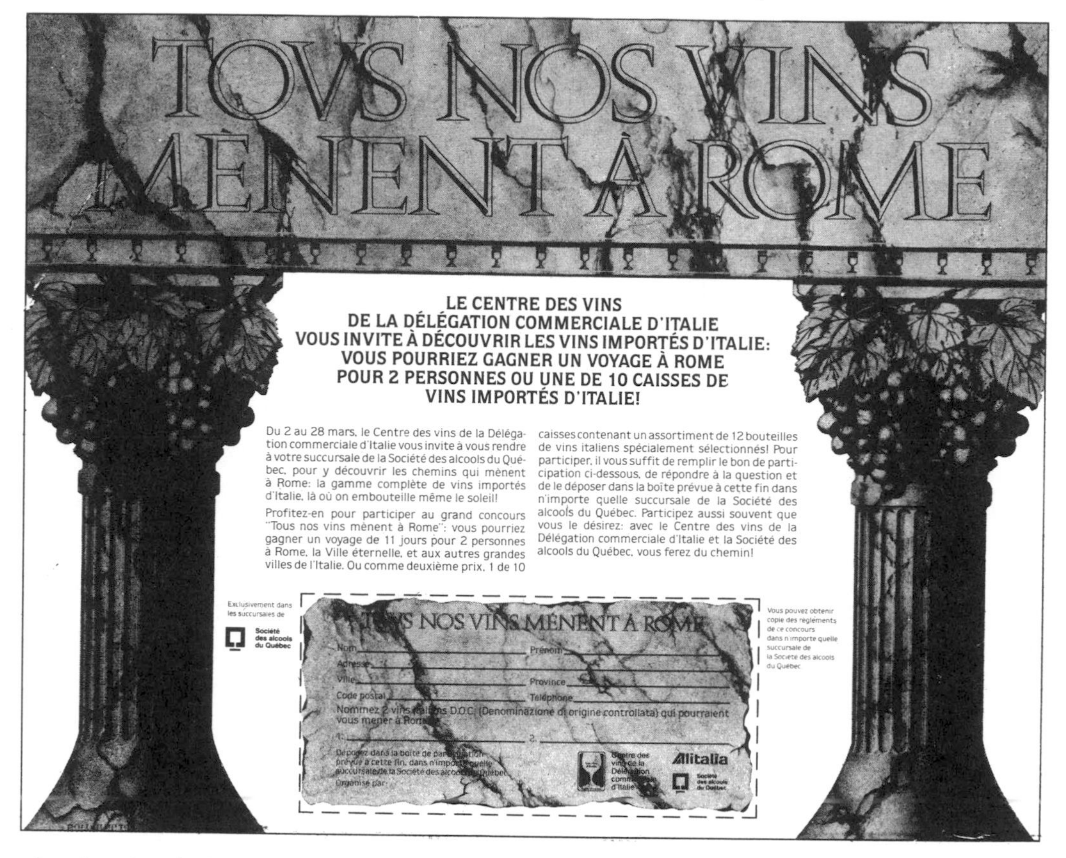

Les titres imprimés sur les illustrations compliquent inutilement la lecture.

rapidement qu'un texte imprimé en caractères blancs sur fond gris[11]. Qui plus est, 77,7% des lecteurs pensent qu'ils lisent un texte noir sur fond blanc plus rapidement qu'un texte blanc sur fond noir[12]. Par ailleurs, il semble que les titres imprimés en impression renversée obtiennent des taux de lecture comparables à ceux imprimés en noir sur fond blanc.

Vous augmentez vos chances d'être lu si vous laissez de côté les caractères trop gras, trop fins, trop pâles ou trop foncés. Vous devez également éviter d'imprimer du texte sur des illustrations. Toute impression qui contrarie la perception fond/forme réalise des scores de lecture inférieurs à la moyenne.

Les affaires de la créativité

Si votre entreprise doit utiliser les logiciels MS-DOS,[MD] la solution toute trouvée c'est Commodore, l'un des plus importants fournisseurs de micro-ordinateurs MS-DOS[MD] au Canada. Tout simplement, parce que les PC Commodore possèdent toutes les caractéristiques recherchées par les entreprises: compatibilité avec la norme IBM[MD], fonctions graphiques puissantes, rapidité (les Commodore sont parmi les micro-ordinateurs les plus rapides sur le marché!) et dimensions réduites. Le tout, pour moins qu'un PC équipé de façon comparable. Voilà pourquoi on peut affirmer que seul Commodore vous en offre autant.

Seulement Commodore peut vous l'offrir.

Ces publicités auraient été lues par plus de personnes si leur texte avait respecté l'ABC de la typographie efficace: pas de texte imprimé en diagonale, pas de texte imprimé sur les illustrations et pas de caractères trop pâles.

En imprimant vos textes sur des fonds tramés, vous rendez leur lecture plus difficile.

En règle générale, une annonce ne doit pas comporter plus de deux genres de caractères et certainement pas plus de trois. Une publicité comportant trop de caractères différents oblige l'œil à de nombreuses accommodations qui ont pour effet de repousser le lecteur.

Malgré toutes les évidences scientifiques, certains publicitaires amateurs continuent à penser que n'importe quel caractère peut faire l'affaire, mais les experts en lisibilité savent que ce n'est pas le cas. Comme Claude Raymond Haas l'affirmait dans son livre intitulé *Pratique de la publicité*:

> « Tout ce qui peut contribuer à accélérer la lecture en la rendant plus facile contribue à retenir le lecteur sur le texte ; tout ce qui ralentit la lecture en la rendant plus difficile contribue à repousser le lecteur, à l'inciter à ne pas lire[13]. »

Pour en savoir davantage sur les caractères typographiques, lisez le chapitre intitulé « Typography — Tool of the Art Director » contenu dans le livre *Advertising Layout and Art Direction*, de Stephen Baker.

NOTES

1. LEDUC, Robert. *La Publicité, une force au service de l'entreprise,* Paris, Dunod, 1982, p. 161.
2. LABOIRE, Marcel. *Précis théorique et technique de publicité,* Amiens, Éditions scientifiques et littéraires, 1957, p. 198.
3. STARCH, Daniel. *Measuring Advertising Readership and Results,* New York, McGraw-Hill, 1966, p. 75-76.
4. TINKER, Miles A. *Legibility of Print,* Ames, Iowa, Iowa State University Press, 1963, p. 55.
5. *Idem, ibidem.*
6. BRELAND, Keller et Mariam Kruse BRELAND. « Legibility of Newspaper Headlines Printed in Capitals and Lower Case », *Journal of Applied Psychology,* vol. 28, n° 2, avril 1944, p.117-120.
7. HAUSER, Régis. *Concevoir et rédiger des mailings efficaces,* Paris, Les Éditions d'Organisation, 1988, p. 169.
8. PATERSON, Donald G. et Miles A. TINKER. « Influence of Size of Type on Eye Movement », *Journal of Applied Psychology,* vol. 26, n° 2, avril 1942, p. 227-230.
9. PATERSON, Donald G. et Miles A. TINKER. « Eye Movement in Reading Type Sizes in Optimal Line Widths », *Journal of Educational Psychology,* vol. 34, n° 9, décembre 1943, p. 547-551.
10. TINKER, Miles Albert. *Legibility of Print,* University Press, Ames, lowa, lowa state, 1963, p. 146.

    TINKER, Miles Albert et Donald G. PATERSON. *How to Make Type Readable : A Manual for Typographers, Printers and Advertisers,* New York, Harper & Brothers Publishers, 1940, p. 120.
11. STARCH, Daniel. *Principles of Advertising,* New York, Garland Publishing Inc., 1985, p. 668-669.
12. PATERSON, Donald G. et Miles A. TINKER. « Studies of Typographical Factors Influencing Speed of Reading : VI Black Type Versus White Type », *Journal of Applied Psychology,* vol. 15, n° 3, juin 1931, p. 241-247.
13. HAAS, Claude Raymond. *Pratique de la publicité,* Paris, Dunod, 1970, p. 280.

CHAPITRE 6

QUELS TYPES DE MISES EN PAGES MARCHENT LE MIEUX

Une mise en page claire et simple *attirera* le lecteur vers votre annonce tandis qu'une mise en page surchargée le *repoussera*. Helmut Krone, qui a été directeur artistique chez Doyle Dane Bernbach, dit: « Quand vous n'êtes pas simple et élémentaire avec les gens, vous êtes en danger[1]. »

Plus votre illustration est grande, plus votre annonce attirera l'attention. Plus votre texte sera lu. Et mieux, on se souviendra de votre publicité.

Attention aux publicités qui contiennent trop d'illustrations. En règle générale, il vaut mieux utiliser une seule photo. Cependant, dans tous les cas où vous aurez à vous servir de plus d'une illustration, vous augmenterez vos chances de retenir le lecteur si une de vos photos domine les autres.

Les publicités à dominance image sont plus efficaces que les publicités à dominance texte. En moyenne, les premières sont mémorisées par 41 % de lecteurs de plus que les secondes[2].

Quand vous faites ressembler vos publicités à des affiches miniatures, vous augmentez le taux d'attention et de lecture de votre annonce.

On s'est aperçu que les textes longs sont lus par plus de personnes si on prend soin de les décorer de petites illustrations.

Les annonces surchargées ont un aspect horrible et repoussant. Elles sont à éviter.

Certaines personnes pensent que les marges, les blancs, et les intervalles entre les paragraphes sont des pertes d'espace. Ne les écoutez pas ! Les mises en pages aérées permettent la mise en valeur de vos titres, vos textes et vos illustrations, tout en facilitant la lecture de votre texte.

Les mises en pages horizontales (photos en haut, titre sous l'illustration et texte sous le titre) font toujours des merveilles. Dans une étude réalisée il y a quelques années, Mills Shepherd a constaté que 35 des 36 publicités-magazines les plus lues utilisaient une mise en page horizontale[3].

Toute chose étant égale par ailleurs, c'est votre mise en pages qui décidera du succès ou de l'échec de votre annonce.
À gauche : *cette mise en pages horizontale publiée dans le* Ladies' Home Journal *obtint un score d'attention de 64 %.*
À droite : *même titre, même texte. Et pourtant, cette mise en pages verticale fit chuter le taux d'attention de près de 50 %.*

Source : *Hepner, Harry Walker.* Advertising : Creative Communication with Consumers, *New York, McGraw-Hill, 1964, 4e édition, p. 469.*

À l'opposé, les mises en pages verticales (photos d'un côté, texte de l'autre) sont à éviter. Nous sommes conditionnés à voir du texte sous une illustration. Si nous voyons du texte à gauche ou à droite d'une photo, nous ne le lisons pas. Quand les responsables de la publicité des savons Dove sont passés d'une mise en pages horizontale à une mise en pages verticale, le taux de lecture a chuté de près de 50%[4].

Ce n'est pas une mauvaise idée de faire ressembler vos publicités à des articles de journaux, des pages couvertures de

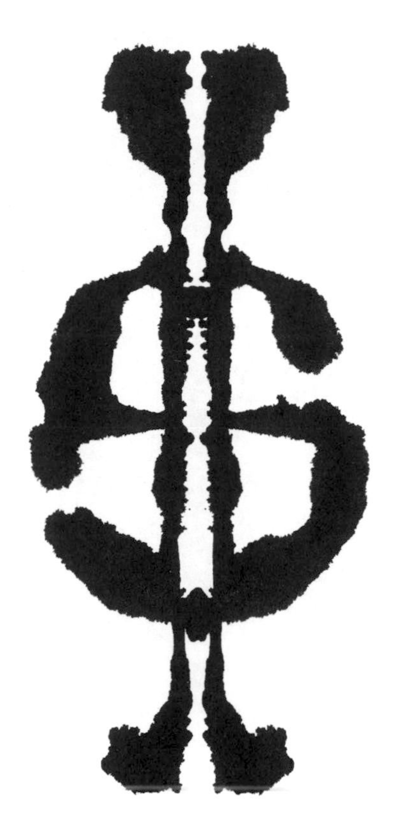

Some people see only success.

Some people are more psyched to succeed than others. They perceive the value of the American Express® Card. After all, you can use it at the finest hotels, resorts and restaurants. Plus 100,000 quality shops worldwide. In fact, the American Express Card can eliminate the need for any other card.

Without further analysis, fill out the attached application. Or call 800-528-8000. It could give your life a new interpretation. Whether you're old or Jung. © American Express Travel Related Services Company, Inc. 1983.

C'est une bonne idée d'épouser le contenu rédactionnel de votre support. Cette publicité d'American Express publiée dans la revue Psychology Today *reprend à son compte le test de Rorschach.*

Québec, Le Soleil, mardi 13 octobre 1987 — A-7

Le mot «place» est devenu un fourre-tout...

Les municipalités du Québec ne sont pas pleinement conscientes qu'elles jouissent de compétence exclusive en matière de dénomination de noms de lieux, affirme l'Association des usagers de la langue française (ASULF).

par Lise LACHANCE

L'organisme est arrivé à cette conclusion dans sa bataille contre l'utilisation du mot «place» dont usent et abusent les promoteurs de tout poil.

La Grande Place, Place de la Cité, Place Fleur-de-Lys, Place Laurier, Place Sainte-Foy, Place Alexandra, etc. Tout ce chapelet de noms connus que les Québécois égrennent sans même y penser... ne sont pas français!

Une «place», en français, désigne et a toujours désigné un «lieu public, espace découvert, généralement entouré de constructions» (dictionnaire Robert) ou un «large espace découvert auquel aboutissent plusieurs rues dans une ville» (Larousse). Rien à voir, donc, avec les immeubles et centres commerciaux affublés de ce nom.

Fourre-tout

«Le mot «place» est utilisé au Québec pour désigner n'importe quoi. Il est devenu un fourre-tout, a perdu la signification propre qui est la sienne en français. Il y a une action énergique à prendre si l'on veut stopper la prolifération du sens fautif de ce mot et faire disparaître ce dernier comme appellation de nombreux immeubles», affirme l'ASULF.

Le groupe fait présentement des démarches auprès des promoteurs, des autorités municipales, de l'Office de la langue française, de la Commission de toponymie et de la Commission de protection de la langue française.

C'est grâce à ses pressions que le ministère de la Justice a décidé d'appeler les palais de justice de Québec et de Chicoutimi par leur nom au lieu de Place de la justice, qui désignait le premier, et de Maison de la justice, qui coiffait le deuxième. En français, on le sait, une maison de justice n'est pas l'endroit où sont jugés les prévenus, mais bien un établissement pénitenciaire.

L'association a déjà communiqué avec des architectes, des urbanistes et des linguistes afin qu'ils interviennent personnellement dans ce dossier. Elle n'écarte pas le recours à d'autres moyens.

«Grande Place»

En ce qui concerne plus particulièrement l'appellation «Grande Place» qui désigne le projet immobilier de $150 millions prévu dans Saint-Roch, l'ASULF a protesté énergiquement auprès du maire de Québec, du promoteur Laurent Gagnon et des deux grandes compagnies associées au projet, La Laurentienne et Citicom, cette dernière de Toronto. Il a également sensibilisé une dizaine d'organismes parmi lesquels la Commission des biens culturels, le Rassemblement populaire, le CLSC Basse-ville, le Comité de surveillance de la Côte d'Abraham, le Comité de pastorale de la paroisse Saint-Roch.

Le maire Pelletier a répondu que cette appellation est temporaire et ne sert qu'à identifier le projet. L'ASULF attend encore des nouvelles de Laurent Gagnon, à qui elle a écrit depuis plus de six mois.

Les mots ne manquent pourtant pas pour désigner des ensembles immobiliers, note l'Association des usagers de la langue française. On n'a que l'embarras du choix entre habitation, tour, complexe, terrasses, cité, immeubles, galeries, centre, ensemble, foyer, manoir, résidence, appartements, etc.

Soyez bien sûr que la matière rédactionnelle entourant votre annonce ne vienne pas la discréditer.
À gauche : *La présence d'un article dénonçant l'omniprésence du mot Place déprécie indirectement la publicité des magasins Place Laurier.*
À droite : *Le rince-dents Plax exploite à merveille le contenu rédactionnel de sa page ; un cours sur les soins hygiéniques proposé par le ministère de l'Éducation et la direction de la Formation à distance.*

magazines ou des bandes dessinées, car de nombreuses personnes ont tendance à se méfier de la publicité. Ils perçoivent la plus grande partie des annonces imprimées comme étant de l'information biaisée à la source, ce qui les amène à sauter par-dessus les mises en pages conventionnelles. En imitant le fait divers, la bande dessinée ou la page couverture d'un magazine, vous contournez cet obstacle.

Si vous annoncez un produit alimentaire, il vaut mieux inclure une recette. Marion Harper, qui a été président de McCann-Erickson et à l'origine du Groupe Interpublic, a constaté que les publicités qui offrent des recettes sont lues par environ 220 % plus de lecteurs que celles qui n'en contiennent pas[5].

Chaque fois que vous avez un certain nombre de faits à exposer, utilisez des en-têtes numérotés de préférence aux sphères, aux pastilles et aux autres signes en marges. Par exemple, au lieu de faire ceci :

- ...
- ...
- ...

faites plutôt cela :

1. ...
2. ...
3. ...

En plus de faciliter la compréhension et l'apprentissage de votre message, les en-têtes numérotés donnent l'impression que vous avez quelque chose d'important à dire. Ils tirent parti de ce penchant qu'a l'esprit de « dresser des listes » quand il tente de faire face à la complexité.

TAILLE ET FORMAT

La taille d'une annonce constitue un élément important du rendement publicitaire. Dans une étude publiée dans la revue *Journal of Advertising Research*, Verling Troldahl et Robert Jones ont fait l'analyse de quatre facteurs (taille de l'annonce, type de produit annoncé, ratio texte-illustration et nombre de points abordés dans le texte publicitaire) et leur incidence sur le taux de lecture d'une publicité. Ils ont découvert que la dimension à elle seule comptait pour 40 % du total de lecture des annonces d'un quotidien et le type de produit pour 19 %. Enfin 39 % ont été attirés par le côté artistique de l'annonce[6].

Il existe un rapport entre la taille de votre annonce et sa valeur d'attention. Les doubles pages retiennent davantage l'attention du lecteur que les simples pages qui, à leur tour, attirent davantage l'attention que des annonces d'une demi-page. Toutefois, c'est une erreur de croire que le pouvoir de retenir l'attention croît proportionnellement avec la surface qu'occupe votre publicité.

Les enquêtes touchant la publicité dans les journaux et les périodiques ont conduit à la découverte de la loi de la « racine carrée » en publicité, selon laquelle plutôt que de croître avec la dimension d'une annonce, l'attention n'augmente qu'avec la racine carrée de celle-ci[7]. En d'autres termes, vous devez quadrupler la dimension d'une annonce pour doubler sa valeur d'attention.

Lawrence Ulin[8] a démontré que le *format* d'une revue n'influence pas le rendement publicitaire. Par exemple, une annonce d'une simple page publiée dans une revue de *petit* format comme le *Reader's Digest* est perçue et retenue par le même nombre de lecteurs qu'une annonce d'une page publiée dans une revue de *grand* format comme *Life*. Il faut donc noter que la dimension d'une annonce est évaluée par le lecteur non en centimètres absolus, mais par rapport au format du magazine ou du journal où elle est insérée.

En revanche, la *forme* d'une annonce imprimée peut influencer son rendement. Comparant une annonce d'un quart de page imprimée sur une seule colonne publiée dans les magazines *Life* et *Saturday Evening Post*, avec une annonce de format carré de même surface, Starch remarqua que les taux de reconnaissance et de lecture de la première annonce étaient de 29 % supérieurs à ceux de l'annonce carrée[9].

Plus vous utiliserez de grands espaces, plus les consommateurs tiendront pour acquis que vous êtes solide. Dans son livre *27 Most Common Mistakes in Advertising*, Alec Benn mentionne que les lecteurs associent la taille d'une publicité à la taille de l'annonceur. D'après Benn, les lecteurs tiennent pour acquis qu'une petite entreprise utilisera des annonces de petite taille alors qu'une plus grande entreprise optera pour des annonces de plus grande taille[10].

En publicité industrielle, les grands espaces sont plus payants qu'en publicité commerciale[11].

Si vous devez faire de la publicité-magazine sur une double page, assurez-vous que la marge du centre ne vienne pas réduire l'intelligibilité de votre titre, de votre texte et de votre illustration.

Lorsque votre annonce s'étend sur plusieurs pages, assurez-en la liaison : par la reprise de la marque à chaque page, par l'utilisation de points de suspension, par la disposition du titre sur deux pages vis-à-vis ou par l'utilisation du même fond pour les deux pages.

COMMENT CHOISIR UN SUPPORT PLUTÔT QU'UN AUTRE ?

Pour faciliter votre choix, vous devez vous poser les questions suivantes :

- Quel est le territoire de diffusion de votre support ?
- Quelle est sa fréquence et son moment de parution ?
- Quel genre de lecteur lit ce support ?
- Quel est le sexe des lecteurs ?
- Quel âge ont-ils ?
- Quelle est leur profession ?
- Quelle est la langue utilisée par le support ?
- Quel est le prix de vente du support ?
- Quel est son tirage ?
- Quel est son coût par mille (CPM) ?

Investissez dans des publications bénéficiant d'un taux d'intérêt élevé. Une étude réalisée par le *Reader's Digest* indique que plus le support sur lequel apparaît votre publicité est coté — à ne pas confondre avec le tirage — plus votre publicité risque d'obtenir un score d'appréciation élevé. Le même phénomène a également été observé pour les commerciaux télévisés[12].

QUELLES SONT LES MEILLEURES POSITIONS POUR ATTIRER L'ATTENTION ?

Je suis convaincu qu'un emplacement de premier choix ne sauvera pas une annonce de mauvaise qualité. Cependant, si vous avez entre les mains une campagne à succès, et si vous avez les moyens de vous payer quelques petits extra, lisez bien ceci :

1. Les annonces imprimées sur la couverture 2, la couverture 3 et la page 1 sont lues par 30 % plus de personnes que les annonces situées dans les pages intérieures[13].

2. Les annonces situées sur la quatrième couverture — dos du magazine — obtiennent un score de lecture 64 % plus élevé que la matière rédactionnelle située à l'intérieur du magazine[14].

3. Les annonces apparaissant dans les premiers 10 % d'une revue ont un taux de lecture 10 % plus élevé que la norme[15]. La recherche recommande d'éviter la dernière moitié d'un magazine, spécialement le dernier quart[16] .

4. La page de couverture à rabat augmente de façon importante le taux de lecture.

5. Les pages de droite obtiennent un rendement supérieur aux pages de gauche. En marketing direct, Bob Stone révèle que les pages de droite entraînent jusqu'à 15 % de coupons-réponse de plus que les pages de gauche[17].

6. Le centre de la revue, surtout si celle-ci rassemble habituellement ses publicités au début ou à la fin, donne de bons résultats.

7. La mémorisation est meilleure pour la première partie de la revue, moins bonne pour la dernière partie.

8. Les annonces à fond perdu (*bleed*) obtiennent en moyenne des scores de lecture un peu plus élevés.

9. Même si elles coûtent deux fois plus cher, les annonces double page sont à conseiller. Elles génèrent des taux d'attention et de lecture élevés. Selon Gallup & Robinson, elles donnent de l'importance et du prestige à un produit.

10. Les annonces situées dans le haut d'une page obtiennent un lectorat supérieur à celles situées dans le bas.

11. Les publicités accompagnées de recettes ou de coupons obtiennent des taux de lecture plus élevés que la moyenne[18]. Toutefois, une étude réalisée dans 15 magazines montre hors de tout doute que les annonces contenant des concours sont moins efficaces que celles qui n'en contiennent pas[19].

12. Une page constituée d'un papier de densité différente que celui couramment utilisé dans la revue donne de bons résultats.

13. Une page d'un format plus petit que celui de la revue fonctionne bien.

14. Une simple page volante insérée dans la revue est un procédé efficace.

15. Les « *pop-up* » (sorte de publicité en trois dimensions qui s'élèvent lorsque la page d'un magazine est ouverte) et les hologrammes coûtent très cher, mais ils obtiennent des résultats, fort intéressants.

    En 1986, Transamerica Corporation investissait 3 millions de dollars, ou 35 % de son budget total, pour un « *pop-up* » apparaissant dans la page centrale du magazine *Time*. Le montage de la publicité, qui parut dans les 4,6 millions de copies du célèbre magazine, occupa 560 personnes et nécessita 420 000 heures de travail. Une enquête indiqua que 96 % des lecteurs de *Time* se rappelaient avoir vu la publicité ; 91 % avaient lu plus de la moitié de l'annonce ; et 69 % des lecteurs avaient une opinion très favorable de l'entreprise[20].

16. Les dépliants et les petits guides insérés dans les revues donnent des résultats positifs, même s'ils pénalisent les publicités adjacentes. Un spécial de 8 pages de John Hancock obtint un taux de mémorisation de 40 % ; un 20 pages de l'Association des vendeurs de livres des USA, 50 % ; un 24 pages de K-Mart pour faire la promotion des jeux d'hiver, 83 %.

17. Une publicité placée à côté de certaines rubriques qui ont un rapport avec votre produit est également un très bon moyen de capter l'attention. Une annonce de produits de beauté située dans la section sportive obtiendra un taux de lecture moins élevé que si elle était située dans une section de mode.

PUBLICITÉ EN COULEURS OU PUBLICITÉ EN NOIR ET BLANC ?

Même si elles coûtent plus cher, je vous conseille fortement d'imprimer vos publicités en couleurs. En effet :

1. La publicité en couleurs attire l'*attention*. Une étude réalisée par Daniel Starch sur un échantillon de 23 000

messages publicitaires portant sur un certain nombre de classes de produits — alcool, tabac, automobile, nourriture et commerce de détail — apparaissant dans cinq journaux publiés sur la côte Est des États-Unis a montré que, quelle que soit leur taille, les messages en quatre couleurs étaient nettement plus remarqués que ceux en noir et blanc ou en deux couleurs[21].

Une étude similaire réalisée sur plus de 25 000 annonces parues dans diverses revues américaines — *Life, Saturday Evening, Ladies' Home Journal* et *McCall's* — est arrivée à des résultats identiques[22].

2. La publicité en couleurs *augmente* votre taux de lecture. Tout élément étant égal par ailleurs, l'addition d'une couleur augmente le taux de lecture de 22 % alors que l'addition de deux et de trois couleurs l'augmente de 68 %[23].

3. La publicité en couleurs favorise la *mémorisation* de votre annonce. En moyenne, les publicités imprimées en couleurs sont deux fois plus mémorisées que les publicités en noir et blanc[24].

4. La publicité en couleurs rehausse le *prestige* de votre produit[25]. L'utilisation de la couleur dans les médias imprimés tend à rehausser le prestige de l'annonceur, de la marque et du service offert. Les consommateurs perçoivent l'utilisation de la couleur comme une démonstration de force, de puissance et de solidité.

5. La publicité en couleurs fait *vendre*. Pour des articles à prix réduits au détail, l'addition d'une couleur à une annonce en noir et blanc entraîne une augmentation des ventes d'environ 41 %[26].

6. La publicité en couleurs est plus *appétissante*. Votre sujet apparaît plus vivant, plus attrayant, plus réel. L'utilisation de la couleur s'impose en particulier dans la publicité des produits alimentaires puisqu'elle a pour effet de rendre la nourriture plus appétissante.

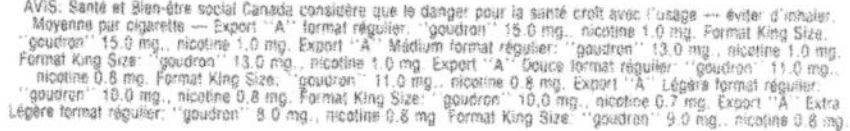

Rien de mieux qu'un code de couleurs pour aider le client à différencier aisément les divers produits d'une même marque.

7. La publicité en couleurs permet de mettre en valeur certains éléments de votre message. Dans un journal quotidien imprimé en noir et blanc ou dans une annonce imprimée en noir et blanc, l'utilisation de la couleur augmente l'impact de votre annonce en attirant l'attention sur l'essentiel : la marque ou le produit.

8. La publicité en couleurs identifie votre marque. Elle aide à son identification rapide. Seven-Up est vert, Coke est rouge, Pepsi est bleu ; Hertz est jaune, Avis est rouge et National est vert[27]. Encadrée par les couleurs caractéristiques de la marque, c'est-à-dire le jaune et le bleu, Ultramar est immédiatement reconnue et identifiée par le lecteur.

En utilisant une combinaison de jaune et de bleu, cette publicité d'Ultramar permet d'identifier plus aisément l'annonceur.

Si vous utilisez de la couleur dans une annonce imprimée en noir et blanc, vous augmentez l'impact de votre publicité et attirez l'attention sur la marque et le produit. Souvenez-vous que les objets imprimés en couleur ont le don de se détacher avec force.

Une illustration en couleurs attire plus l'attention qu'une illustration en noir et blanc. Mais cela ne signifie pas automatiquement qu'une illustration en couleurs soit meilleure qu'une annonce en noir et blanc. En réalité, tout dépend du but poursuivi.

- *Quand vous cherchez à faire surgir un imaginaire, des fantasmes, le noir et blanc, parce qu'il est secret, est tout à fait recommandé. L'ambiance mystérieuse qui s'en dégage est naturellement vibrante.*

Ne rien faire, c'est mal traiter un enfant

Vous pouvez dès maintenant mettre fin aux souffrances d'un enfant... à l'une des pires qui soient: la pauvreté.

La faim... la maladie... et le désespoir sapent l'existence d'un trop grand nombre d'enfants.

Grâce à vous, leur sort peut s'améliorer.

Parrainez un enfant déshérité à raison de $23 par mois (75¢ par jour seulement). En abolissant ainsi les distances, un enfant, sa famille et la communauté seront mieux logés, obtiendront des soins médicaux et une éducation et surtout, retrouveront l'espoir.

Vous constaterez *vous-même* les progrès, sur des photos, des bilans détaillés et dans des lettres émouvantes. Vous améliorerez pour toujours les conditions de vie d'un enfant et ce, pour une somme vraiment minime.

Agissez dès aujourd'hui. Car ne rien faire, c'est le pire des mauvais traitements.

APPELEZ SANS FRAIS EN TOUT TEMPS LE 1-(800)-268-7174
Des renseignements vous seront aussitôt envoyés

PLAN

PLAN DE PARRAINAGE DU CANADA
(Agence internationale de développement humain)
153 OUEST, AVENUE ST. CLAIR, TORONTO, CANADA M4V 1P8

Je veux parrainer un garçon ☐ une fille ☐ de .... ans
du pays suivant .... ou selon les besoins les plus pressants ☐
Veuillez trouver ci-inclus ma contribution mensuelle: $23.00 ☐ trimestrielle: $69.00 ☐
semestrielle: $138.00 ☐ annuelle: $276.00 ☐
Je ne puis le faire pour le moment, mais j'inclus une contribution de $ ....
Je désire de plus amples renseignements ☐ Numéro de tél ....
M. ☐ Mme ☐ Mlle ☐ ....
Adresse ....
Ville .... Prov .... Code ....
J'aimerais recevoir ma correspondance en français ☐ anglais ☐

Le PLAN fonctionne en Bolivie, Colombie, Egypte, El Salvador, Equateur, Guatemala, Haïti, Haute-Volta, Honduras, Indes, Indonésie, Kenya, Libéria, Mali, Népal, Nicaragua, Philippines, Sénégal, Sierra Leone, Soudan, Sri Lanka et Thaïlande. Le Plan de Parrainage du Canada est officiellement enregistré comme organisme de charité canadien par le Gouvernement fédéral. Les contributions sont déductibles des impôts.

Spend time in America's toughest prison.
Newsweek did.
BATTLE OF THE TV TALK SHOWS
Newsweek
Inside America's Toughest
PRISON
We took you inside America's toughest prison to bring you face-to-face with the need for prison reform. Outfront and outspoken. That's what Newsweek is and what we will always be.

- *Quand vous voulez faire sérieux. Les photos en noir et blanc ont un caractère informatif; elles semblent communiquer davantage de faits et ont une certaine retenue. Une publicité destinée à amasser des fonds pour combattre la famine ou une annonce destinée à parler des conditions d'incarcération nécessite une illustration en noir et blanc.*

- *Quand vous voulez donner un cachet ancien à vos annonces, une photo en noir et blanc est toujours la bienvenue.*

- *Quand vous cherchez à évoquer un temps fort de la vie, ce moment longtemps attendu, intensément désiré, utilisez le noir et blanc. Aucun traitement graphique n'est plus indiqué pour suggérer le moment gagné de haute lutte, l'instant précis du succès.*

NOTES

1. VASKE, Hermann. « On One Hand You have the Saatchis, and on the Other, Mother Teresa », *Archive*, vol. 2, 1989, p. 9.
2. ALMASY, Paul. *La Photographie, moyen d'information*, Tema, Paris, 1975, p. 77.
3. BAKER, Stephen. *Visual Persuasion : The Effect of Pictures on the Subconscious*, New York, McGraw-Hill, 1961, chapitre 3.
4. HEPNER, Harry Walker. *Advertising : Creative Communications with Consumers*, New York, McGraw-Hill, 1964, p. 469.
5. HARPER, Marion. *Getting Results from Advertising*, New York, Funk & Wagnalls Co. Inc., 1948, p. 41.
6. TROLDAHL, Verling C. et Robert L. JONES. « Predictors of Newspapers Advertisement Readership », *Journal of Advertising Research*, vol. 5, nº 1, mars 1965, p. 23-27.
7. HENDSON, Donald Wayne. « How Mechanical Factors Affect Ad Perception », *Journal of Advertising Research*, vol. 13, nº 4, août 1973, p. 40.
8. ULIN, Lawrence. « Pénétrations comparées de deux différents formats », *Communication et Langage*, nº 1, mars 1969, p. 70-78.
9. STARCH, Daniel. *Measuring Advertising Readership and Results*, New York, McGraw-Hill, 1966, p. 73-75.
10. BENN, Alec. *The 27 Most Common Mistakes In Advertising*, New York, Amacom, 1978, p. 35.
11. ROSSITER, John et Larry PERCY. *Advertising & Promotion Management*, New York, McGraw-Hill, 1987, p. 622.
12. HEIMANN, Claude. « Summary of a Study on the Relationship in a Publication and Interest in Products Advertised in that Publication », *Reader's Digest Association*, mars 1984.
13. PRINTERS' INK. « Is Preferred Position Worth It ? », *Printers' Ink*, 25 août 1961, p. 43-44.
14. *Idem, ibidem.*
15. *Idem, ibidem.*
16. LIESSE, Julie. « Finding the Perfect Print Ad », *Advertising Age*, 13 août 1990, p. 25.
17. STONE, Bob. *Successful Direct Marketing Methods*, Chicago, Crain Books, 1979, p. 112.
18. STARCH. « Do "reader offer" ads pay off », *Starch Tested Copy*, vol. 1, nº 13.
19. STARCH. « Readership of Sweepstakes Advertisement », *Starch Tested Copy*, vol. 1, nº 15.
20. GENTALEN, Tiit. « Transamerica Pop-Up Unit Awareness », *Time Marketing Information*, septembre 1986, ME nº 9074; « The Transamerica Pop-Up Unit Advertising Effectiveness Study », *Time Marketing Information*, octobre 1986.

21. PRINTERS' INK. « What Stirs the Newspaper Reader », *Printers' Ink*, 21 juin 1963, p. 48-49.
22. STARCH, Daniel. *Measuring Advertising Readership and Results*, New York, McGraw-Hill, 1966, p. 60.
23. *Idem, ibidem*, p. 61.
24. *Idem, ibidem*, p. 31.
25. RUNYON, Kenneth. *Advertising and the Practice of Marketing*, Columbus, Charles E. Merrill Publishing Co., 1979, p. 239.
26. AUSTIN, Larry et Richard SPARKMAN. « The Effect on Sales of Color in Newspaper Advertisements », *Journal of Advertising*, vol. 9, nº 4, 1980, p. 39-42 ; voir aussi GARDNER, Burleigh B. et Yehudi A. COHEN. « ROP Color and its Effect on Newspaper Advertising », *Journal of Marketing Research*, vol. 1, nº 2, mai 1964, p. 68-70.
27. TOM, Gail et coll. « Cueing the Consumer : The Role of Salient Cues in Consumer Perception », *The Journal of Consumer Marketing*, été 1987 in RICHARDSON, John E. *Marketing 88/89*, Guilford, Connecticut, Dushkin Publishing Group Inc., 1988, p. 112-115.

CHAPITRE 7

QUELLE EST LA SIGNIFICATION CACHÉE DES COULEURS

Si vous décidez de faire de la publicité en couleurs, vous devez savoir que chaque couleur a une signification cachée.

Vous augmentez vos chances de réussite si vous comprenez que la couleur provoque, par un effet de *synesthésie*, la perception suggestive d'un degré de qualité, de légèreté, de douceur, de dureté, de force, de prestige, de prix, de température, de pureté, de goût, d'odeur, de féminité ou de masculinité.

Un jour, Louis Cheskin[1], le directeur d'une firme spécialisée dans les études sur la couleur, demanda à des ménagères d'essayer le détersif contenu dans trois boîtes différentes et de décider quel serait le meilleur pour laver du linge délicat. La première boîte était de couleur jaune, la seconde était bleue et la troisième avait des points jaunes sur un fond bleu.

Bien que remplis du même produit, les emballages ont suscité des réactions différentes chez les ménagères. Le détersif contenu dans la boîte jaune était trop fort; il abîmait le linge. Celui de la boîte bleue était peu actif; le linge n'était pas propre. Par contre, le détersif de la boîte bleue et jaune donnait d'excellents résultats[2].

Lors d'une autre enquête, on offrit à un groupe de femmes deux échantillons d'une même crème de beauté, l'une dans un pot rose et l'autre dans un pot bleu, et on leur demanda de les essayer.

Presque 80 % des femmes déclarèrent que la crème contenue dans le pot rose était plus douce, plus délicate et plus efficace que celle contenue dans le contenant bleu. Pourtant, la composition des deux produits était identique[3].

Une bonne couleur peut en réalité *augmenter* les ventes de votre produit. Le succès des ventes des cigarettes Lucky Strike et Marlboro est dû, entre autres, à une modification des couleurs de l'emballage.

Il y a plusieurs années, l'Orange Crush, boisson gazeuse à l'orange, était vendue dans une petite bouteille brun foncé. Après que la firme Jim Nash Associates eut redessiné la bouteille — la concevant plus grande, transparente et d'aspect moderne, laissant voir la couleur orange du produit, au lieu de la dissimuler comme un médicament —, le vice-président de la société productrice, A. E. Repenning, rapporte que les ventes triplèrent en un mois[4].

De même, il a suffi à la firme Lever de vendre le savon Lux en pain de plusieurs couleurs — rose tendre, vert clair, turquoise et jaune — au lieu de la seule couleur jaune habituelle, pour qu'il devienne le premier savon de toilette de luxe sur le marché[5].

Il n'est pas exagéré, à partir de ces exemples, de dire que les gens achètent non seulement le produit lui-même, mais aussi des couleurs. Je vais donc vous révéler ce qu'il faut savoir sur le sujet.

SIGNIFICATIONS CACHÉES DES COULEURS

Chaque couleur possède une valeur d'expression émotive particulière[6].

1. Le rouge

Il est, d'une part, le symbole de l'amour et de la chaleur, de la sensualité et de la passion. D'autre part, il s'identifie à la révolte et au sang, au diabolique et au feu dévorant. C'est la couleur la plus violente, la plus dynamique et avec le plus fort potentiel d'action. Elle exprime la joie de la conquête et de la révolution. Le rouge augmente la pression sanguine, la tension musculaire et le rythme respiratoire. C'est la couleur de l'érotisme lancinant et pressant.

Tout comme l'illustration, la couleur exerce ses effets à un niveau inconscient. Les consommateurs établissent une relation psychologique entre la couleur de la publicité, de l'emballage et de son contenu. Un paquet de cigarettes noir brillant, par exemple, suggère la classe et le raffinement, mais il s'apparente plutôt mal à une cigarette légère. Pourtant, beaucoup de publicités et d'emballages n'éveillent aucune association d'idées, ni rapport avec le produit. Il est intéressant de relever quelques exemples classiques d'erreurs d'emballages : présenter sous un rouge ardent et excitant, un café sans caféine qui justement n'excite pas, présenter dans un jaune stimulant des somnifères dont le travail consiste pourtant à nous endormir, ou promouvoir du sucre dans un emballage vert, couleur rattachée à un goût amer.

Marlboro
SURGEON GENERAL'S WARNING: Quitting Smoking Now Greatly Reduces Serious Risks to Your Health.

Le rouge convient bien aux produits à connotation virile comme les cigarettes.

Le rouge *pourpre* est sévère, traditionnel et riche. Le rouge *bordeaux* est luxueux et élégant. Le rouge *cerise* prend une note sensuelle. Le rouge *moyen* incarne l'activité, la force, le mouvement et les désirs passionnels. Plus clair, il signifie force, fougue, énergie, joie et triomphe.

Vous pouvez utiliser le rouge :

A. Pour les produits destinés à combattre le feu.

B. Pour tous les produits à connotation virile — automobile sport, cigarette, crème à raser — puisque le rouge dégage un attrait particulièrement masculin.

C. Pour tous les produits de consommation achetés impulsivement comme le chocolat ou la gomme à mâcher.

D. Pour tous les produits alimentaires. Le rouge est promesse de qualité, de valeur, et il est suffisamment neutre pour englober toutes les marchandises de l'entreprise.

Le rouge bordeaux de cette illustration suggère le luxe et l'élégance.

E. Pour tous les interdits et les avertissements.

Les propriétaires de *fast food* utilisent à bon escient les propriétés du rouge lorsqu'ils en peignent leur salle à manger. Ils incitent le consommateur à se presser, accélérant ainsi sensiblement la rotation en accroissant le dynamisme des consommateurs[7].

Pour les mêmes raisons, les ouvriers en devoir ont tendance à passer moins de temps dans des toilettes peintes en rouge que dans celles peintes en bleu[8].

2. L'orangé

Il évoque la chaleur, le feu, le soleil, la lumière et l'automne... d'où ses effets psychologiques d'ardeur, de stimulation et de jeunesse. En grande quantité, l'orangé accélère les pulsations cardiaques tout en restant sans effet sur la pression sanguine. Frivole à l'excès, on ne le prend pas au sérieux. Il convient bien au ravioli, aux mets préparés, aux conserves de viande et de produits à base de tomates.

3. Le jaune

Il est gai, vibrant et sympathique. C'est la couleur de la bonne humeur et de la joie de vivre. Il est tonique et lumineux, et donne, tout comme l'orangé, l'impression de chaleur et de lumière. Le jaune accroche particulièrement le regard des consommateurs surtout lorsqu'il est jumelé avec le noir. Il convient bien psychologiquement aux produits associés au maïs, au citron et aux lotions de bronzage.

4. Le vert

Il invite au calme et au repos — il a la propriété d'abaisser la pression sanguine et de dilater les capillaires. C'est un symbole de santé, de fraîcheur et de naturel qui est souvent utilisé pour les légumes en boîte et les produits du tabac, en particulier ceux qui sont mentholés, comme les cigarettes.

Le vert est aussi la couleur de l'espérance. Le pont de Blackfrier à Londres, jadis célèbre pour ses suicides lorsqu'il était peint en noir, a vu le nombre de désespérés l'utilisant diminuer d'un tiers lorsqu'on l'a repeint en vert[9].

5. Le bleu

Il évoque le ciel, l'eau, la mer, l'espace, l'air et les voyages. Il est associé à des idées de merveilleux, de liberté, de rêve et de jeunesse. C'est une couleur calme, reposante et transparente, qui inspire paix, détente et sagesse. À sa vue, la tension musculaire, le rythme respiratoire et la pression sanguine décroissent.

Frais dans les tons clairs, le bleu devient froid dans les tons soutenus. Le bleu convient bien aux produits congelés — pour donner une impression de glace — et à tous les rafraîchissements : bière, boisson gazeuse, eau en bouteille, etc., surtout lorsqu'il est jumelé au blanc. Le bleu-vert est la plus froide des couleurs.

Fait à noter, des survivances de nos modes alimentaires d'autrefois nous incitent à rejeter les boissons et les aliments bleus. Nos préférences nous attirent plutôt vers les couleurs des noix, des

Le bleu évoque le ciel, l'eau et la mer. Il convient bien à des produits qui promettent des idées et des peaux fraîches.

racines et des fruits mûrs : les blancs, les rouges, les bruns et les jaunes[10].

6. Le violet

Il est un rouge refroidi au sens physique et psychique du mot. Il y a en lui quelque chose de maladif, d'éteint, de triste[11]. Si on l'associe

Le violet est rarement utilisé en publicité si ce n'est pour évoquer une atmosphère de royauté.

si souvent à l'idée de royauté et d'apparat religieux, c'est que le violet a pendant longtemps été préparé à partir d'une recette connue des seuls Phéniciens qui la fabriquaient à partir de glandes de mollusques pêchés dans des filets fins. Le violet est rarement utilisé en publicité si ce n'est pour conférer au produit une impression de royauté.

7. Le brun

Il est associé à la terre, au bois, à la chaleur et au confort. Il incarne la vie saine et le travail quotidien. Il exprime le désir de la possession, la recherche d'un bien-être matériel. Le brun est masculin. Il sert à vendre n'importe quoi aux hommes.

8. Le noir

Il est associé à des idées de mort, de deuil, de tristesse, de terreur et de solitude. Il rappelle la nuit et recèle, par le fait même, un caractère impénétrable. Le noir est sans espoir, sans avenir. D'un autre côté, le noir confère de la noblesse, de la distinction et de l'élégance. Il s'en dégage un caractère sophistiqué qui convient bien aux produits de grande qualité comme les parfums et les vins ou pour simuler des produits coûteux comme le chocolat, par exemple.

Si le noir est employé si fréquemment en publicité, c'est qu'il est particulièrement utile pour provoquer des contrastes ; il met en valeur les couleurs qui prennent place à ses côtés.

9. Le blanc

Bien qu'il soit très brillant, le blanc est plutôt silencieux et légèrement froid. En grande quantité, il cause l'éblouissement. Seul, il crée une impression de vide et d'infini qui regorge de possibilités. Le blanc symbolise la pureté, la perfection, le chic, l'innocence, la chasteté, la jeunesse, le calme et la paix. Il personnifie la propreté, surtout quand il est à proximité du bleu. C'est le compagnon idéal de toutes les couleurs puisqu'il a pour effet d'en rehausser le ton.

10. Le gris

Il est l'expression d'un état d'âme douteux. Sa pâleur rappelle l'épouvante, la vieillesse et la mort. Le gris est par excellence la couleur sale.

11. Le rose

Il est timide et romantique. Il suggère la douceur, la féminité, l'affection et l'intimité.

Le noir évoque une atmosphère de luxe et de richesse. Il s'en dégage un caractère sophistiqué qui convient bien aux produits de grande qualité.

Le rose est une couleur toute désignée pour un tampon ou un produit destiné à calmer les maux d'estomac.

12. Les teintes pastel

Pour Favre et November, deux experts dans le domaine de la couleur, les traits caractéristiques des teintes pastel sont un adoucissement et un affaiblissement des particularités des couleurs dont elles proviennent. Elles sont la marque de l'intimité, de l'affection, des choses que l'on aime regarder dans la solitude, en silence.

L'AMOUR EST ROUGE, LE SEXE EST ROSE

La couleur est reliée aux émotions. Le spécialiste des études de motivations, Henry C. L. Johnson, a étudié intensivement la question et nous a livré l'essentiel de ses conclusions dans un article paru dans la revue *Marketing/Communications*[12]. Je m'en inspire largement pour mettre au point le tableau synthétique suivant :

En choisissant des teintes pastel, vous suggérez des idées de douceur, de délicatesse et de tendresse.

A
accablement - noir
accomplissement - rouge
action - rouge, brun
affliction - pourpre
agitation - rouge
alerte - rouge
amitié - vert
amour (divin) - violet
amour (humain) - rouge
amour (physique) - rouge orangé
attachement aux choses de ce monde - brun
automne - orange et brun
autorité - noir

B
beauté (divine) - jaune
beauté (humaine) - verte
belligérance - rouge orangé
bonheur - jaune orangé
bourgeoisie - vert
bravoure - rouge
brouillard - gris

C
calme - vert et bleu
camaraderie - brun
catastrophe - violet
cérémonie - violet
cerise - rouge
chagrin - noir
chair - rose
chaleur - rouge, jaune
chaleur (intérieure) - rouge orangé
chaos - violet
Chine - jaune
citron - jaune
colère - rouge orangé
compréhensibilité - jaune
confiance - bleu, jaune
connaissance - jaune
conservateur - bleu
constance - bleu
contentement - vert
cordialité (atmosphère) - brun
croissance - vert

D
danger - rouge
découragement - gris
dédicace - violet
délicatesse - teintes pastel, bleu
désagréable - vert olive
dévouement - noir
deuil - noir, violet
dignité - pourpre
distinction - jaune
dominance - rouge orangé, pourpre
douceur - teintes pastel
douleur - noir

E
éclaircissement - jaune
émotion humaine - rouge
empereur - rouge pourpre
enchantement - violet
endurance - orange
énergie - rouge
ennui - vert, gris
épouvante - bleu, violet, gris
équilibre - vert
espoir - vert
éternité - vert et bleu
estime - jaune

Le vert foncé est une couleur bourgeoise qui convient bien à une eau de toilette haut de gamme.

été - jaune et bleu
euphorie - orange
évasion - violet
excellence - jaune
excitation - rouge
exotisme - vert et bleu

F
fécondité - vert, brun
femme - rouge
fertilité - vert
feu - jaune
feuilles mortes - orange
fidélité - bleu, noir, argent
fièvre - rouge orangé
foi - bleu
force - orange
force (impulsive) - rouge orangé
force (physique) - brun
froid - bleu
frugalité - pourpre
funérailles - violet

G
gaieté - jaune
gloire - rouge
gourmet - brun

H
hiver - rouge et noir
honneur - or, bleu
humilité - bleu, noir

I
immatérialité - bleu
immortalité - bleu
impérial - rouge impérial
impressionnant - violet
innocence - argent, blanc
intangible - bleu
intelligence - jaune
intensité - jaune
intimité - rose
introverti - bleu

J
jalousie - jaune
jeunesse - vert
joie - jaune, rose, argent, vert

L
légèreté - blanc, argent, bleu
légumes - vert
légumes (croissance) - rouge orangé
lever de soleil - jaune orangé
libéral - rouge
loisir - vert
loyauté - or, noir

M
machine - gris
malheur - noir
marié - blanc
masculin - brun
massacre - rouge orangé
maturité - brun
mélancolie - pourpre, noir, gris
menace - violet
meurtre - noir
montagnes lointaines - bleu
mort - violet, noir
mystère - noir, bleu, violet

N
nature - vert
néant - bleu
noblesse - violet
Noël - rouge et vert

O
ombre - bleu
oppression - violet
or - jaune

P
paix - blanc
passé - gris
passion - rouge
passions amoureuses - rouge orangé
passivité - bleu
pénitence - noir
piété - violet
poussière - gris
pouvoir - bleu, noir
prestige - violet, bourgogne, blanc, jaune, or, noir
printemps - rose et vert
pureté - blanc, jaune, argent

Q
qualité supérieure - or

R
rayonnement - jaune
récessivité - jaune
récompense - bleu
repos - bleu, bleu et vert
révolte - rouge
révolution - rouge
richesse - violet
royauté - pourpre, noir

S
sacrifice - rouge orangé
sagesse - argent, gris
sainteté - blanc
santé - vert
secret - violet
sécurité - vert
sensibilité - bleu
sexe - rose
soif - jaune, orange, vert, brun, rouge, bleu, bleu-vert
solitude - violet
spiritualité - bleu, violet, jaune
splendeur - violet
sport - brun
superstition - violet

T
tendresse - bleu
trêve - blanc
triomphe - rouge orangé
tristesse - noir

U
utopie - violet

V
vaillance - rouge orangé
végétation - vert
vérité - bleu
victoire - rouge orangé
vie éternelle - vert
vieillesse - gris
vigueur - rouge
violence - rouge
virilité - brun
voix de femmes - jaune

Y
yeux - bleu

Cette publicité utilise l'or pour suggérer une qualité supérieure.

Lorsque vous tenez à évoquer la soif, utilisez le rouge, l'orange, le vert et le jaune.

Quand vous faites de la publicité dans des magazines ou des journaux, il est important de connaître la symbolique des couleurs principales. Cependant, il est aussi important de connaître la symbolique des couples de couleurs, car dans ce cas, le lecteur n'enregistre pas chaque élément isolément, mais plutôt l'ensemble des sensations.

Pour l'essentiel, vous devez savoir que la combinaison *rouge-jaune* signifie volonté de conquête et désir de nouveauté. Lorsque vous appliquez ces caractéristiques en utilisant le rouge et le jaune, l'effet psychologique est atteint si vous présentez des sources d'énergie comme des pompes à essence ou des boîtes d'allumettes.

La combinaison *rouge-vert* signifie volonté d'affirmation de soi-même, autorité et sûreté. Je vous la recommande quand vous voulez créer une impression de force et de solidité pour des produits d'entretien, par exemple.

La combinaison *rouge-bleu* signifie volonté de conquête, besoin de contacts intimes et érotiques. Elle convient à l'emballage de produits de beauté ou pour du papier à lettres d'amour.

La combinaison *rouge-noir* signifie excitation refoulée qui menace de se décharger en impulsions agressives. « Au théâtre ou au cinéma, écrit Max Lüscher, le costume du diable est rouge et noir. Avant qu'il n'ait prononcé un seul mot, il est déjà reconnu par l'effet psychologique de son habit[13]. »

La combinaison *jaune-bleu* est très dynamique. Elle suggère la puissance, l'efficacité, la vitesse et l'énergie.

La combinaison *bleu-rose* suggère douceur, enfance et légèreté. Elle éveille chez le consommateur des sentiments maternels et des motivations de protection. Elle convient bien aux produits de beauté et aux produits destinés aux bébés.

La combinaison *rouge-blanc* donne une impression de propreté et un caractère hygiénique.

La combinaison *bleu-blanc* provoque une sensation de fraîcheur et d'hygiène. Elle évoque un tempérament frais et jovial.

La combinaison *vert-bleu* suggère le repos, la fraîcheur et la nature.

Voici une annonce qui se sert à merveille de la combinaison bleu-rouge pour suggérer l'amour et la romance.

Vous avez raison de vous servir du rose et du bleu chaque fois que vous faites de la publicité pour des produits destinés aux bébés et aux enfants en bas âge.

Cette publicité de Salem utilise le vert et le bleu pour évoquer la fraîcheur de ses cigarettes au menthol.

La combinaison *blanc-noir* donne à vos publicités une impression de rigidité, de solennité, de chic et de bon goût.

La combinaison *jaune-rouge-bleu* est joyeuse et animée.

La combinaison *jaune-rouge-orange-vert-brun* évoque la soif, le fruit tropical mûr, le soleil et l'évasion.

Les combinaisons *multicolores* évoquent le dynamisme, la joie, et l'énergie des jeunes enfants.

Les couleurs suggèrent des degrés de *température*. Le jaune, l'orangé et le rouge, couleurs dites stimulantes, dynamiques et excitantes, sont chaudes. Leurs pouvoirs s'expriment au niveau du système nerveux sympathique et de l'activité glandulaire. La tension s'élève, la respiration et le rythme cardiaque s'accélèrent.

Réciproquement, le bleu, le vert et le violet, couleurs dites calmes et reposantes, sont froides. Elles agissent sur le système

"The beauty is motion, and motion does not last. Most things ephemeral have limited appeal, but the heart of the Olympics is that things shine for a moment and no more."
Roger Rosenblatt
Senior Writer, TIME

Les publicités qui utilisent le rouge et le jaune sont très dynamiques. Elles ont un caractère explosif.

parasympathique. Elles diminuent l'attention, le rythme pulmonaire et cardiaque.

Abraham Moles a calculé que le temps d'accrochage d'une annonce est de 1/10 de seconde en moyenne[14]. Pour retenir l'attention, votre annonce doit donc capter l'attention de vos lecteurs d'un seul coup d'œil. Certaines couleurs sont plus efficaces que d'autres pour attirer les regards.

Dans des conditions *normales*, les couleurs chaudes attirent plus l'oeil et se voient de plus loin que les couleurs froides. À ce titre, c'est l'orange clair ou rouge orangé qui remporte la palme. Utilisé à dose modérée, il attire l'attention plus que tout autre alors qu'à dose massive, il provoque l'angoisse*.

* C'est ce qui explique pourquoi vous voyez si souvent de l'orange clair sur les étiquettes annonçant des produits à prix réduits et plus rarement sur des emballages ou des panneaux publicitaires longeant de grandes artères.

Une publicité qui choisit de recourir à une combinaison multicolore évoque la joie et l'activité des jeunes enfants.

Dans l'*obscurité*, le rouge est la couleur qui se voit le mieux, suivi du vert, du jaune et du blanc. Le bleu et le violet sont, dans les mêmes conditions, les deux couleurs les plus difficiles à distinguer.

Les couleurs complémentaires — rouge et vert, bleu et jaune, violet et orange — sont celles dont la juxtaposition provoque l'effet de contraste le plus vif*. Le rouge paraît plus vif sur un fond vert. Il en est de même du blanc et du noir. Comme le fait si bien remarquer Philippe Lebatteux dans son livre *La Publicité directe : conception et diffusion*, les bouchers ont l'habitude d'utiliser cette propriété des contrastes quand ils décorent leur étalage de persil pour faire paraître leur viande plus fraîche.

La couleur modifie le poids des objets. En 1926, Carl Warden et Ellen Flynn concluent que le noir semble le plus lourd, puis vient le rouge, le gris et le violet — de même poids — ensuite le bleu, le vert, le jaune et le blanc[15]. Depuis, le spécialiste français Maurice Déribéré a montré que les couleurs foncées — où il existe une grande quantité de matière noire — sont lourdes et les couleurs pâles — où il existe une grande quantité de matière blanche — sont légères.

Une expérience vécue et chiffrée dans une usine américaine a montré que de lourdes caisses noires manipulées journellement étaient apparues plus légères aux hommes chargés de ce travail lorsqu'elles furent peintes en vert clair[16].

Lors d'une autre enquête, des caisses peintes en jaune clair paraissaient plus légères que des caisses ayant le même poids, mais peintes d'une couleur brun foncé. À tel point que leur porteur ressentait moins de fatigue au bout d'une journée de travail[17].

Les teintes lourdes *diminuent* la dimension des objets. Une figure blanche sur un fond noir paraît plus grande qu'une figure

* John Hedgecoe rapporte que « l'effet de ces combinaisons a une base psychologique, la longueur d'ondes des différentes couleurs ne se focalisant pas au même moment au fond de l'œil. La distance focale est plus grande pour les rouges et les jaunes que pour les bleus et les verts. Quand nous regardons ces couleurs mélangées, l'œil effectue des mises au point constantes pour compenser les différences de longueurs d'ondes. » (Hedgecoe, John. *La Photographie en couleur*, Paris, Éditions du Fanal, 1979, p. 60.)

noire de même dimension sur un fond blanc. De trois caisses de dimension identique, la rouge semblera la plus petite, la blanche la plus grande, la bleue se situant entre les deux. Les trois bandes verticales du drapeau français tricolore, pour paraître d'égale largeur vu de loin, doivent avoir les proportions suivantes : bleu, 33 % ; blanc, 30 % ; rouge, 37 %[18].

Les couleurs *bougent*. Le blanc, couleur active, rayonne au-delà de ses limites, alors que le noir, couleur passive, semble se replier sur lui-même. En outre, le rouge semble venir sur celui qui regarde alors que le bleu paraît s'en éloigner. Comment expliquer ce phénomène? John Hedgecoe répond :

> « Cette impression est due au fait psychologique que la lumière rouge est moins facilement focalisée que la bleue. En d'autres mots, l'œil doit s'accommoder davantage pour se mettre au point sur du rouge que sur du bleu. C'est pourquoi des objets rouges paraissent plus près que des objets bleus pourtant placés à la même distance[19]. »

Les couleurs ont un *goût*. Le jaune-vert et le vert jaunâtre sont acides. Le jaune orangé et le rouge sont doux. Le rose est sucré. Le bleu, le brun, le vert olive et le violet sont amers. Le jaune est piquant. Le gris-vert et le gris-bleu sont salés.

Les consommateurs associent les couleurs à des *odeurs*. L'orange est poivré. Le vert est légèrement épicé. Le violet et le lilas sont parfumés. Les couleurs claires, pures et délicates rappellent l'odeur d'un doux parfum. Au contraire, les couleurs sombres, troubles et chaudes évoquent des odeurs repoussantes.

On associe également les couleurs à des *sons*. Le violet est grave, le jaune est aigu et le rouge est bruyant.

Au toucher, le rouge est chaud, carré et saillant, le jaune est pointu, triangulaire, et le bleu est froid, fuyant, glissant, rond[20].

Bien sûr, vouloir exprimer le caractère des couleurs comme je viens de le faire n'est qu'une tentative de confirmer les vibrations que les couleurs éveillent dans notre esprit. En effet, les sentiments que l'on éprouve sont si subtils et délicats que les mots sont incapables d'en rendre tout à fait le sens.

L'utilisation de couleurs complémentaires comme le rouge et le vert rend vos couleurs étincelantes.

QUELLES SONT LES COULEURS LES PLUS AIMÉES ET LES PLUS DÉTESTÉES ?

Certaines couleurs ont la faculté de plaire ou de déplaire de façon plus ou moins générale. Eysenk a fait le sommaire des recherches menées par 40 statisticiens sur un échantillon total de 21 000 sujets dans divers pays. Il conclut que l'ordre de préférence est :

1. Le bleu
2. Le rouge
3. Le vert
4. Le violet
5. L'orangé
6. Le jaune[21]

De façon générale, les couleurs franches sont mieux cotées que les couleurs intermédiaires.

Si on examine les préférences par sexe, on découvre que chez les femmes, le rouge vient immédiatement après le bleu alors que chez les hommes, c'est le vert qui vient après le bleu.

Pour les nuances, c'est le rose qui vient le plus souvent en tête. Suivent dans l'ordre, le beige, le bleu azur, le bleu clair, le vert clair, le jaune pâle et le bleu marine. Parmi les nuances désagréables, le jaune-vert vient en tête du palmarès suivi du vert olive et du gris. Du côté des combinaisons, ce sont les paires bleu-jaune, bleu-vert, bleu-rouge et jaune-rouge qui sont décrites comme les plus agréables.

Fait à noter, les préférences pour certaines couleurs changent avec l'*âge*. Les jeunes acceptent mieux les couleurs pures et éclatantes comme le rouge et le jaune. Les personnes âgées préfèrent les teintes douces, les couleurs plus sombres et de faible intensité[22].

Les enquêtes ont montré que les masses pauvres et peu cultivées ont une prédilection pour les couleurs vives comme le rouge ou l'orange. Inversement, plus une personne est d'un niveau social et culturel élevé, plus elle a tendance à aimer les couleurs froides, les teintes douces et les nuances[23].

Si vous voulez utiliser une couleur sur des marchés étrangers, assurez-vous qu'elle n'a pas de signification négative. Le professeur John Petrof, de l'Université Laval, indique que « les couleurs n'ont pas partout les mêmes attributs. Au Japon, le blanc est un signe de deuil ; il en est tout autrement au Canada. En Égypte et en Syrie, le vert est la couleur nationale, l'utiliser dans l'emballage serait mal vu[24]. »

LA SYMBOLIQUE DES LIGNES ET DES FORMES

Tout comme les couleurs, les lignes et les formes contribuent à la signification de votre illustration ou de votre produit. Dans une expérience devenue célèbre, Louis Cheskin a démontré qu'un tube dont la surface extérieure était décorée avec des cercles était tenu pour contenir un produit de qualité supérieure à celui du produit que renfermait un tube décoré avec des triangles.

Lors de cette étude, 200 femmes ont utilisé 2 crèmes de beauté. On leur a demandé laquelle des deux crèmes était supérieure à l'autre. Près de 80 % ont déclaré que le produit contenu dans le tube décoré de cercles était incomparablement supérieur. Et pourtant, il s'agissait du même produit dans les deux tubes[25].

Certaines formes donnent une impression de densité, de viscosité et de lourdeur, d'autres expriment la fluidité et la légèreté. Pour une enquête, Raymond Loewy, le plus connu de tous les désigners industriels, a offert à 500 personnes une quantité égale de bière, les unes contenues dans des bouteilles élancées et faites de verre transparent, les autres dans des bouteilles trapues en verre opaque. Aucune ne portait d'étiquette.

Après la dégustation, Loewy a demandé aux invités de dire quelle bouteille contenait la bière la plus légère. Bien que les bouteilles étaient remplies de la même bière, 98 % des gens déclarèrent que la bière la plus légère était contenue dans la bouteille la plus mince[26].

Voici la signification des lignes et des orientations :

- La ligne fine exprime la simplicité, la délicatesse et la légèreté.

Des enquêtes indiquent qu'une ligne courte placée sous les mots que vous voulez mettre en évidence donne un sentiment de fermeté qui contribue à renforcer l'impact de votre message.

- La ligne épaisse suggère la force, l'énergie.
- La ligne massue donne une impression de résolution, de violence.
- La ligne longue inspire un sentiment de vivacité.
- La ligne courte donne un sentiment de fermeté.
- La ligne brisée crée une impression de mouvement saccadé.
- La ligne droite horizontale suggère le calme, le repos, la tranquillité, la stabilité, la sécurité et la sérénité d'esprit.
- La ligne droite verticale évoque l'infini, la hauteur, l'élan, la chaleur, l'activité, la difficulté rencontrée. La verticale ascendante est toujours synonyme de spiritualité, de progrès ; elle est positive. La verticale descendante est plutôt terreuse et suggestive de régression ; elle est négative.

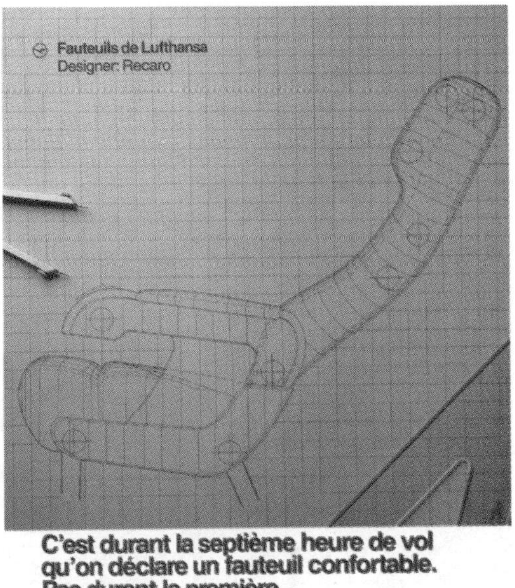

Pour suggérer la recherche scientifique, utilisez du papier quadrillé.

- La ligne courbe rappelle la douceur, la grâce, l'élégance, la souplesse, la gaieté, la fantaisie, le mouvement, la jeunesse et l'instabilité.
- Les lignes obliques donnent l'impression de mouvement, de chute. Celles qui penchent vers la droite sont liées à des sentiments positifs ; elles sont dynamiques et semblent progresser. En revanche, celles qui penchent vers la gauche sont liées à des sentiments négatifs et semblent régresser.
- Les lignes quadrillées suggèrent l'atmosphère de la recherche.

Pour ce qui est des formes :

- Le cercle est doux, sensuel, féminin.
- Le carré est dur, sec, froid, masculin.
- Le triangle est agressif ; c'est la forme la plus virile. S'il repose sur sa base, il suggère le calme et la stabilité. S'il est

sur sa pointe, il dégage au contraire une impression de légèreté et de déséquilibre[27].

« Devez-vous emballer un chapeau pour homme dans une boîte ronde ? » demande Stephen Baker. « Un hexagone serait plus recommandé. »

« Est-ce qu'un savon féminin et un antisudorifique pour femme devraient être ovales ou carrés ? La forme ovale serait préférable parce que plus féminine. »

« Est-ce qu'un détergent devrait être emballé dans une boîte carrée ? Oui, on a découvert que les détergents étaient considérés comme plus efficaces s'ils connotaient des valeurs masculines[28]. »

Les céréales du matin devraient-elles être emballées dans un contenant carré ? Oui. Les emballages carrés évoquent des idées de puissance, d'abondance et de générosité qui conviennent bien avec ce qu'on attend du repas du matin.

En résumé

Quand vous décidez d'utiliser de la couleur, des formes et des lignes dans vos imprimés publicitaires, votre choix doit se baser sur des critères objectifs comme la visibilité et la lisibilité, mais aussi sur des critères subjectifs comme les idées que ces éléments graphiques évoquent.

NOTES

1. Pour en savoir plus long sur Louis Cheskin et ses étonnantes découvertes, voir, entre autres, Louis Cheskin, *Business without Gambling: How Successfull Marketers Use Scientific Methods,* Chicago, Quadrangle Books, 1963, 255 p.; *Color Guide for Marketing Media,* New York, Macmillan, 1954, 209 p.; *How to Predict What People Will Buy,* New York, Liveright Pub. Corp., 1957, 241 p.; *Marketing: « le système de Cheskin »,* Paris, Chotard et associés éditeurs, 1971, 180 p.; *Why People Buy: Motivation Research and Its Successful Application,* New York, Liveright Publishing Corporation, 1959, 348 p.
2. Cette expérience a été reprise dans différents pays européens: Allemagne, France, Italie, Hollande, Suède et Suisse. Les résultats ont été identiques pour les prétendues différences, mais les couleurs ont déclenché des réactions différentes selon les pays.
3. CHESKIN, Louis. *Marketing: « le système de Cheskin »,* Chotard et associés éditeurs, Paris, 1971, p. 17.
4. TURBIAUX, Marcel. « Les pièges de la publicité », *Psychologie,* n° 25, février 1971, p. 40.
5. *Idem, ibidem.*
6. ARENS, William F. et Courtland L. BOVEE. *Contemporary Advertising,* Homewood, Illinois, Richard D. Irwin Inc., 1982, p. 339;

   DÉRIBÉRÉ, Maurice. *La Couleur dans la publicité et la vente,* Paris, Dunod, 1969, 212 p.;

   DREYFUSS, Henry. *Symbol Sourcebook,* New York, McGraw-Hill, p. 234-243;

   HAAS, Claude Raymond. *Pratique de la publicité,* Paris, Dunod, 1970, p. 110-112;

   MARGULIES, Walker in JOHNSON, Douglas. *Advertising Today,* Chicago, Science Research Associates Inc., 1978, p. 103.
7. DÉRIBÉRÉ, Maurice. *La Couleur dans les activités humaines,* Paris, Dunod, 1959, p. 273.
8. HEDGECOE, John. *La Photographie en couleur,* Paris, Éditions du Fanal, 1979, p. 34.
9. DÉRIBÉRÉ, Maurice. *La Couleur dans les activités humaines,* Dunod, Paris, 1959, p. 125.
10. MORRIS, Desmond. *La Clé des gestes,* Paris, Bernard Grasset, 1978, p. 302-303.
11. KANDINSKI, Wassily. *Point, ligne, plan: contribution à l'analyse des éléments picturaux,* Paris, Denoël Gonthier, 1970, p. 134.
12. JOHNSON, Henry C. L. « Love is Red, Power is Blue, Sex is Pink: What Color Are You? », *Marketing/Communications,* mai 1968, p. 103.
13. LÜSCHER, Max. « Forme de l'emballage et psychologie de la couleur », *Palette,* n° 5, été 1960, p. 8.

14. MOLES, Abraham A. *L'Affiche dans la société urbaine*, Paris, Dunod, 1970, p. 9.
15. WARDEN, Carl J. et Ellen L. FLYNN. « The Effect of Color on Apparent Size and Weight », *The American Journal of Psychology*, vol. 37, nº 3, 1926, p. 398-401.
16. DÉRIBÉRÉ, Maurice. *La Couleur dans les activités humaines*, Dunod, Paris, 1959, p. 125.
17. MARX, Ellen. « Les effets psychologiques et physiologiques des couleurs », *Psychologie*, nº 58, novembre 1974, p. 53.
18. HEDGECOE, John. *La Photographie en couleur*, Éditions du Fanal, Paris, 1979, p. 34.
19. *Idem, ibidem*, p. 40.
20. FAVRE, Jean-Paul et André NOVEMBER. *Color and und et Communication*, Zurich, ABC Éditions, 1979, p. 30.
21. EYSENK, H.-J. « A Critical Experiment Study of Color Preferences », *American Journal of Psychology*, vol. 54, nº 3, juillet 1941, p. 385-394.
22. JOHNSON, Douglas. *Advertising Today*, Chicago, Sciences Research Associates Inc., 1978, p. 103.
23. WARD, Philip. *Advertising Fundamentals*, Scranton, Intext Publisher, 1970, p. 649.
24. PETROF, John V. *Comportement du consommateur et marketing*, Québec, Les Presses de l'Université Laval, 1984, p. 380.
25. CHESKIN, Louis. *Marketing : « le système de Cheskin »*, Chotard et associés éditeurs, Paris, 1971, p. 16.
26. LOEWY, Raymond. *La laideur se vend mal*, Paris, Gallimard, 1953, p. 256.
27. BAKER, Stephen. *Visual Persuasion : The Effect of Pictures on the Subconscious*, New York, McGraw-Hill, 1961, chapitre 3;

    CABONI, Marc. *Traité d'art publicitaire et des arts graphiques*, Bruxelles, Éditions Caboni, 1950, p. 31-32;

    COSSETTE, Claude. *L'Iconique : sémiologie de l'image fonctionnelle statique, notes de cours ARV 14629*, Québec, Écoles des arts visuels, Université Laval, 1979, p. 172-173;

    HAAS, Claude Raymond. *Pratique de la publicité*, Dunod, Paris, 1970, p. 85.
28. BAKER, Stephen. *Visual Persuasion : the Effect of Pictures on the Subconscious*, McGraw-Hill, New York, 1961, chapitre 3.

CHAPITRE 8

LA PUBLICITÉ COMPARATIVE : QUAND L'UTILISER, QUAND L'ÉVITER

La publicité comparative a fait son apparition aux États-Unis en 1930 lorsque Sears compara sa deuxième gamme de pneus à celle de huit autres marques nationales. Par la suite, Sears ajouta un autre compétiteur pour un total de neuf. En 1931, Firestone répliqua à Sears en faisant paraître une annonce qui fut toutefois rejetée par de nombreux journaux dont le *Chicago Tribune* et le *New York Daily News*[1]. La même année, Plymouth faisait paraître une publicité qui incita les consommateurs à « regarder les trois avant d'acheter[2] ».

Même si elle n'obtient pas la faveur de certaines entreprises et de plusieurs grandes agences, la publicité comparative est aujourd'hui une pratique courante aux États-Unis, au Canada, en Grande-Bretagne, en Suède et en Australie. En 1964, Wilkie et Farris[3] indiquent que 15 % de la publicité est de la publicité comparative. Dix ans plus tard, ce pourcentage est passé à 20 %.

Plusieurs publicitaires sont convaincus de l'efficacité de la publicité comparative, et l'expérience semble leur donner raison. En effet, Pepsi, Burger King, Savin, Care Free et le shampooing Suave ont augmenté significativement leur part de marché grâce à la publicité comparative. Même la victoire de George Bush sur Mike Dukakis aux élections présidentielles de 1988 est généralement attribuée à la publicité négative qu'utilisa son conseiller Roger Ailes.

Pourtant, peu de consommateurs apprécient la publicité comparative. Plus de 41 % ne la trouvent pas « correcte » parce que tous les faits présentés ne permettent pas une juste comparaison. En outre, 37 % estiment que les faits présentés sont le plus souvent exagérés. Enfin, 36 % pensent que les annonceurs devraient miser sur leur point fort plutôt que de dénoncer la compétition[4]. Pour William LaMothe, président de Kellogg, « la publicité comparative est un moyen paresseux de vendre un produit ».

Quoi qu'il en soit, la publicité comparative a donné lieu à une importante bibliographie[5]. De tous ces articles émergent deux questions qui nous intéressent plus particulièrement :

1. Quand devez-vous utiliser la publicité comparative ?
2. Quand devez-vous l'éviter ?

SUPÉRIEURE À LA MOYENNE

La publicité comparative peut être efficace :

1. Lorsque votre produit détient une petite part de marché, que vous êtes un nouveau venu, ou que vous êtes peu connu[6]. Citez quelques faits sur le produit de votre concurrent qui puissent amener les gens à changer d'opinion sur ce produit et, par ricochet, sur le vôtre.

C'est la stratégie qu'utilisa Tylenol lorsqu'elle annonça que l'aspirine pouvait irriter les parois de l'estomac. Aujourd'hui, Tylenol est le numéro 1 des analgésiques aux États-Unis avec 30 % du marché devant Anacin, Bayer, Bufferin et Excedrin. Un exploit formidable dans un marché dominé par l'aspirine.

2. Lorsque vous pouvez prouver la supériorité de votre produit. Expliquez aux consommateurs les raisons d'acheter votre produit, mais aussi les raisons de ne pas acheter celui de la compétition.

Ces dernières années, Savin a utilisé la publicité comparative pour démontrer sa supériorité sur Xerox. Dans une de ces publicités, la compagnie révélait aux consommateurs que les copieurs de marque Savin étaient moins coûteux et plus solides que ceux de la compétition. En moins de 4 ans, les ventes sont passées de 60 millions de dollars à 200 millions de dollars, et Savin a installé plus de copieurs que quiconque dans l'industrie.

3. Lorsqu'il n'y a pas de préférence ou lorsqu'il n'y a pas de fidélité pour une marque en particulier[7]. Le consommateur indécis est toujours réceptif à de nouvelles informations.

4. Lorsque votre budget est inférieur à celui de votre compétiteur.

5. Lorsque vous êtes victime de la publicité comparative[8]. Répondre à vos adversaires vous permettra de riposter, de mettre les choses au clair et, éventuellement, de faire le point en votre faveur.

Cependant il est important d'ajouter ceci : dans les faits, l'opération n'est pas toujours aussi facile. Comme le fait remarquer Larry Light :

> « Si la marque numéro 1 contre-attaque, le consommateur peut être amené à croire que l'attaque initiale était fondée. De façon générale, l'histoire indique que cela a toujours pour effet d'augmenter la crédibilité de l'attaque originale[9]. »

Peu après que Coke eut répliqué aux attaques répétées de Pepsi, on rapporte que les parts de marché de Pepsi passèrent de 8 % à 18 % à Dallas[10] .

Par contre, la réplique de Hertz face à la publicité comparative d'Avis permit à Hertz de reconquérir 5 % des 10 % de part de marché perdue, cela à l'intérieur de 6 mois. Cela tendrait donc à montrer que les effets sur le marché sont consécutifs à la qualité de la réplique offerte.

6. Lorsque votre produit a un réel caractère de nouveauté. Un produit nouveau est plus aisément accepté s'il est comparé à un produit déjà existant.

Des expressions comme une essence « sans plomb », Cola « sans sucre » et nourriture « sans additif » sont tous des exemples qui illustrent comment des nouveaux produits peuvent être comparés à des anciens.

7. Lorsque vous faites de la publicité industrielle. Dans la mesure où les gens qui lisent ce genre de publicité ont tendance à adopter une attitude plus rationnelle, les comparaisons directes avec d'autres marques donnent très souvent de bons résultats.

Tylenol® or aspirin

which analgesic for the **ulcer patient?**

"Aspirin...plays a significant part in exacerbation of ulcer symptoms and is at least a contributory cause in one in eight cases of haematemesis...."[1]

Acetaminophen "...should therefore be used in preference to aspirin as a pure analgesic in all cases of peptic ulcer."[2]

Aspirin not only may irritate an existing ulcer condition, but also may be a causal or precipitating factor to ulceration. So when a customer has—or has had—an ulcer, be sure the headache remedy he buys from you is TYLENOL...not aspirin or aspirin-containing compounds.

Precautions and Adverse Reactions: If a rare sensitivity reaction occurs, the drug should be stopped. TYLENOL has rarely been found to produce any side effects, such as gastric discomfort.

References: 1. Muir, A., and Cossar, I. A.: Brit. Med. J. 2:7-12 (July 2) 1955. 2. Craddock, D.: Practitioner 189:192-200 (Aug.) 1962.
Supplied: scored, white tablets of 325 mg. in packages of 12, 24 and 100.

safer than aspirin, yet just as effective for the relief of pain

McNeil Laboratories, Inc., Fort Washington, Pennsylvania 19034

Dans sa quête pour rejoindre Aspirin et, éventuellement, la dépasser en termes de ventes, Tylenol s'adressa directement aux médecins et aux pharmaciens par l'entremise d'une publicité comparative publiée dans le Medical News *et* The Apothecary. *Et Tylenol finit par prendre l'avantage.*

LA PRESSE, MONTRÉAL, SAMEDI 19 SEPTEMBRE 1987 L 9

Comparez ces condominiums:

quel est votre point de vue?

	Sanctuaire	*Verrières*	*Terrasses du Lac*
Un terrain d'une superficie de plus de 350 000 pi²	✔	✔	✔
Un terrain de 525 pi en front sur le lac			✔
Un site à moins de 15 minutes du centre-ville	✔	✔	✔
Une marina et une piscine privées			✔
Des courts de tennis privés			✔
Un aménagement paysagé en jardins et cours d'eau			✔
Un système de sécurité complet avec caméras et gardiens	✔	✔	✔
Une vue exceptionnelle sur le centre-ville de Montréal		✔	✔
Accès direct au bord de l'eau (lac)			✔
Une résidence construite de béton et de verre	✔	✔	✔
Une résidence protégée par un système complet de gicleurs			✔
Une résidence dont la terrasse mesure jusqu'à 1 300 pi²			✔
Une résidence avec votre propre bain tourbillon (dans chaque condo)	✔	✔	✔
Une résidence agrémentée de marbre et de chêne	✔	✔	✔
De très grandes surfaces variant de 1 250 à 2 400 pi²	✔	✔	✔
Des prix variant de 140 000 à 325 000 $ (penthouse)			✔

À vous la belle vue... l'eau du lac à vos pieds!

Pavillon de renseignements:
8550, Marie-Victorin
Brossard
Tél.: 465-4600

Un autre projet de Gilles Messier et Associés. Gérance et construction: Alta Limitée. Financement par la Caisse Populaire de Brossard

La publicité comparative est efficace quand votre produit possède des avantages que vos concurrents ne peuvent pas offrir.

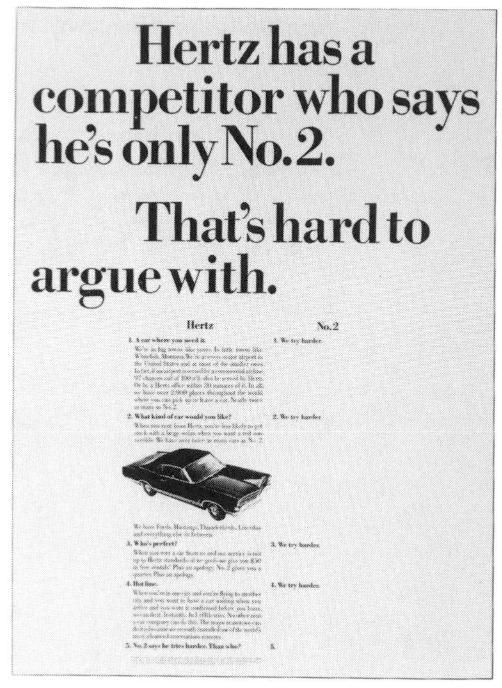

Quand vous êtes victime de la publicité comparative, c'est une bonne idée de répliquer. Comme le fit Hertz en parodiant le « We tried harder » de Avis. Après la parution de ces deux annonces, la campagne de Avis n'obtint plus jamais le même degré de succès.

8. Lorsque vous avez tout essayé sans succès, la publicité comparative représente l'arme ultime. Après plusieurs campagnes publicitaires infructueuses, les fabricants des appareils Vivitar décidèrent de tester les deux marques d'appareils photos dans une démonstration côte à côte. La publicité démontra la supériorité des appareils Vivitar, ce qui se traduisit par une hausse substantielle des ventes. En quelque temps, Vivitar est passée au deuxième rang des parts de marché avec 10 %[11].

F-12

Québec, Le Soleil, samedi 27 juin 1987

AH OUI ? AH BON.

OUI, un de nos concurrents veut comparer ses prix aux nôtres. BON... Alors comparons!

Cette comparaison a été faite dans les supermarchés PROVIGO de la région du Québec métropolitain et au Super Carnaval de Beauport, le mardi 16 juin.

La différence Provigo, ce n'est pas uniquement 19,5 % d'économies par rapport à notre concurrent!

- Provigo vous offre chaque semaine, par le biais de son cahier publicitaire, plus de 100 produits dont les prix ont été largement réduits.
- Provigo vous offre également plus de 200 autres produits, identifiés par une carte RABAIS SOLEIL, dont les prix sont presque toujours plus bas que ceux de tous nos concurrents en alimentation.
- Provigo ce n'est pas 3, mais bien 28 supermarchés dans la région du Québec métropolitain, totalisant en moyenne plus de 240 000 clients satisfaits par semaine.
- Provigo, c'est avant tout pour vous une foule d'avantages tels la fraîcheur de ses aliments, la très grande variété de ses marques, ses bas prix constants, son service aux caisses, son service à l'auto dans la plupart de ses supermarchés, et surtout la carte-chèque exclusive à Provigo.

	PROVIGO	SUPER CARNAVAL
ÉPICERIE		
Margarine molle Monarch 907 g	**1,49 $**	2,39 $
Fromage cheddar doux Etchemin 425 g	**2,79 $**	3,33 $
Sirop de table Old Tyme 375 ml	**1,29 $**	1,39 $
Soupe aux pois Habitant 398 ml	**0,79 $**	0,85 $
Sauce tomate Hunt's 796 ml	**1,19 $**	1,59 $
Pâte de tomate Hunt's 369 ml	**1,19 $**	1,29 $
Biscuits Oréo Christie 350 g	**1,99 $**	2,59 $
Maïs en crème Idéal 540 ml	**0,89 $**	1,05 $
Jus de pomme Oasis 1 L	**0,97 $**	1,09 $
Jus de légumes Garden Cocktail E.D. Smith 796 ml	**0,99 $**	1,45 $
Céréales Spécial K Kellogg's 300 g	**1,89 $**	2,25 $
Eau de source naturelle Naya 1,5 L	**0,75 $**	0,99 $
Savon de toilette Lux 3 × 95 g	**0,99 $**	1,49 $
Détergent liquide Sunlight 1 L	**2,59 $**	2,89 $
Café instantané Sanka 170 g	**4,89 $**	6,69 $
Papier d'aluminium Reynolds 18 po × 25 pi	**2,29 $**	2,49 $
Sauce aux prunes V-H 227 ml	**0,99 $**	1,09 $
Gâteau à étages Sara Lee 369 g	**1,49 $**	1,79 $
Jus de raisin surgelé Welch's 341 ml	**1,29 $**	1,59 $
Frites surgelées Cavendish 1 kg	**1,29 $**	1,29 $
Pain de viande Kam 340 g	**1,99 $**	1,99 $
Moutarde French's 500 ml	**1,09 $**	1,09 $
Cornichons sucrés Gattuso 375 ml	**1,99 $**	1,99 $
Olives farcies Gattuso 375 ml	**1,99 $**	1,99 $
Soupe aux légumes Provigo 284 ml	**0,47 $**	0,45 $
Mélange pour croûte à tarte Monarch 540 g	**1,29 $**	1,69 $
Beurre d'arachides Skippy 500 g	**2,35 $**	2,35 $
Thé en sachets Prior Park 100 un.	**2,49 $**	2,69 $
Nourriture pour chats Puss-N-Boot 340 g	**1,19 $**	1,43 $
Nettoyeur liquide citron-pin Provigo 1 L	**1,89 $**	1,99 $
Pâte dentifrice Crest en pompe 100 ml	**2,09 $**	2,33 $
Serviettes hygiéniques Maxi Vania 30 un.	**4,89 $**	5,99 $
Shampooing Ivory 450 ml	**3,59 $**	3,99 $
Couches medium (Marque privée) 48 un.	**7,99 $**	7,99 $
Désodorisant aérosol Secret 200 ml	**2,99 $**	3,49 $
Oeufs extra gros 1 douzaine	**1,50 $**	1,49 $
Lait 1% 1-4 litres	**3,26 $**	3,26 $
Beurre Marque privée 454 g	**2,45 $**	2,45 $
Pain tranché français (sole) Marque privée	**1,09 $**	1,19 $
VIANDES		
Bifteck de ronde de boeuf désossé 1 kg	**4,37 $**	11,42 $
Saucisses fumées Hygrade 450 g	**1,78 $**	2,29 $
Saucisses porc et boeuf à l'ancienne Roy 500 g	**3,06 $**	3,28 $
Filet de sole frais 500 g	**6,92 $**	9,47 $
Boeuf fumé tranché Hygrade 4 × 50 g	**2,78 $**	3,08 $
FRUITS ET LÉGUMES		
Pêches N° 1 des États-Unis 1 kg	**1,08 $**	2,62 $
Pamplemousses roses gr. 48 (2)	**0,98 $**	1,18 $
Pommes Granny Smith 500 g	**1,16 $**	1,31 $
Maïs sucrés (6)	**1,49 $**	2,18 $
Asperges fraîches 500 g	**1,97 $**	2,08 $
Laitue pommée gr. 24 (2)	**0,98 $**	2,38 $
GRAND TOTAL:	**105,20 $**	130,71 $
ÉCONOMIE PROVIGO	**25,51 $**	**19,5 %**

Prix en vigueur dans tous les supermarchés Provigo du Québec métropolitain, du lundi 15 au samedi 20 juin, 1987.

La publicité comparative est conseillée lorsqu'un compétiteur vous attaque personnellement. Ici, Provigo répond à Super Carnaval.

INFÉRIEURE À LA MOYENNE

La publicité comparative n'est pas recommandée :

1. Lorsque vous dominez le marché[12]. Un leader n'a aucun avantage à attirer l'attention des consommateurs sur ses poursuivants. En utilisant de la publicité comparative, la marque en tête contribue à hausser la crédibilité des autres marques et, par association, ces marques rivales seront perçues comme étant plus performantes.

2. Lorsqu'il n'y a pas de différence entre votre produit et ceux de la compétition. Il est inutile d'utiliser la publicité comparative si vous ne pouvez pas montrer pourquoi les gens devraient acheter votre produit plutôt que celui de la concurrence.

Dans un article publié dans la revue *Sales and Marketing Management*, John Trytten estime que la publicité comparative est efficace seulement lorsqu'elle est basée sur des faits concrets[13].

3. Lorsque votre budget est fort limité. La plupart des campagnes qui utilisent la publicité comparative ont une caractéristique commune : ce sont des opérations qui durent longtemps et qui sont financièrement coûteuses. Par exemple, les attaques de Pepsi contre Coca-Cola durent depuis des années.

4. Lorsque le consommateur achète votre produit sur la base de l'émotion et non sur la base de la raison. On ne fait pas de la publicité pour Revlon en affirmant que le rouge à lèvres Revlon séduit en moyenne 69 % plus d'hommes que le rouge à lèvres de Maybelline.

DEVEZ-VOUS IDENTIFIER CLAIREMENT VOTRE COMPÉTITEUR ?

Une étude réalisée par Philip Levine montre que les annonces *télévisées* qui identifient les marques concurrentes sont perçues comme plus complexes et moins crédibles que les annonces qui ne le font pas[14]. Néanmoins, l'agence Batten, Barton, Durstine & Osborn Inc. indique que les produits qui détiennent une petite part de marché ont avantage à nommer les marques concurrentes[15]. Hank Seiden déclare :

« Les gens croient totalement les commerciaux qui mentionnent les noms des compétiteurs. Ils tiennent pour acquis que si vous montrez ou parlez du produit de la compétition, ce que vous dites dans le commercial doit être vrai, et que dans le cas contraire, vous ne le diriez pas. Les gens savent que vous pourriez non seulement être forcé de retirer le commercial, mais que vous pourriez également être poursuivi pour ce que vous avez dit[16]. »

Gillette, Ford, 3M et Avis ont montré qu'il pouvait être payant d'identifier la compétition. Évidemment, Avis n'a jamais identifié explicitement le leader Hertz quand elle a débuté sa campagne « We're #2 », mais tous les consommateurs qui connaissaient le marché de l'automobile louée ont reconnu la compagnie visée par cette campagne. De la même façon, les gens ont reconnu la firme Kodak lorsque 3M s'est comparée à « la firme à la boîte jaune[17] ».

AVERTISSEMENT

Si le sujet de votre publicité comparative implique une confrontation de face avec le leader, vous devez l'oublier. Une publicité qui s'attaque de front aux habitudes de consommation des gens se retourne toujours contre ses auteurs, comme le boomerang se retourne vers celui qui l'a lancé.

Pour concurrencer un leader solidement établi, vous devez trouver une faiblesse dans son armure et la révéler aux consommateurs. Vous pouvez leur faire remarquer que votre produit est meilleur marché, que les ingrédients que vous utilisez sont de meilleure qualité, que votre produit n'a pas les mêmes inconvénients que ceux de la compétition, mais vous ne pouvez pas vous contenter de dire qu'il est meilleur.

NOTES

1. « Comparisons Become Invidious in Rivalry for Tire Market », *Business Week*, 22 avril 1931, p. 10 in SELLARS, Ronald Kay. *A Study of the Effectiveness of Comparative Advertising for Selected Household Appliances*, The Louisiana State University and Agricultural and Mechanical Col., Marketing, Thèse de doctorat, 1977, p. 2-3.
2. HARRIS, King. « How Slirling Getchell Chased Walter Chrysler — and Hired a Mail Boy », *Advertising Age*, 31 juillet 1967, p. 59-62.
3. WILKIE, William L. et Paul W. FARRIS. « Comparison Advertising : Problems and Potential », *Journal of Marketing*, vol. 39, nº 4, octobre 1975, p. 8.
4. STARCH. *The Cover Story : When Position Does Make a Difference*, vol. 1, nº 9, octobre 1989, p. 1-4.
5. Voir, entre autres : BARRY, Thomas E. et Roger L. TREMBLAY. « Comparative Advertising : Perspective and Issues », *Journal of Advertising*, vol. 4, nº 4, 1975, p. 15-20 ;

   BODDEWYN, Jean J. et Katherin MARTON. *Comparison Advertising : A Worldwide Study*, New York, Hastings House, 1978, chapitre 7 ;

   PRASAD, V. Kanti. « Communication Effectiveness of Comparative Advertising : A Laboratory Analysis », *Journal of Marketing Research*, vol. 12, nº 2, mai 1976, p. 128-137 ;

   TANNENBAUM, Stanley I. et Andrew G. KERSHAW. « For and Again Comparative Advertising », *Advertising Age*, 5 juillet 1976, p. 25-26 et 29.
6. BUSINESS WEEK. « Creating a Mass Market for Wine », *Business Week*, 15 mars 1982, p. 102-118 ;

   JAIN, Subhash C. et Edwin C. HACKLEMAN. « How Effective is Comparison Advertising for Stimulating Brand Recall ? », *Journal of Advertising*, vol. 7, nº 3, 1978, p. 20-25.
7. TYLER, William. « Comparison Advertising : A Powerful Selling Tool When It Is Not Abused », *Advertising Age*, 21 avril 1975, p. 58 et 60.
8. GORN, Gerald J. et Charles B. WEINBERG. « The Impact of Comparative Advertising on Perception and Attitude : Some Positive Findings », *The Journal of Consumer Research*, vol. 11, nº 2, sept. 1984, p. 719-727.
9. ROSENTHAL, Edmond M. « Comparative Advertising : Weapon or Fad ? » *Marketing Times*, vol. 23, septembre-octobre 1976, p. 13.
10. GIGES, Nancy. « PepsiCo Ad Insists : No Question — Coke Drinkers Prefer Pepsi », *Advertising Age*, 19 juillet 1976, p. 2 et 66.
11. SWAYNE, Linda Sue Eggeman. *Comparative Advertising as Corporate Strategy : An Investigation of Key United States Industries*, North Texas State University, Marketing, Thèse de doctorat, 1978, p. 49.

12. GOLDEN, Linda L. « Consumer Reactions to Explicit Comparisons in Advertisements », *Journal of Marketing Research,* vol. 16, n° 4, novembre 1979, p. 517-532 ;

LEVINE, Philip. « Commercials that Name Competing Brands », *Journal of Advertising Research,* vol. 16 , n° 6, déc. 1976, p. 7-14 ;

SHIMP, Terence A. et David C. DYER. « The Effects of Comparative Advertising Mediated by Market Position of Sponsoring Brand », *Journal of Advertising,* vol. 7, n° 3, été 1978, p. 13-19 ;

BUSINESS WEEK. « Creating a Mass Market for Wine », *Business Week,* 15 mars 1982, p.102-118.

13. TRYTTEN, John. « It's Easy as Pie: Nothing Can Compare with a Bad Comparative Ad », *Sales and Marketing Management,* 12 juillet 1976, p. 61.

14. LEVINE, Philip. « Commercials that Name Competing Brands », *Journal of Advertising Research,* vol.16, n° 6, 1976, p. 7-14.

15. ADVERTISING AGE. « Underdog Wins in Naming Names: BBDO' », *Advertising Age,* 10 mars 1975, p. 56.

16. ROBERTS, Jack. « Comparative Advertising... I'm O.K... You're Not O.K... », discours prononcé devant l'American Association of Advertising Agencies, Charlotte, North Carolina, 13 novembre 1973, in SWAYNE, Linda Sue Eggeman. *Comparative Advertising as Corporate Srategy : An Investigation of Key United Stated Industries,* North Texas State University, Marketing, Thèse de doctorat, 1978, p. 50.

17. SWAYNE, Linda Sue Eggeman. *Comparative Advertising as Corporate Srategy : An Investigation of Key United Stated Industries,* North Texas State University, Marketing, Thèse de doctorat, 1978, p. 24.

CHAPITRE 9

QUELS SONT LES 6 EFFETS DE LA RÉPÉTITION

Arrivé à la fin de ce livre, j'éprouve le besoin de vous donner un dernier conseil : *répétez vos publicités aussi longtemps qu'elles vendent.*

Une annonce publiée un jour et non reprise par la suite est une annonce perdue. Mener une campagne publicitaire, cela signifie frapper sur le même clou pendant des semaines, voire des mois. Napoléon a dit : « La répétition est le meilleur argument. »

Plusieurs chercheurs ont consacré du temps à l'étude des effets de la répétition sur le grand public[1]. Voici pour l'essentiel les six constatations auxquelles ces recherches ont abouti :

1. La répétition de votre annonce dans une publication augmente la probabilité que votre lecteur soit exposé à votre publicité.

Plus un lecteur est exposé à une annonce, plus il est susceptible de la voir. Pour atteindre approximativement 95 % des lecteurs d'une publication, Daniel Starch a calculé qu'une annonce devra être répétée :

- 13 fois si elle a été perçue par 20 % des lecteurs lors de sa première impression ;
- 8 fois si elle a été perçue par 30 % des lecteurs lors de sa première impression ;

- 6 fois si elle a été perçue par 40 % des lecteurs lors de sa première impression ;
- 4 fois si elle a été perçue par 50 % des lecteurs lors de sa première impression ;
- 3 fois si elle a été perçue par 60 % des lecteurs lors de sa première impression[2].

2. La répétition augmente la crédibilité de vos arguments et l'attitude favorable envers votre produit.

Plus un individu est exposé à un stimuli, plus il a tendance à accroître son sentiment favorable vis-à-vis de celui-ci[3]. C'est une des raisons pour laquelle les publicitaires répètent encore et encore le nom des produits qu'ils vendent — il a été démontré qu'avec le temps les consommateurs apprennent à reconnaître ces marques et à les aimer[4].

Mais gare au risque de saturation ! Si un seul message est sans utilité pour obtenir des effets observables, une fréquence trop élevée de messages pendant une certaine période de temps risque de provoquer chez votre lecteur une réaction de rejet.

Selon la Cahners Publishing, l'épuisement (perte d'efficacité d'une publicité) débute entre la 10e et la 21e semaine après le début de la campagne[5]. Jean-Noël Kapferer, le spécialiste de la recherche en communication, écrit :

> « La simple introspection nous rappelle que notre appréciation d'une pièce de musique semble se développer graduellement, chaque exposition semblant accroître notre évaluation positive de la pièce. Mais reconnaissons aussi que certaines pièces perdent à un certain moment leur attraction : au-delà d'un certain seuil, nous ressentons une baisse d'intérêt pour celles-ci[6]. »

Que pouvez-vous faire pour combattre la monotonie qu'engendre la répétition d'une publicité ? Un truc efficace consiste à utiliser avec quelques variantes la même ligne de titre, le même genre de texte, le même type de mise en pages, le même slogan, la même typographie ou n'importe quelle autre partie de votre annonce. Ce faisant, chaque répétition éveille simultanément un sens familier et nouveau : vous recréez une partie de l'impact original et renforcez son effet sur les gens qui ont déjà vu votre publicité.

Ces dernières années, plusieurs campagnes à succès ont utilisé une certaine forme de continuité. Les campagnes publicitaires des supermarchés Provigo, d'Air Canada, des cigarettes Marlboro, des entreprises de location d'automobiles Avis ou du Club Med en sont de bons exemples.

Prenons la campagne des cigarettes Marlboro. Jacques Séguéla, qui a réalisé la publicité du candidat socialiste François Mitterrand, affirme :

> « La plus grande campagne de cigarettes de tous les temps est celle de Marlboro. Toujours la même et toujours changeante : le cow-boy des champs, le cow-boy des rivières, le cow-boy des neiges, le cow-boy à cheval, le cow-boy assis, le cow-boy debout. Un cow-boy qui vend cent milliards de cigarettes par an parce qu'il est toujours là. En définitive, l'art de la publicité est de savoir se recopier sans se répéter. (...) Le principe de base d'une campagne de longue haleine est d'établir son langage, son identité de marque qui vous font reconnaître entre tous. De se répéter sans jamais se redire. Comme Dim, qui n'a pas changé de musique depuis quatorze ans mais chaque fois changé de film[7]. »

3. La séquence et la fréquence d'apparition de votre publicité influencent le degré et la durée de l'apprentissage.

Ce phénomène a été mis particulièrement en évidence lors d'une expérience réalisée en 1958 par Hubert A. Zielske[8].

Pour cette étude, Zielske a exposé un échantillon de ménagères à une série de 13 annonces selon des fréquences différentes. Dans un premier sous-groupe, la fréquence a été établie à une exposition (un message) par semaine durant 13 semaines, alors que dans un second sous-groupe, la fréquence a été fixée à une exposition toutes les 4 semaines pendant 52 semaines. Pour éviter de fausser les résultats, Zielske s'est assuré que chaque personne ne soit interviewée qu'une seule fois durant toute la durée de l'étude.

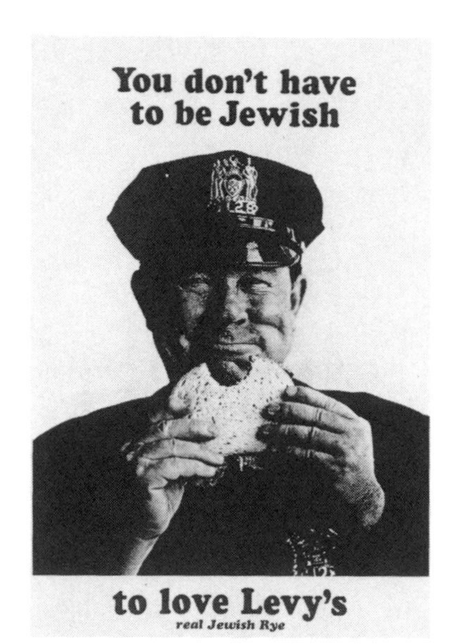

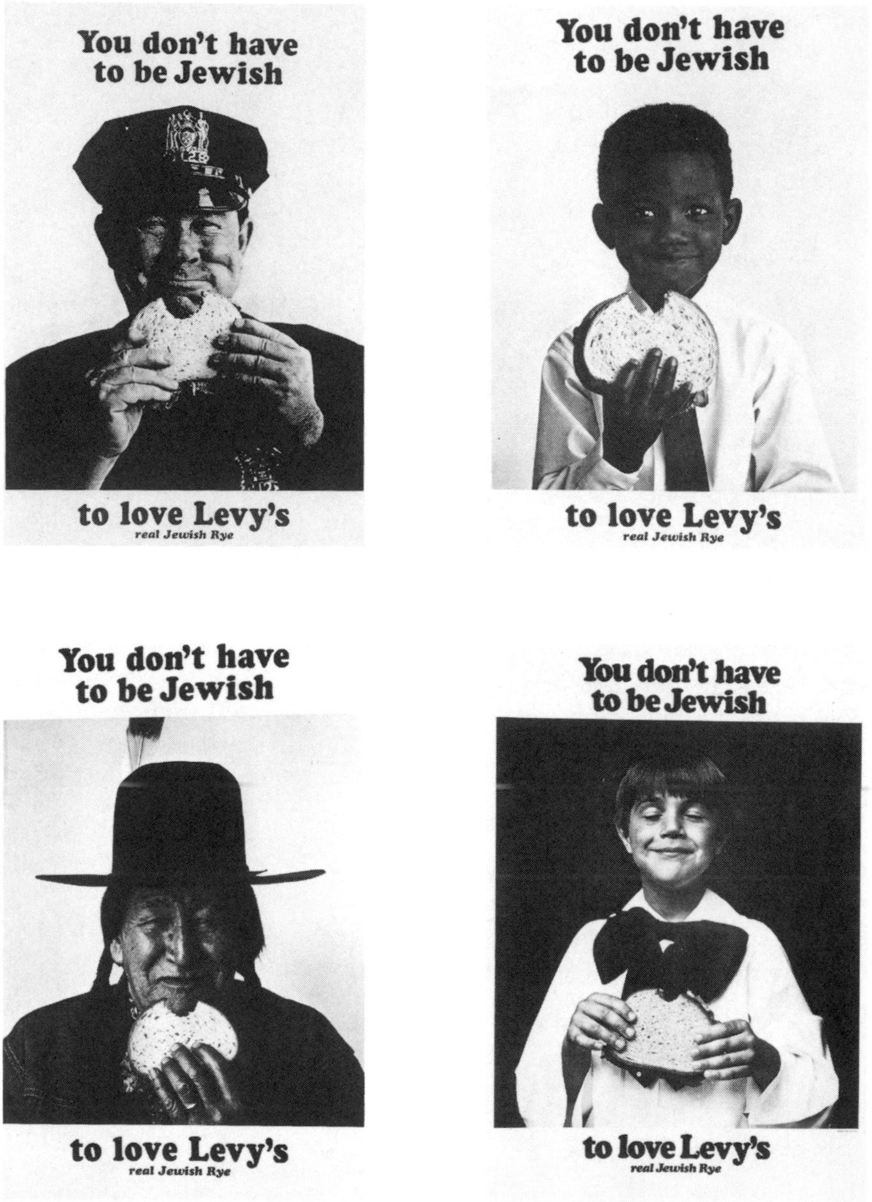

You don't have
to be Jewish
to love Levy's
real Jewish Rye
You don't have
to be Jewish
to love Levy's
real Jewish Rye
You don't have
to be Jewish
to love Levy's
real Jewish Rye
You don't have
to be Jewish
to love Levy's
real Jewish Rye

Les annonces imprimées de l'agence Doyle Dane Bernbach pour le pain Levy's sont un bon exemple de continuité dans une campagne publicitaire.

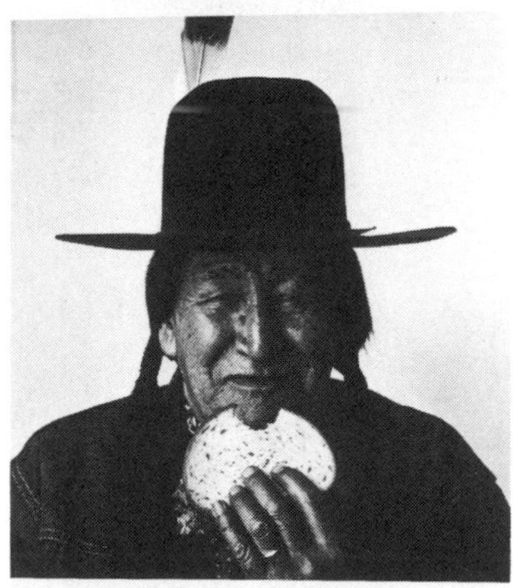

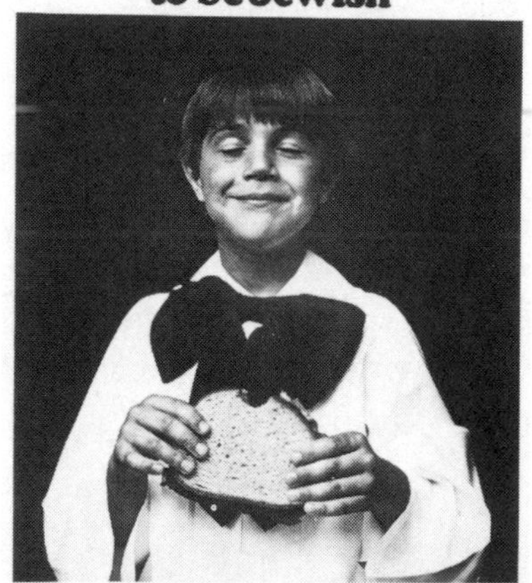

Après avoir compilé les résultats, le chercheur a constaté qu'une publicité présentée plusieurs fois dans un court laps de temps obtenait une mémorisation supérieure à une publicité offerte à intervalles plus espacés, mais qu'elle avait toutefois l'inconvénient de laisser peu de traces à longue échéance.

Que peut-on conclure de l'expérimentation de Zielske? Pour vos lancements, vos *blitz* publicitaires et promotionnels, vous avez tout intérêt à concentrer vos répétitions dans le temps. En revanche, pour les actions de soutien, ou pour bâtir une image à long terme, il est préférable d'étaler vos présences.

4. L'interruption de votre campagne entraîne une chute de la mémorisation.

Quand vous cessez de répéter vos publicités, le souvenir de votre campagne décroît très rapidement au début, puis plus lentement par la suite.

Après le treizième envoi de Zielske, le taux de mémorisation enregistré était de 63 %. Le taux de rappel chuta à 32 % 4 semaines après le dernier envoi, contre 22 % après 6 semaines, 15 % après 8 semaines, 10 % après 17 semaines pour atteindre 4 % à la fin de l'année[9].

Pour Byron Galway, vice-président du Groupe 243, pas de doute: « Quand on coupe dans la publicité — au cours d'une récession ou pour quelque raison que ce soit — la notoriété d'un produit diminue, les ventes et la part de marché baissent. Quand la publicité arrête, les gens oublient[10]. »

Prenez Hershey. L'entreprise faisait figure de leader dans un secteur où la publicité fut très longtemps quasi absente. Durant la crise de 1973 qui amena les fabricants de cacao à augmenter leur prix, Hershey, le fabricant numéro un de chocolat, coupa ses budgets publicitaires tandis que la compétition décida d'investir massivement en publicité. Résultat: en quelques temps, le leader perdit sa première position, et malgré un retour remarqué en 1981, Hershey ne put jamais reprendre le premier rang.

Maxwell House est un autre bon exemple d'entreprise qui a commis l'impair de réduire ses budgets publicitaires à ses dépens.

En 1987, les investissements média passaient de 60 millions de dollars à 13,5 millions de dollars. Suite à cela, Folgers, le plus proche compétiteur, ne tarda pas à s'emparer d'un pourcentage important de part de marché. Cela alerta suffisamment Maxwell House pour qu'elle revienne à ses bonnes habitudes en injectant 73 millions de dollars en publicité l'année suivante.

5. Dans le cadre d'une action avec coupon-réponse, la répétition de votre message entraîne une augmentation des ventes.

Selon le Cahners Advertising Research Report, une annonce doit être répétée au moins 6 fois pour avoir une certaine efficacité. Jusqu'à 10 parutions, le nombre de coupons-réponse reçus augmente[11]. Sur un cycle de 10 semaines, les 3 premières semaines de parution représentent 20 % du chiffre d'affaires alors que les 4 dernières représentent pratiquement 50 % du total des ventes.

6. La répétition de votre message a un effet favorable sur les ventes.

En 1963, la compagnie DuPont a établi l'existence d'un rapport entre le taux d'accroissement des ventes et le nombre d'insertions réalisées[12]. Par la suite, la Missouri Valley Petroleum Corporation remarqua que le fait de doubler l'investissement publicitaire engendrait une augmentation importante des ventes au cours d'une période de trois ans[13].

Il n'est donc pas surprenant que les entreprises majeures investissent des sommes importantes en publicité. En 1992, Ford a injecté 404 millions de dollars dans la bataille publicitaire aux États-Unis, Pepsi et Coke, près de 298 millions de dollars, McDonald's 413,5 millions de dollars et Sears, 409 millions de dollars.

Bien sûr, j'ajouterai que ce n'est pas parce que vous investissez des sommes importantes que vous êtes efficaces. En réalité, tout dépend de la qualité de vos messages et de la stratégie utilisée. Ainsi, on sait que :

- Un ensemble de commerciaux est plus efficace qu'un seul commercial.
- La répétition aide le consommateur à mémoriser votre marque, mais trop de publicités, trop vite, peut être mal reçu.

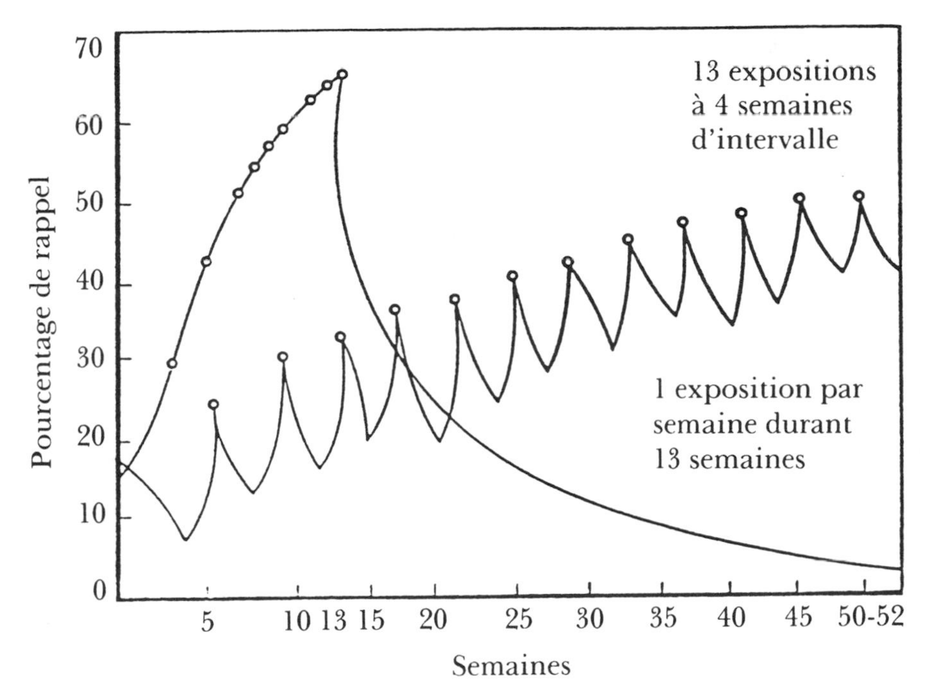

Ce tableau compare le taux de mémorisation d'une annonce qui a été présentée une fois par semaine durant 13 semaines à celui d'une annonce présentée une fois toutes les 4 semaines pendant 52 semaines. On constate que l'exposition concentrée dans le temps obtient un taux de rappel supérieur à celui d'une exposition aux quatre semaines. Cependant, on remarque qu'à longue échéance, c'est l'exposition étalée qui réalise les scores de mémorisation les plus élevés.

Source : *Zielske, Hubert A. « The Remembering and Forgetting of Advertising »,* Journal of Marketing, *vol. 23, nº 3, janvier 1959, p. 240.*

- La publicité pour les produits dont la fréquence d'achat est moins élevée (voiture, caméra) perd son efficacité plus lentement que la publicité pour les produits achetés fréquemment.
- Plus il y a d'espaces entre les répétitions, plus une publicité peut être utilisée longtemps.
- Si votre budget est mince, une seule publicité est plus efficace que plusieurs pour renforcer le processus de mémorisation.
- Une publicité persuasive qui bénéficie d'un budget publicitaire moyen sera plus efficace qu'une publicité ordinaire profitant d'un budget publicitaire important[14].

Cahners Advertising Research Report no 240 3

How Long Do Advertisements Draw Inquiries?

A study of 5 publications shows no reduction of inquiries generated after a 10 week processing cycle.

Number Of Inquiries Generated

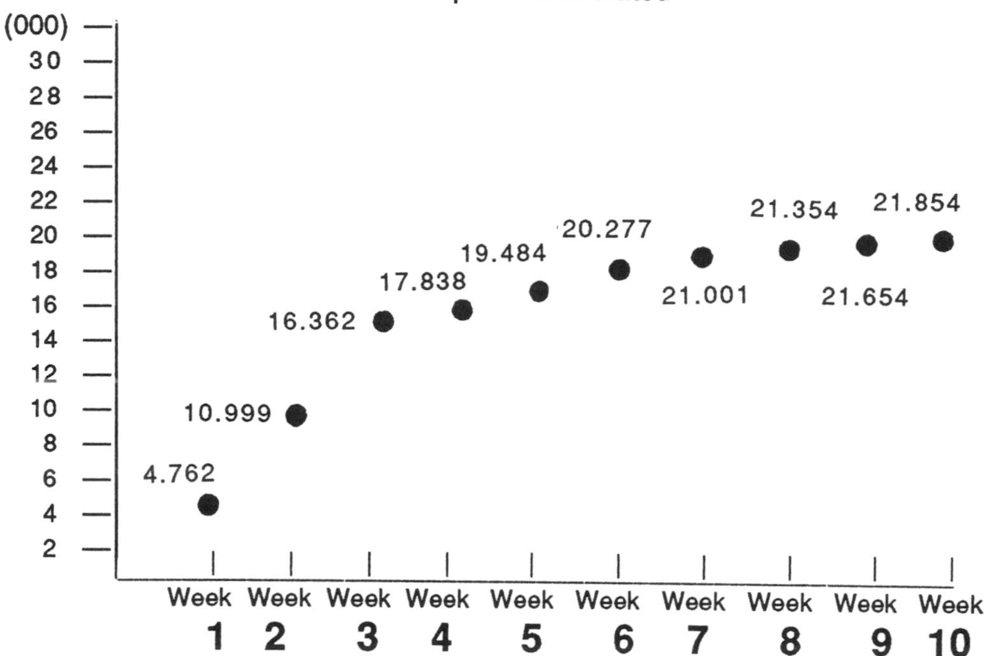

Il faut répéter une annonce au moins six fois pour obtenir des résultats satisfaisants. Une étude réalisée par la Cahners Advertising Research Report *montre que le nombre de coupons-réponse reçus par la poste ne diminue pas avant la dixième impression.*

- Les publicités humoristiques perdent de leur efficacité plus vite que celles qui ne le sont pas.
- Il ne faut surtout pas cesser d'annoncer durant les récessions. L'histoire montre que les entreprises qui maintiennent un niveau équivalent de publicités durant ces périodes creuses s'en tirent toujours mieux que celles qui décident de diminuer leurs efforts publicitaircs.
- Il est par contre préférable de réduire ses investissements en temps de guerre. Lorsque la guerre du Golf a éclaté, plusieurs annonceurs nationaux comme Procter & Gamble, Sears, Pepsi-Cola, McDonald's, Pizza Hut, Toyota, Miller, Kodak, Ford, AT&T et American Express ont réduit leurs placements publicitaires.

Coca-Cola a envoyé une missive à travers le monde afin que leurs publicités n'apparaissent dans aucun bulletin de nouvelles ou cahier consacré à la guerre. Chevron a annulé 4 millions de dollars d'achat média et TWA a éliminé tout achat d'imprimés publicitaires et de *spot* télévisés.

Dans le même sens, les fabricants japonais préférèrent cesser d'annoncer dans les médias américains durant une période d'un mois à l'occassion du 50e anniversaire de l'attaque japonaise sur la base de Pearl Harbour.

COMMENT RÉPARTIR VOS RÉPÉTITIONS ?

Il existe six façons différentes de programmer vos répétitions dans le temps :

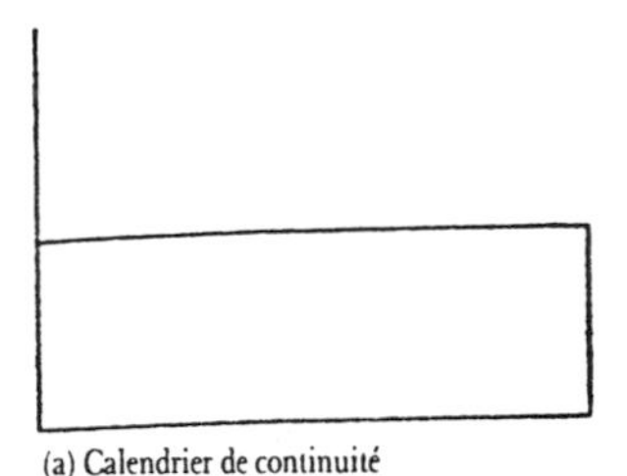

(a) Calendrier de continuité

1. La répétition constante

Elle consiste à répéter votre message de façon régulière afin de produire un niveau d'exposition uniforme. Recommandée quand vous faites de la publicité pour des produits bien connus dont la vente est constante dans le temps.

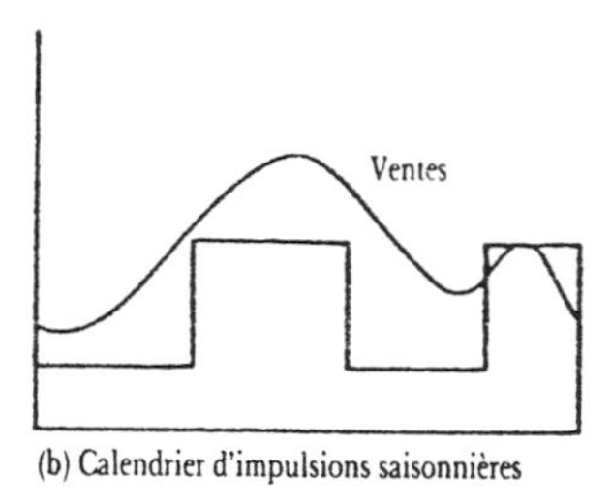

(b) Calendrier d'impulsions saisonnières

2. La répétition saisonnière
Cette stratégie consiste à ajuster vos répétitions aux périodes de vente importantes, que ce soit juste avant ou pendant celles-ci.

Voici quelques exemples de produits pour lesquels la répétition saisonnière est appropriée : les tondeuses à gazon, les piscines, les entreprises de déménagement et les souffleuses à neige.

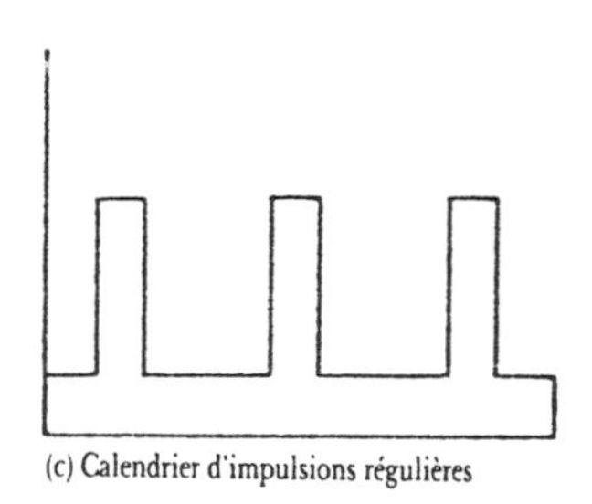
(c) Calendrier d'impulsions régulières

3. La répétition périodique
Elle consiste en de courtes impulsions à des intervalles réguliers. Conseillée quand vous faites de la publicité pour des campagnes d'entretien, dans le cas de produits en phase de maturité et de déclin ou lorsque votre publicité fait appel à l'humour.

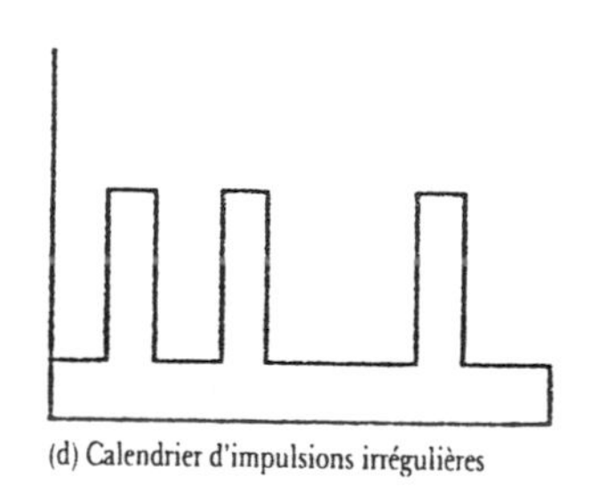
(d) Calendrier d'impulsions irrégulières

4. La répétition irrégulière
Cette stratégie consiste à répéter votre annonce en vagues irrégulières. Utilisez-la pour suivre un achalandage irrégulier ou pour modifier un cycle de comportement.

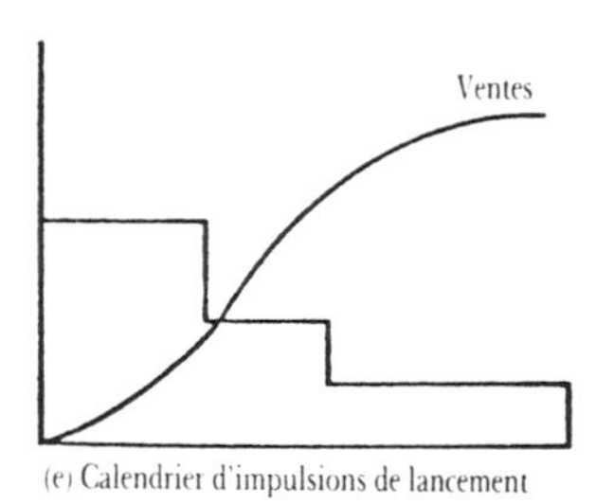

(e) Calendrier d'impulsions de lancement

5. L'impulsion de lancement
Cette stratégie consiste à faire beaucoup de publicité lors du lancement d'un nouveau produit dans le but d'en favoriser l'essai et l'adoption. Employez-la pour une campagne de lancement ou pour stimuler l'essai d'une nouvelle promotion.

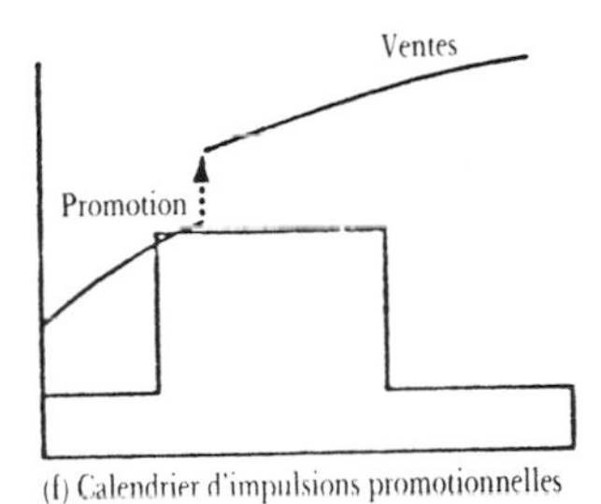

(f) Calendrier d'impulsions promotionnelles

6. La répétition intensive
Cette stratégie consiste à faire une publicité intensive pour susciter une réponse forte et rapide, comme lorsqu'il y a distribution d'échantillons ou de bons de réduction. Je vous recommande cette stratégie pour encourager l'essai, un deuxième achat ou des achats multiples du produit[15].

QUATRE TUYAUX

Avec une somme donnée de dollars :

1. Il est préférable d'annoncer marché par marché plutôt que de viser d'emblée l'échelon national.
2. Il vaut mieux trop dépenser dans une ville que pas assez dans plusieurs villes.
3. Il est préférable de trop dépenser dans un média que pas assez dans plusieurs.
4. Il est préférable de trop investir dans un support que pas assez dans plusieurs[16].

La concentration est un principe *fondamental* en répétition publicitaire. Il vaut mieux être très présent dans un petit nombre d'endroits que diffus dans plusieurs. Une campagne réalisée par Delisle au cours de laquelle l'entreprise a réservé presque tous les espaces disponibles dans 5 stations de métro a montré que 56 % des voyageurs avaient eu connaissance de la campagne de Delisle.

* * * *

En 1885, Thomas Smith écrivait :

> « La première fois qu'un homme regarde une annonce publicitaire, il ne la voit pas ;
> la seconde fois, il ne la remarque pas ;
> la troisième, il est conscient de son existence ;
> la quatrième, il se rappelle vaguement l'avoir vue ;
> la cinquième, il la lit ;

la sixième, il fait le dégoûté ;

la septième, il la lit et s'écrit : « Oh là ! »;

la huitième, il dit : « Voici encore cette maudite chose » ;

la neuvième, il se demande si cela vaut quelque chose ;

la dixième, il pense qu'il demandera à son voisin s'il l'a essayée ;

la onzième, il se demande comment l'annonceur fait pour la payer ;

la douzième, il pense qu'elle peut valoir quelque chose ;

la treizième, il pense que ce doit être une bonne chose ;

la quatorzième, il se souvient qu'il désirait une telle chose depuis longtemps ;

la quinzième, il est au supplice parce qu'il ne peut se permettre de l'acheter ;

la seizième, il pense qu'il l'achètera un jour ;

la dix-septième, il rédige un mémo à ce sujet ;

la dix-huitième, il maudit sa pauvreté ;

la dix-neuvième, il compte son argent avec soin ;

la vingtième fois qu'il la voit, il achète l'article ou demande à sa femme de le faire[17]. »

C'est toujours vrai aujourd'hui.

NOTES

1. APPEL, Valentine. « On Advertising Wear Out », *Journal of Advertising Research*, vol. 11, nº 1, février 1971, p. 11-13;

   BRITT, Steuart Henderson, Stephen C. ADAMS et Allan S. MILLER. « How Many Advertising Exposures Per Day? », *Journal of Advertising Research*, vol. 12, nº 6, décembre 1972, p. 3-9;

   CALDER, Bobby J. et Brian STERNTHAL. « Television Commercial Wearout: An Information Processing View », *Journal of Marketing Research*, vol. 17, nº 2, mai 1980, p. 173-186;

   CARRICK, Paul M. Jr. « Why Continued Advertising Is Necessary: A New Explanation », *Journal of Marketing*, vol. 23, nº 4, avril 1959, p. 386-398;

   CRAIG, C. Samuel, Brian STERNTHAL et Clark LEAVITT. « Advertising Wearout: An Experimental Analysis », *Journal of Marketing Research*, vol. 13, nº 4, novembre 1976, p. 365-372;

   EHRENBERG, Andrew S.C. « Repetitive Advertising and the Consumer », *Journal of Advertising Research*, vol. 14, nº 2, avril 1974, p. 25-33;

   GREENBERG, Allan et Charles SUTTONI. « Television Commercial Wearout », *Journal of Advertising Research*, vol. 13, nº 5, octobre 1973, p. 47-53;

   KRUGMAN, Herbert E. « Why Three Exposures May Be Enough », *Journal of Advertising Research*, vol. 12, nº 6, décembre 1972, p. 11-14;

   NAPLES, Michael J. *Effective Frequency: the Relationship Between Frequency and Advertising Effectiveness*, New York, Association of National Advertisers Inc., 1979, 140 p.;

   OSTHEIMER, Richard H. « Frequency Effects Over Time », *Journal of Advertising Research*, vol. 10, nº 1, février 1970, p. 19-22;

   RAY, Michael L., Alan G. SAWYER et Edward C. STRONG. « Frequency Effects Revised », *Journal of Advertising Research*, vol. 11, nº 1, février 1971, p. 14-20;

   RAY, Michael L. et Alan G. SAWYER. « Repetition Models: A Laboratory Technique », *Journal of Marketing Research*, vol. 8, nº 1, février 1971, p. 20-29;

   ZIELSKE, Hubert A. « The Remembering and Forgetting of Advertising », *Journal of Marketing*, vol. 23, nº 3, janvier 1959, p. 239-243.

2. STARCH, Daniel. *Measuring Advertising Readership and Results*, New York, McGraw-Hill, 1966, p. 97.

3. ZAJONG, Robert B. «Attitudinal Effects of Mere Exposure», *Journal of Personality and Social Psychology Monograph Supplement*, vol. 9, nº 2, 2e partie, juin 1968, p. 1-27;

   HARRISON, Albert A. «Exposure and Popularity», *Journal of Personality*, vol. 37, nº 3, septembre 1969, p. 359-377.

4. GRUSH, J. E. et K. L. McKEOGH. « The Finest Representation that Money Can Buy: Exposure Effects in the 1972 Congressional Primaries », Chicago,

mai 1975, in BARON, Robert A. et Donn BYRNE. *Social Psychology : Understanding Human Psychology*, Boston, Allyn and Bacon Inc., 1977, p. 221.

5. « A Disturbing New Study on 15 Seconds Commercials », *Canada Newsletter*, avril 1989, p. 1-2.
6. KAPFERER, Jean-Noël. *Les chemins de la persuasion : le mode d'influence des médias et de la publicité sur les comportements*, Paris, Gauthier-Villars, 1978, p. 245.
7. SÉGUÉLA, Jacques. *Ne dites pas à ma mère que je suis dans la publicité... Elle me croit pianiste dans un bordel*, Paris, Flammarion, 1979, p. 111 et 212.
8. ZIELSKE, H. A. « The Remembering and Forgetting of Advertising », *Journal of Marketing*, vol. 23, nº 3, janv. 1959, p. 239-243.
9. *Idem, ibidem*, p. 240.
10. GALWAY, Byron T. « To Cut or not to Cut ? », *Marketing & Media Decisions*, avril 1981, p. 34.
11. CAHNERS ADVERTISING RESEARCH REPORT. « How Long Do Advertisements Draw Inquiries ? », *Cahners Advertising Research Report*, New York, 1979, nº 240.3.
12. BECKNELL, James C. Jr. et Robert W. McISAAC. « Test Marketing Cookware Coated with Teflon », *Journal of Advertising Research*, vol. 3, nº 3, sept. 1963, p. 2-8.
13. SEVIN, Charles H. « What We Know About Measuring Ad Effectiveness », *Printer's Ink*, 9 juillet 1965, p. 47-53.
14. TEINOWITZ, Ira. « Ad Message, not Frequency, Sells », *Advertising Age*, décembre 1989, p. 31.
15. BRISOUX, Jacques E., René Y. DARMON et Michel LAROCHE. *Gestion de la publicité*, Montréal, McGraw-Hill, 1986, p. 468-470.
16. HOBSON, J.W. « Three Basic Principles in Campaign Planning » *The Selection of Advertising Media*, Londres, Mercury House, Business Books Limited, 1968, p. 174-182, in LITTLEFIELD, James E. *Readings in Advertising : Current View Points on Selected Topics*, St-Paul, West Publishing Co., 1975, p. 242-248.
17. SMITH, Thomas. *Hints to Intending Advertisers*, London, 1885, in Leo BOGART, *La Stratégie publicitaire*, Paris, Éditions d'Organisation, 1971, p. 207.

CHAPITRE 10

LA PUBLICITÉ : ART OU SCIENCE ?

Quand on lui demandait si la publicité était un art ou une science, Jules Arren, un des premiers professionnels de la publicité, répondait :

> « La publicité ne deviendra jamais une science comme les mathématiques. La manière selon laquelle elle opère est d'une variété, d'une mobilité, d'une complexité trop grande : c'est l'esprit humain. L'équation personnelle joue un trop grand rôle dans les calculs pour qu'on puisse les réduire en théorèmes et formules.
>
> « Cela ne veut pas dire qu'en publicité — comme en psychologie — il n'y ait des lois, des principes généraux qu'il faut connaître et utiliser. Si l'on classe les sciences, en partant des sciences mathématiques qui seules sont absolument rigoureuses parce qu'elles considèrent des abstractions, on remarque que plus l'objet étudié est concret, réel, vivant, complexe, plus les lois deviennent rares et incertaines, plus les raisonnements sont empiriques. Entre les mathématiques et la météorologie, la science de la publicité occupe une place voisine de la psychologie ou science de l'esprit humain.
>
> « Pour exprimer le caractère d'incertitude, on dira souvent que la publicité est un art ; et par là, on veut en même temps rendre justice aux qualités artistiques que suppose la belle présentation des réclames et indiquer que des

> dons naturels sont avant tout nécessaires à ceux qui veulent y réussir.
>
> « Le mot est beaucoup moins heureux et on doit l'éviter. Il est incontestable que la publicité doit être faite avec une méthode et suivant des calculs qui en font une science encore imparfaite, il est vrai, mais pas un art.
>
> « On doit, précisément, s'efforcer par l'observation et par des expériences de dégager de nouvelles lois, calculer, avec une exactitude croissante, les valeurs fixes de rendement ; formuler, avec une précision plus grande, les axiomes, et ne pas s'en remettre aux trouvailles du génie et au rôle du hasard[1]. »

Cette manière de voir les choses résume tout à fait mon attitude vis-à-vis de la publicité. Je ne considère pas la publicité comme une science exacte, mais je ne crois pas non plus que les opinions personnelles et les intuitions soient d'un grand secours pour produire de grandes campagnes publicitaires.

Des « créateurs » d'un peu partout dans le monde crient bien haut que la publicité est un art, et que ceux qui ne sont pas d'accord avec eux sont dans l'erreur. Qui sont ces gens pour dire de pareilles choses ? Ont-ils des preuves de ce qu'ils affirment ? Pour ma part, mon sentiment est que la meilleure façon de réaliser des campagnes à succès consiste à se baser sur un certain nombre de *principes* qui ont fait leurs preuves.

Vous ne pourrez jamais persuader quelqu'un d'acheter votre produit si vous ne promettez pas un avantage en retour. Pensez-vous que les consommateurs vont acheter votre produit pour vos beaux yeux ? J'en doute fortement. Cependant, beaucoup de publicitaires persistent à n'en pas tenir compte.

Une chose est certaine et ne changera pas : *le rôle de la publicité est de vendre, et la façon la plus sûre d'y arriver consiste à apprendre les règles du métier.*

NOTE

1. ARREN, Jules. *Comment il faut faire de la publicité,* Paris, Pierre Lafitte & Co. Éditeurs, 1912, p. 35-36.

BIBLIOGRAPHIE SÉLECTIVE

AAKER, David A. et John MYERS. *Advertising Management*, Prentice-Hall Inc., Englewood Cliffs, 1987, 564 p.

ALLARD, Jean-Marie. *La Pub : 30 ans de publicité au Québec*, Montréal, Libre Expression - Le publicité club de Montréal, 1989, 228 p.

BAKER, Stephen. *Visual Persuasion : The Effect of Pictures on the Subconscious*, New York, McGraw-Hill, 1961, n.p.

BAYAN, Richard. *Words that Sell : The Thesaurus to Help You Promote Your Products, Services, and Ideas*, Chicago, Contemporary Books inc., 1984, 127 p.

BENN, Alec. *The 27 Most Common Mistakes In Advertising*, New York, Amacom, 1978, 156 p.

BLY, Robert. *The Copywriter's Handbook : A Step-by-step Guide to Writing Copy that Sells*, New York, Dodd, Mead & Company, 1985, 353 p.

BOGART, Leo. *La Stratégie publicitaire* (traduit par Eudes de Saint-Simon), Paris, Les Éditions d'Organisation, 1971, 400 p.

BOISVERT, Jacques. *Administration de la publicité*, Chicoutimi, Gaëtan Morin, 1980, 282 p.

BOUCHARD, Jacques. *Les 36 cordes sensibles des Québécois*, Montréal, Héritage, 1978, 308 p.

BRISOUX, Jacques E., René Y. DARMON et Michel LAROCHE. *Gestion de la publicité*, Montréal, McGraw-Hill, 1986, 637 p.

BURNETT, Leo. *Communications of an Advertising Man*, Chicago, Leo Burnett Co. inc., 1961, 350 p.

BURTON, Philip Ward. *Advertising Copywriting*, Columbus, Ohio, Grid inc., 1974, 446 p.

BURTON, Philip Ward et Scott PURVIS. *Which Ad Pulled Best ?*, Lincolnwood, Illinois, NTC Business Books, 1987, 148 p.

CAPLES, John. *Tested Advertising Methods*, Englewood Cliffs, N.J., Prentice-Hall, 1987, 318 p.

CHESKIN, Louis. *Marketing: « le système de Cheskin »*, (traduit par Jean-François Bazin), Paris, Chotard et associés éditeurs, 1971, 180 p.

COHEN, Dorothy. *Advertising*, Glenview, Illinois, Scott Foresman, 1988, 626 p.

COSSETTE, Claude. *Comment faire sa publicité soi-même*, Montréal, Publications Transcontinental inc., 1988, 139 p.

DARMON, René Y., Michel LAROCHE et John V. PETROF. *Le Marketing : fondements et applications*, Montréal, McGraw-Hill, 1986, 805 p.

DÉRIBÉRÉ, Maurice. *La Couleur dans la publicité et la vente*, Paris, Dunod, 1969, 212 p.

DICHTER, Ernest. *Le Marketing mis à nu* (traduction de Mireille Davidovici), Paris, Tchou, 1970, 346 p.

DOBROW, Larry. *When Advertising Tried Harder*, New York, Friendly Press, 1984, 205 p.

DUSSART, Christian. *Comportement du consommateur et stratégie de marketing*, Montréal, McGraw-Hill, 1983, 554 p.

FAVRE, Jean-Paul et André NOVEMBER. *Color and und et Communication*, Zurich, ABC Editions, 1979, 167 p.

FLESCH, Rudolph. *How to Test Readability*, New York, Harper & Brothers, 1951, 56 p.

GLATZER, Robert. *The New Advertising: the Great Campaigns from Avis to Volkswagen*, New York, The Citadel Press, 1970, 191 p.

HAAS, Claude Raymond. *Pratique de la publicité*, Paris, Dunod, 1970, 578 p.

HARPER, Marion. *Getting Results from Advertising*, New York, Funk & Wagnalls Co., 1948, 75 p.

HEPNER, Harry Walker. *Advertising: Creative Communication with Consumers*, New York, McGraw-Hill, 1964, 4e édition, 692 p.

HODGSON, Richard S. *The Dartnell Direct Mail and Mail Order Handbook*, Chicago, The Dartnell Corporation, 1964, 1092 p.

HOPKINS, Claude. *Mes succès en publicité* (traduit par Louis Angé), Paris, La Publicité, 1927, 200 p.

JOANNIS, Henri. *De l'étude de motivation à la création publicitaire et à la promotion des ventes*, Paris, Dunod, 1976, 422 p.

KAPFERER, Jean-Noël. *Les chemins de la persuasion: le mode d'influence des media et de la publicité sur les comportements*, Paris, Gauthier-Villars, 1978, 349 p.

LAURENT, Jean-Paul. *Rédiger pour convaincre: 15 conseils pour une écriture efficace*, Paris-gembloux, Duculot, 1984, 96 p.

LEDUC, Robert. *La publicité, une force au service de l'entreprise*, Paris, Dunod, 1982, 329 p.

LEWIS, Herschel Gordon. *Direct Mail Copy that Sells !*, Englewood Cliffs, N.J., Prentice-Hall Inc., 1984, 258 p.

LYONS, John. *Guts : Advertising From the Inside Out*, New York, Amacom, 1989, 324 p.

MANUEL, Bruno et Dominique XARDEL. *Le marketing direct en France : pratique de la vente directe, de la vente par correspondance, de la vente à domicile*, Paris, Dalloz, 1980, 324 p.

MARTINEAU, Pierre. *Motivation in Advertising; Motives that Make People Buy*, New York, McGraw-Hill, 1957, 210 p.

MAYER, Martin. *Madison Avenue USA : les coulisses de la publicité américaine*, (traduit de J. E. Leymarie), Paris, Les Éditions d'Organisation, 1968, 252 p.

OGILVY, David. *La Publicité selon Ogilvy* (traduit par Elie Vannier), Paris, Dunod, 1984, 224 p.

O'TOOLE, John. *The Trouble with Advertising*, New York, Times Books, 1985, 248 p.

PACKARD, Vance. *La Persuasion clandestine*, (traduit par Hélène Claireau), Paris, Calmann-Lévy, 1958, 246 p.

PÉNINOU, Georges. *Intelligence de la publicité*, Paris, Laffont, 1972, 300 p.

PETROF, John V. *Comportement du consommateur et marketing*, Québec, Les Presses de l'Université Laval, 1984, 544 p.

PIGNAC, Pierre. *La Publicité*, Sillery, Presses Universitaires du Québec, 1989, 357 p.

RAPP, Stan et Thomas L. COLLINS. *MaxiMarketing* (traduit par Philippe de Lavergne), Paris, McGraw-Hill, 1988, 377 p.

REEVES, Rosser. *Le Réalisme en publicité* (traduit par R. Aubert), Paris, Dunod, 1968, 132 p.

RIES, Al et Jack TROUT. *Le Positionnement : la conquête de l'esprit*, (traduit par Stéphane de Kermoal), Paris, McGraw-Hill, 1987, 215 p.

ROMAN, Kenneth et Jane MAAS. *How to Advertise*, New York, St. Martin's Press, 1976, 159 p.

ROMAN, Kenneth et Joel RAPHAELSON. *Writing that Works*, New York, Harper & Row, 1981, 105 p.

ROSSITER, John R. et Larry PERCY. *Advertising & Promotion Management*, New York, McGraw-Hill, 1987, 649 p.

RUDOLPH, Harold J. *Attention and Interest Factors in Advertising: Survey, Analysis, Interpretation*, New York, Funk & Wagnalls Company en collaboration avec Printers' Ink Publishing Co. inc., 1947, 119 p.

SCHULTZ, Don E. et William A. ROBINSON. *Sales Promotion Essentials*, Lincolnwood, Illinois, NTC Business Books, 1989, 234 p.

SCHWAB, Victor O. *How to Write a Good Advertisement*, New York, H. Wolff, 1942, 76 p.

SÉGUÉLA, Jacques. *Ne dites pas à ma mère que je suis dans la publicité... Elle me croit pianiste dans un bordel*, Paris, Flammarion, 1979, 274 p.

STARCH, Daniel. *Measuring Advertising Readership and Results*, New York, McGraw-Hill, 1966, 270 p.

STONE, Bob. *Successful Direct Marketing Methods*, Chicago, Crain Books, 1979, 370 p.

STRUNK, William et E. B. WHITE. *The Elements of Style*, New York, Collier MacMillan, 1959, 71 p.

TINKER, Miles Albert et Donald G. PATERSON. *How to Make Type Readable : A Manual for Typographers, Printers and Advertisers*, New York, Harper & Brothers Publishers, 1940, 209 p.

TREMBLAY, Gilles. *L'ABC du style publicitaire français*, Montréal, Linguatech, 1982, 103 p.

VICTOROFF, David. *La Publicité et l'image*, Paris, Denoël/Gonthier, 1978, 183 p.

ANNEXE 1
VOCABULAIRE DU FRANÇAIS FONDAMENTAL

- A -

à (préposition)
d'abord
absolument
accent
accident
d'accord
acheter
actuel
actuellement
adresser (s'adresser)
affaire
âge
agir
agréable
ah
aider
ailleurs (d'ailleurs)
aimer
ainsi
air (atmosphère)
  - avoir l'air
allemand
aller
  - verbe de mouvement
  - synon. de se porter
  - expression : ça va
  - auxiliaire du futur
  - interjection
  - s'en aller
alors
amener
américain
ami(e)
amuser (s'amuser)
amusant
an
ancien
anglais
animal
année
août
apercevoir (s'apercevoir)
appareil
appartement
appeler (s'appeler)
apporter
apprendre
après (d'après)
après-midi
arbre
argent (métal, monnaie)
armée
arranger (s'arranger)
arrêter (s'arrêter)
arrière
  - arrière (nom)
  - en arrière
arriver
  - sens propre
  - sens figuré
  - impersonnel
article
artiste
asseoir (s'asseoir)
assez
assurer
attendre
attention (faire attention)
attraper
au
aucun
aujourd'hui
aussi

---

* HENRY, Georges. *Comment mesurer la lisibilité*, Paris, Fernand Nathan, 1975 p. 162-169.

autant
auteur
auto
autour
autre
autrefois
autrement
aux
avancer
avant
avec
avenue
avion
avis
  - à mon, ton, etc.
avoir
  - verbe
  - auxilliaire
  - il y a
avouer

- B -

bain
bas
  - bas (adjectif)
  - bas (adverbe)
  - en bas
bateau
bâtiment
battre
beau
beaucoup
beau-frère
besoin
  - avoir besoin
bête (nom)
bête (adjectif)
bien (adverbe)
billet
blanc
blague (plaisenterie)
bleu
boire
bois
  - forêt
  - matière
boîte (sens propre)
bon (adjectif)
bon (exclamation)
bonhomme
bonjour
bonne (nom)
bord
- à, au bord
bouger
bouquin
bout
  - au bout de
bouteille
brave
bras
bref
bruit
brûler
bureau

- C -

ça
café
  - boisson
  - établissement
camarade
camion
camp
campagne
canard
capable
car (nom)
car (conjonction)
carreau
carte
cas
casser
cause (dans : à cause de)
causer
ce (déterminatif)
ce (pronom)
ceci
cela
celle
celle-là
celui
celui-là
cent
centre
certain
certainement
ces
c'est-à-dire
cet
cette
ceux
chacun(e)
chaleur
chambre
champ
chance
changer
chant
chanter
chaque
charger (se charger)
chasse
château
chaud (avoir chaud, il fait chaud)
chauffage
chauffer
chaussure
chef
chemin (et chemin de fer)
cher
chercher
cheval
  - dont : chevaux-vapeur
cheveu
chez

chien
choisir
chose
ci
cinéma
cinq
cinquante
clair
classe
client
coeur
coiffeur
coin
coller
colonie
combien
comme
commencer
comment
commune (nom)
complet (adjectif)
complètement
comprendre
compte
- dont: se rendre
compte, rendre compte
compter
concours
condition
conduire
confiance
connaissance
connaître
construire
contact
content
continuer
contraire
contre
conversation
copain
correspondre
côte
côté
- à côté
- du côté
- de ce côté-là
coucher (se coucher)
couleur
coup
couper
cour
courant (nom)
- dont: courant
électrique
courir
cours
- dont: enseignement
course
cousin(e)
coûter
couvrir
crédit
créer
croire
cuisine
- pièce
- art culinaire
culture
- agriculture
- instruction
curé
curieux

- D -

damc
dans
danser
de
débrouiller (se
débrouiller)
début
décembre
décider
dedans
dehors
déjà
déjeuner (nom)
demain
demander
demi
départ
dépendre
dépenser
depuis
dernier
derrière (nom)
derrière (adverbe et
préposition)
des (article)
des (de les)
dès que
descendre
dessous (adverbe)
dessus (adverbe)
deux
deuxième
devant (adverbe et
préposition)
devenir
devoir (verbe)
devoir (nom)
dieu
différence
différent
difficile
dimanche
dîner (nom)
dire
directement
directeur
discuter
disque
dix
docteur
donc
donner
dont

fil
- fil de fer

fille
- contraire de garçon
- féminin de fils
- fille de chambre
- vieille fille

film
fils
fin (nom)
finalement
finir
fleur
foi
- dont : ma foi

foie
fois
fond
- dont : au fond

force
forcément
forme
formidable
fort (adverbe)
fort (adjectif)
fou
foutre (se foutre)
franc (monnaie)
français (nom et adjectif)
frapper
frère
froid
frontière
fumer

- G -

gagner
garage
garçon
garder
gare
gars
gauche
gaz
gêner
général (adjectif)
- dont : en général

généralement
genou
genre
gens
gentil
gorge
gosse
goût
grand
grand-mère
grave
gros
groupe
guerre
guide

- H -

habiller (s'habiller)
habiter
habitude
hasard
haut
heure
heureusement
heureux
hein
hier
histoire
hiver
homme
hôpital
hôtel
huile
huit

- I -

ici
idée
île
il(s)
image
imaginer (s'imaginer)
important
impossible
impression
infirmier (infirmière)
initiative
installation
installer (s'installer)
instituteur
intelligent
intention
intéressant
intéresser
intérieur
inventeur
inviter
italien (nom et adjectif)

- J -

jamais
jambe
jardin
jaune
je
jeter
jeu
jeudi
jeune
jeune fille
joli
jouer
jour
journal
journée
juillet

jusque
juste (nom et adjectif)
juste (adverbe)
justement

- K -

kilomètre

- L -

l' (article la)
l' (pronom la)
l' (article le)
l' (pronom le)
l' (dans l'ont)
la (article)
la (pronom)
là
là-bas
là-dedans
là-dessus
là-haut
laine
laisser
lait
lancer
langue
large
laver
le (article)
le (pronom)
leçon
lendemain
lequel
les (article)
les (pronom)
lettre
- correspondance
- alphabet
- études littéraires
leur (pronom personnel)
leur (possessif)
lever (se lever)
libre
lieu
- dont : au lieu de, au lieu que
ligne
lire
lit
litre
livre (masculin)
loger
loin
long
longtemps
lorsque
louer (location)
lui
lundi
lycée

- M -

ma
machin
machine
madame - mesdames
mademoiselle -
- mesdemoiselles
magasin
magnifique
main
maintenant
mais
maison
maître (maîtresse)
mal (nom)
- dont : avoir mal, faire
mal
mal (adverbe)
malade
malgré
malheureux
malheureusement
maman
manger
manquer
marchand
marché
- bon marché
marcher
mardi
mari
mariage
marier (se marier)
matin
mauvais
me
mécanique
médecin
médecine
meilleur
même
ménage
mer
merci
mère
mes
mesure
métier
mètre
métro
mettre
meuble
micro
midi
mien
mieux
milieu
militaire
mille
million
minute
moderne
moi
moins
mois

moitié
moment
mon
monde
monsieur - messieurs
monter
montrer
morceau
mort (nom et adjectif)
mort (nom féminin)
mot
moteur
moto
mourir
mouvement
moyen (nom)
mur
musée
musique

- N -

nager
naître
national
naturel
naturellement
ne
nécessaire
neige
n'est-ce pas
nettoyer
neuf (nombre)
neuf (adjectif)
nez
ni
n'importe
Noël
noir
nom
nombre
nombreux
non
non plus
nord
normal
nos
note
notre
nous
nouveau
nouvelle (nom)
nuit
numéro

- O -

obliger
occasion
occuper
- occuper
- s'occuper
octobre
œil - yeux
oeuf
offrir
oh
on
oncle
onze
opéra
opération
opérer
ordinaire
ordre
organiser
oser
ou (conjonction)
où (relatif)
où (interrogatif)
oublier
oui
ouvrier (ouvrière)
ouvrir

- P -

pain
papa
papier
Pâques
par
paraître
- verbe personnel
- verbe impersonnel
parce que
pardon
pareil
parents
parfait
parfaitement
parisien
parler
parole
part
- dont : à part, d'autre
part
particulier
- dont : en particulier
partie
partir
partout
pas (adverbe)
passage
passer
patron
pauvre
payer
pays
paysan
pêche
peine
- dont : à peine
peinture
pendant
pénible
penser
perdre

père
période
permettre
personnage
personne (nom)
personne (pronom)
petit
peu (un peu)
peur
- avoir peur
- faire peur
photo
pièce
- dont: chambre, pièce de théâtre
pied
place
placer
plaindre (se plaindre)
plaire
plaisir
plan
plat
plein
pleurer
pleuvoir
plupart (la plupart)
plus (comparatif)
plus (temporel)
plusieurs
plutôt
point (nom)
- dont: point de vue
pointe
poisson
police
politique
porte
porter (se porter)
poser
possible
poste (masculin)
- dont: poste radio, poste de fonctionnaire
poule
pour
pourquoi
pour que
pourtant
pousser
poussière
pouvoir (verbe)
pratique (adjectif)
précieux
préciosité
préférer
premier
prendre
préparer
près
présenter (se présenter)
presque
prêt (adjectif)
prévenir
prévoir
principe
- en principe
prix
problème
prochain
produire
professeur
- prof. (abréviation)
profiter
programme
promenade
promener (se promener)
prononcer
propriétaire
province
public (nom et adjectif)
puis
puisque

- Q -

qualité
quand
quand même
quarante
quart
quartier
quatorze
quatre
que (conjonction)
que (relatif)
que (après comparatif)
que (dans: ne... que)
que (interrogatif)
que (exclamatif)
que (indéterminé)
quel
quelque
quelque chose
quelquefois
quelques
quelqu'un
qu'est-ce que
qu'est-ce qui
question
qui (relatif)
qui (interrogatif)
quinze
quitter
quoi (exclamatif)
quoi (interrogatif)
quoi (relatif)

- R -

raconter
radio (T.S.F.)
raison
- dont: avoir raison
ramasser
ramener
rappeler (se rappeler)

rapport
rare
recevoir
recommencer
reconnaître
refaire
refuser
regarder
région
religieux
remarquer
remercier
remettre
remonter
remplacer
rencontrer
rendre (se rendre compte)
rentrer
réparer
repartir
repas
repasser
répondre
reprendre
représenter
restaurant
reste
rester
résultat
retard
retenir
retirer
retourner
retraite
retrouver
réussir
revenir
revoir
riche
rien
rire (verbe)
risquer
robe
rôle
roman (nom)
rouge
rouler
route
rue
russe

- S -

sa
sac
saison
salle
samedi
sans
santé
sauter
sauver (se sauver)
savoir
scène
se
second
seize
semaine
sembler
  - verbe personnel
  - verbe impersonnel
sens
sentir
sept
sérieux
service
servir (se servir)
ses
seul
seulement
si (conditionnel)
si (interrogatif)
si (intensif)
si (affirmatif)
simple
simplement
situation
six
social
sœur
  - dont : « religieuse »
soi
soigner
soir
soirée
soixante
soldat
soleil
somme (féminin)
son (possessif)
sorte
sortir
sou
souffrir
sous (préposition)
souvenir (nom) (se souvenir)
souvent
speaker
spécial
suceuse (appareil)
suédois
suffire
suisse
suite
suivant
suivre
sujet
supérieur
supposer
sur (préposition)
sûr
sûrement
surtout
surveiller
sympathique
syndicat

- T -

ta
table
tableau
tandis que
tant
tant que
tante
taper
tard
tas
te
technique
tel
téléphone
téléphoner
tellement
temps
- durée
- atmosphère
tenir (se tenir)
- tiens !
- tenez
tente
tenue
terminer
terrain
terre
terrible
tes
tête
texte
théâtre
tirer (se tirer)
tissu
toi
tomber
ton (possessif)
toucher (verbe)
toujours
tour (masculin)
tourner
tout (pronom)
tout (adjectif)
tout (adverbe)
- du tout
- pas du tout
- rien du tout
tout à fait
tout à l'heure
tout de même
tout de suite
tout d'un coup
tout le monde
train (dans: en train de)
tranquille
travail
travailler
travers
traverser
treize
trente
très
triste
trois
troisième
tromper (se tromper)
trop
trou
trouver (se trouver)
truc
tu
tuer
type

- U -

un (article)
un (pronom)
un (numéral)
un (dans : l'un)
une (article)
une (pronom)
une (numéral)
uniquement
usine

- V -

vacances
valeur
valoir
vélo
vendre
venir
véritable
vérité
verre
- récipient
- matière
vers (préposition)
vert
vie
vieux
village
ville
vin
vingt
visiter
vite
vitesse
vivre
voici
voilà
voir
voisin
voiture
voix
vos
votre
vouloir
vous
voyage
vrai
vraiment
vue

- Y -

y

INDEX

C

N

O

P

Q

R

X

Y

Z

Quelques titres publiés aux Éditions Transcontinental et traitant de sujets connexes :

Comment construire une image — **34,95 $**
Claude Cossette — 136 pages, 1997

L'idéation publicitaire — **34,95 $**
René Déry — 140 pages, 1997

Les styles dans la communication visuelle — **34,95 $**
Claude Cossette et Claude A. Simard — 136 pages, 1997

Comment faire des images qui parlent — **34,95 $**
Luc Saint-Hilaire — 140 pages, 1997

Ouvrez vite !
Faites la bonne offre, au bon client, au bon moment — **29,95 $**
Alain Samson — 257 pages, 1996

L'Offre irrésistible
Faites du marketing direct l'outil de votre succès — **26,95 $**
Georges Vigny — 176 pages, 1995

9-1-1 CA$H
Une aventure financière dont vous êtes le héros — **24,95 $**
Alain Samson — 256 pages, 1995

Un plan d'affaires gagnant (3e édition) — **27,95 $**
Paul Dell'Aniello — 208 pages, 1994

Maître de son temps — **24,95 $**
Marcel Côté — 176 pages, 1993

Top vendeur — **24,95 $**
Ibrahim Elfiky — 246 pages, 1993

Vendre aux entreprises — **34,95 $**
Pierre Brouillette — 356 pages, 1992

Comment faire sa publicité soi-même (3e édition) — **24,95 $**
Claude Cossette — 184 pages, 1989

Quelques titres traitant de sujets connexes :

Devenez entrepreneur 2.0 (logiciel de plan d'affaires)
Version sur disquettes — **39,95 $**
Version sur cédérom — **69,95 $**
Alain Samson — 1997

Comment rédiger son plan d'affaires
À l'aide d'un exemple de projet d'entreprise — **24,95 $**
André Belley, Louis Dussault et Sylvie Laferté — 200 pages, 1996

J'ouvre mon commerce de détail
24 activités destinées à mettre toutes les chances de votre côté — **29,95 $**
Alain Samson — 240 pages, 1996

Des occasions d'affaires
101 idées pour entreprendre — **19,95 $**
Jean-Pierre Bégin et Danielle L'Heureux — 184 pages, 1995

Marketing gagnant
Pour petit budget — **24,95 $**
Marc Chiasson — 192 pages, 1995

Faites sonner la caisse !!!
Trucs et techniques pour la vente au détail — **24,95 $**
Alain Samson — 216 pages, 1995

Le Marketing et la PME
L'option gagnante — **29,95 $**
Serge Carrier — 346 pages, 1994

Comment trouver son idée d'entreprise (2e édition)
Découvrez les bons filons — **19,95 $**
Sylvie Laferté — 160 pages, 1993

La Passion du client
Viser l'excellence du service — **19,95 $**
Yvan Dubuc — 210 pages, 1993